100 mooiste kastelen van de wereld

100 mooiste kastelen van de wereld

Een reis langs de mooiste kastelen en paleizen van de wereld

www.rebo-publishers.com
info@rebo-publishers.com

Concept en realisatie: PICO publications Milano - www.picopublications.com
Tekst: Hannah Brooks-Motl, Eileen Bernardi, Marc Hakim, Michael Heitmann, David Walthall, Stephan Delbos, Aria Cabot
Foto's: Mariarosaria Tagliaferri
Vertaling en redactie: Textcase, Utrecht
Vertaling voor Textcase: Marion Kieft en Tracey Drost-Plegt

ISBN: 978-90-366-2606-4

Gedrukt in India

Voorwoord

Het woord kasteel is een veelomvattend begrip, dat wordt gebruikt voor logge vestingen, sierlijke paleizen en statige chateaus. Stuk voor stuk zijn ze, dankzij hun bouwstijl, al eeuwenlang een teken van de macht van de bewoners ervan. Elk bouwwerk neemt weer een eigen plek in op de 900 jaar lange tijdslijn van de kasteelbouw. Kastelen spreken al eeuwenlang tot de verbeelding en daardoor worden er vaak tijdperken (middeleeuwen, gotiek, renaissance en barok) en elementen (torens, ophaalbruggen, slotgrachten, balzalen met muurschilderingen en verfijnde tuinen) door elkaar gehaald. Dit verhoogt alleen maar het sprookjesachtige karakter van deze historische zetels van het plaatselijk bestuur.

In dit boek worden forten, kastelen en paleizen besproken met de nadruk op de architectonische details en culturele verschillen tussen het middeleeuwse kasteel en het keizerlijk paleis, tussen de gefortificeerde stad en het landelijke chateau. Klassieke Europese kastelen staan naast minder bekende, maar daarom niet minder opvallende, Japanse en Chinese bastions, Afrikaanse woestijncitadels en Indiase forten. Ondanks de verschillende vormen en kenmerken stralen alle besproken bouwwerken in dit boek een grandeur en grootsheid uit, die getuigen van hun historisch erfgoed en hun geografische ligging.

Over alle kastelen doen ook tal van mythen en legenden de ronde over hun bouw en hun adellijke bewoners. Die verhalen leven nog voort en hebben hun eigen plek naast de interessante weetjes, historische feiten en handige reistips voor wanneer u een bezoek wilt brengen aan een van deze honderd ontzagwekkende monumenten, en we hopen dat u dat zeker gaat doen.

De samenstellers

Inhoudsopgave

BEREIKBAARHEID

Er rijdt elk uur een bus tussen Trim en Dublin, een afstand van 45 kilometer.

BESTE TIJD

Trim Castle is voor het publiek toegankelijk van 1e paasdag tot Halloween, maar er mag het hele jaar worden gewandeld op het terrein.

TIP

Als u in County Meath bent, bezoek dan de Hill of Tara, op 37 kilometer van Trim Castle. De Hill of Tara maakt al 5000 jaar deel uit van Ierse legenden.

WEETJE

Trim Castle is te zien in de film *Braveheart*.

De koning van de Ierse kastelen

***Trim Castle** in Ierland ligt tussen de heuvels en getuigt van de macht van de Normandiërs.*

Koning Henry II van Engeland riep zichzelf in 1171 uit tot Lord of Ireland en benoemde de Anglo-Normandische Hugh de Lacy tot regent van het Ierse koninkrijk Meath. De Lacy vertrok al snel naar zijn nieuwe landgoed en liet een kasteel bouwen in Trim, een stadje aan de oever van de rivier Boyne, 45 kilometer ten noordwesten van Dublin. Vandaag de dag is Trim Castle, in County Meath, een indrukwekkend aandenken aan vroegere veroveringen; het is ook het belangrijkste en best bewaard gebleven kasteel in Ierland.

Innovatieve Normandische bouwkunst

De Normandiërs stonden erom bekend dat ze snel en effectief een kasteel konden bouwen, soms binnen enkele weken en van niets anders dan aarde en hout. In 1176 begon de Lacy met zijn zoon aan een bouwproject dat dertig jaar zou duren en waaruit het eerste en grootste Anglo-Normandische bouwwerk van Ierland voortkwam.

Net als andere Engelse mottekastelen uit die periode werd Trim Castle op een aarden heuvel (motte) gebouwd op een gebied van ongeveer 1,2 hectare. Het kasteel lag aan de rivier Boyne, die 40 kilometer verderop uitkomt in de Ierse Zee. Een mottekasteel bestond gewoonlijk uit een houten toren omgeven door een houten hek (palissade), dat weer was omgeven door een greppel, nog een palissade en een voorburcht. In Trim werden de houten torens vervangen door een donjon, een rechthoekig gebouw van onbrandbare steen.

De donjon was 25 meter hoog, met muren van 3,3 meter dik. Trim Castle had een uniek ontwerp, kruisvormig met wel twintig hoeken, drie verdiepingen hoog. Het complex was omgeven door een driehoekige buitenmuur van 500 meter, ook wel courtine genoemd. In de gehele muur waren schietgaten aangebracht om pijlen door af te schieten. Ook bevatte de muur acht torens en twee poortgebouwen. Rond de buitenmuur lag een slotgracht, met water uit de rivier.

Een grenspost

Hugh de Lacy stierf in 1186 en zijn zoon Walter voltooide de bouw van het kasteel. In de 13e

Trim Castle werd door Normandische veroveraars gebouwd in de heuvels in Meath, een middeleeuws Iers koninkrijk. Het is het eerste en grootste stenen kasteel in Ierland.

Op de Hill of Tara, een heuvel in County Meath die al 5000 jaar een rol speelt in Ierse legenden, staan grafmonumenten.

eeuw liet Geoffrey de Geneville het kasteel uitbreiden met onder meer een grote ridderzaal, toren, gracht en ophaalbrug. In de daarop volgende eeuwen wisselde het kasteel nog enkele malen van eigenaar en bleef het een politieke en militaire rol spelen.

Rond 1500 was Ierland weer grotendeels onder Iers bestuur, maar Trim bleef een buitenpost ten noordwesten van The Pale. In de 16e eeuw is het kasteel deels gerestaureerd, maar het werd in 1649 verlaten toen het Engelse leger van Oliver Cromwell oprukte. Daarna kwam het in handen van een Ierse adellijke familie, die het in 1993 aan de Ierse staat verkocht. Trim Castle valt nu onder het Office of Public Works, dat onlangs de slotgracht liet opknappen en een dak liet plaatsen.

Perfect Hooglandbastion

***Eilean Donan** is een typisch middeleeuws kasteel in de Schotse Hooglanden.*

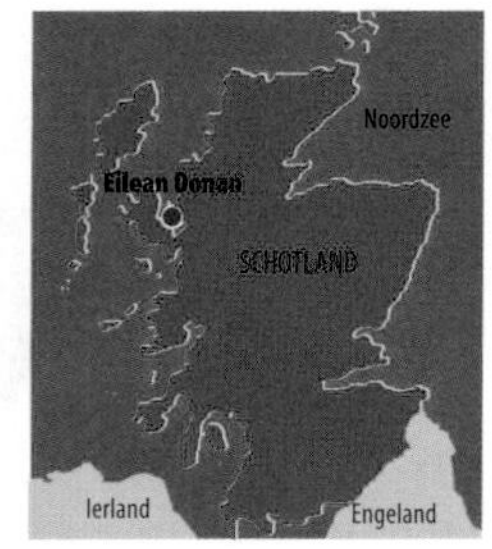

Bereikbaarheid

Eilean Donan ligt bij het plaatsje Dornie, aan de weg naar het Isle of Skye.

Beste tijd

Het kasteel is in de winter gesloten, maar is van maart tot oktober dagelijks geopend.

Tip

Voor meer geschiedenis en informatie over de Schotse Hooglanden bezoekt u het Clan Donald Centre, een fraai landgoed van 8 hectare waarop zich het Museum of the Isles bevindt.

Weetje

Eilean Donan wordt gezien als een van de fotogeniekste kastelen ter wereld en is te zien geweest in films als *Highlander* en *The World is not Enough*.

In 1719 stuurde koning Filip V van Spanje een vloot soldaten naar de Schotse Hooglanden om de Jacobieten bij te staan in hun strijd om de Stuarts weer op de Engelse troon te krijgen. De missie was al vanaf het begin gedoemd te mislukken, want een storm vernietigde nog voor vertrek een groot deel van de vloot. Een groep van 46 mannen slaagde erin de reis te voltooien en bij aankomst in Schotland bezetten ze het kasteel Eilean Donan. Het Engelse leger kwam de Spaanse soldaten al snel op het spoor en stuurde drie oorlogsschepen om het kasteel aan te vallen. Eilean Donan werd drie dagen lang door de Engelsen aangevallen, maar dankzij de dikke muren liep het kasteel weinig schade op. Uiteindelijk bestormden de Engelsen het kasteel en dwongen ze de Spanjaarden tot overgave. Vervolgens ontdekten de overwinnaars de voorraad buskruit van Spanjaarden en gingen ze over tot de totale vernietiging van Eilean Donan.

Rotseiland

Het rotseiland waarop Eilean Donan staat, ligt in de Schotse Hooglanden, op een punt waar drie lochs samenkomen. Het eiland wordt al sinds de ijzertijd bewoond en er zijn 2000 jaar oude resten gevonden van een fort van de Picten. De naam van het kasteel betekent 'Eiland van Donan' en verwijst naar de zevende-eeuwse heilige Donan. Hij woonde op het eiland en probeerde de Pictische stammen tot het christendom te bekeren.

Alexander II liet in de 13e eeuw het eerste versterkte kasteel op het eiland bouwen, als verdediging tegen de Vikingen. Het middeleeuwse fort had twee torens en een courtine die het gehele eiland omsloot. Eind 13e eeuw schonk Alexander III het kasteel aan de Mac-Kenzieclan uit Kintail. Volgens de legende hield Robert the Bruce, de beroemde Schotse koning, zich begin 14e eeuw in dit kasteel schuil. En in 1331 bracht Randolph, de graaf van Moray, een belangrijke Schotse regent, een berucht bezoek aan het kasteel. Hij liet vijftig wetsovertreders onthoofden en hing hun hoofd aan de courtine, als waarschuwing voor plaatselijke bewoners.

In de 15e eeuw slonk het kasteel tot een vijfde van de oorspronkelijke omvang, waarschijnlijk omdat er dan minder manschappen nodig waren voor de verdediging.

Een eeuw later werd het kasteel weer uitgebreid, vooral om plaats te maken voor kanonnen. De MacRaeclan werd in 1509 tot gouverneur van het kasteel benoemd. Rondom Eilean Donan vonden tal van clangevechten en belegeringen plaats; de grootste was in 1539, waarbij 400 soldaten omkwamen.

Patriottische Schotten

In de 17e en 18e eeuw werd de Britse politiek verdeeld door de

daden van de Jacobieten (aanhangers van James II, Jacobus in het Latijn), een politieke beweging die ernaar streefde om de Stuarts weer op de Engelse troon te krijgen. Diverse partijen sloten zich bij de beweging aan, gemotiveerd door onder andere de vijandigheid jegens het heersende koningshuis.

De Jacobieten waren vooral populair in de Schotse Hooglanden. Deze streek werd overheerst door clanstrijd, de territoriale uitbreidingsdrang van de Campbells, een machtige protestante clan, en sympathie voor de ondersteunende heerschappij van James II, waardoor de Jacobieten op een grote Schotse aanhang konden rekenen. Spanje, dat zelf graag macht uitoefende in Europa, stond de Hooglanders graag bij.

Helaas voor Eilean Donan werden de Jacobieten verslagen en werd het kasteel in het beleg van 1719 vernietigd. De ruïnes werden in 1912 door een lid van de familie MacRae gerenoveerd, op basis van de bouwtekeningen van het oorspronkelijke middeleeuwse kasteel. Dankzij deze opmerkelijke renovatie is Eilean Donan weer in haar oude glorie hersteld en is het een perfect voorbeeld van landschappelijke schoonheid.

Aan het interieur van de vertrekken is duidelijk te zien dat de renovatie in de jaren dertig plaatsvond. Sommige delen van het oude fundament en de courtine zijn nog te zien, evenals een zeshoekige waterput uit de middeleeuwen.

Eilean Donan ligt in de Schotse Hooglanden, op het punt waar drie lochs samenkomen en werd in 1719 volledig vernietigd tijdens de Jacobitische opstand (boven).
Begin 20e eeuw werd Eilean Donan in oude luister hersteld, doordat de oude bouwtekeningen nog aanwezig waren.

Hart van Schotland

De Schotse geschiedenis en hoofdstad draaien om **Edinburgh Castle**.

Vlak nadat de Normandiërs in 1066 Engeland veroverden, vluchtte een Saksische koninklijke familie naar het Europese vasteland. Door een storm werd hun schip uit koers geslagen en kwamen ze in Schotland terecht. Een van hen was Margaret, de achternicht van Edward de Belijder en directe afstammeling van koning Alfred. De Schotse koning Malcolm III bood de koninklijke vluchtelingen bescherming aan en trouwde later met de beeldschone en vrome Margaret.

Margaret haalde haar echtgenoot over om het Schotse hof te verplaatsen van Dunfermline naar Edinburgh, waar ze bleef tot haar dood in 1093. Twee eeuwen later werd ze heilig verklaard tot Sint Margaret van Schotland, vanwege haar goede werk voor de armen en de rooms-katholieke kerk. Haar zoon, David I, liet bij Edinburgh Castle de St. Margaret Chapel bouwen. Tegenwoordig is dat het oudste nog bestaande gebouw op het kasteelterrein.

Heiligen en koninklijken

Malcolm en Margaret waren de eerste koninklijke bewoners van Edinburgh Castle, maar het gebied zelf werd al ruim 3000 jaar bewoond. Het kasteel ligt boven op de vulkanische rots Castle Rock en kijkt uit over de stad Edinburgh. Archeologen hebben resten van menselijke bewoning gevonden uit de bronstijd, rond 900 v.Chr. Tijdens de Romeinse bezetting van deze streek, in de eerste en tweede eeuw, lag hier de bloeiende nederzetting Din Eidy. Toen de Angelen rond 638 Schotland binnenvielen, veranderden ze die naam in Edinburgh.

Edinburgh Castle heeft door de eeuwen heen verschillende functies gehad. Het is een koninklijk paleis, fort, gevangenis en kazerne geweest, en die laatste functie heeft het nog steeds. Ook het uiterlijk heeft in de loop der jaren veel veranderingen ondergaan. Het kasteel heeft tijdens de onafhankelijkheidsoorlogen veel schade opgelopen en is diverse keren opnieuw ingedeeld en uitgebouwd. De gebouwen rond het kasteel dateren van de 12e tot de 20e eeuw.

Begin 12e eeuw, tijdens de heerschappij van David I, veranderde het fort van Edinburgh in een koninklijk paleis. Er is echter weinig overgebleven uit die tijd, want het kasteel werd tijdens de eerste Schotse onafhankelijkheidsoorlog (1296-1328) door koning Robert the Bruce vernietigd in een poging om een Engelse bezetting te voorkomen. David II liet het kasteel uitgebreid herbouwen. In die tijd begon het bouwwerk zijn huidige vorm aan te nemen, met David's

Tower als middelpunt. Later, in 1511 liet James IV de grootse Grote Zaal bouwen, die tot 1639 onderdak bood aan het Schotse parlement.

Een Verenigd Koninkrijk

De rol van Edinburgh Castle als koninklijk hof duurde niet lang. In 1566 beviel Mary Queen of Scots in het kasteel van haar enig kind, prins James, die kort na zijn eerste verjaardag koning James VI van Schotland werd. En 36 jaar later werd hij tot koning James I van Engeland gekroond, waarmee Engeland en Schotland onder één vorst werden verenigd (de politieke vereniging kwam pas in 1717). James I verhuisde zijn hof meteen naar Londen.

Na het vertrek van het hof was het kasteel niet zozeer een paleis, maar meer een vesting en arsenaal. Charles I was aan de vooravond van zijn kroning tot koning van Schotland de laatste koning die in het kasteel overnachtte. In de daaropvolgende decennia leed het kasteel aanzienlijk onder diverse belegeringen. In 1650 nam Oliver Cromwell het kasteel na een beleg van drie maanden in en in de 18e eeuw viel Edinburgh Castle ten prooi aan de Jacobieten.

Militaire functie

De vijfde en laatste Jacobitische opstand van 1745 was de laatste militaire gebeurtenis die in Edinburgh Castle plaatsvond, hoewel het kasteel bleef dienen als legerbasis. In 1753 begon de aanleg van het voorplein, een militair paradeterrein waar vandaag de dag nog elk uur de wisseling van de wacht plaatsvindt en jaarlijks de beroemde Edinburgh Military Tattoo wordt gehouden. In 1861 werd het kanon One O'Clock Gun boven op de Half Moon Battery geïnstalleerd, als tijdsaanduiding voor passerende schepen; elke middag om één uur wordt er een schot gelost. In 1927 werd hier het Scottish National War Memorial geplaatst, ter nagedachtenis aan de gevallenen uit de Eerste Wereldoorlog.

Tegenwoordig is Edinburgh Castle de meest bezochte toeristische attractie van Schotland.

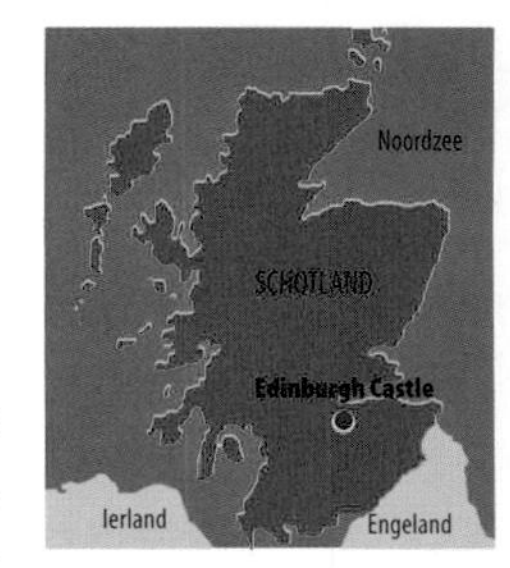

• **UNESCO Werelderfgoed**

Bereikbaarheid
Het kasteel ligt op loopafstand van Waverley Station, het hoofdstation van de spoorwegen in Edinburgh. Alle grote spoormaatschappijen doen dit station aan.

Beste seizoen
In de zomer is het weer het best, maar in de herfst is het minder druk. Jaarlijks vindt in de zomer het Edinburgh International Festival plaats, drie weken vol met opera, muziek, dans en theater.

Tip
Sla vooral Mons Meg niet over. Het is een van de oudste kanonnen ter wereld, ruim 500 jaar oud. Het wordt al sinds 1682 niet meer gebruikt, toen het uiteenbarstte bij een saluutschot voor de hertog van York.

Weetje
Bekijk ook de kleine ijzeren fontein, de Witches' Well, in de noordoostelijke hoek van het kasteel. Op deze plek werden vrouwen ter dood gebracht die waren veroordeeld wegens hekserij.

Edinburgh Castle ligt op de vulkanische rots Castle Rock en overheerst het uitzicht vanaf de lager gelegen stad (voorgaande bladzijde).
Nadat James I het koninklijk hof in 1603 naar Londen verhuisde, kreeg Edinburgh Castle voornamelijk een militaire functie (boven).
Dansers op de jaarlijkse Edinburgh Military Tattoo tijdens een uitvoering op het voorplein van het kasteel (linksonder).

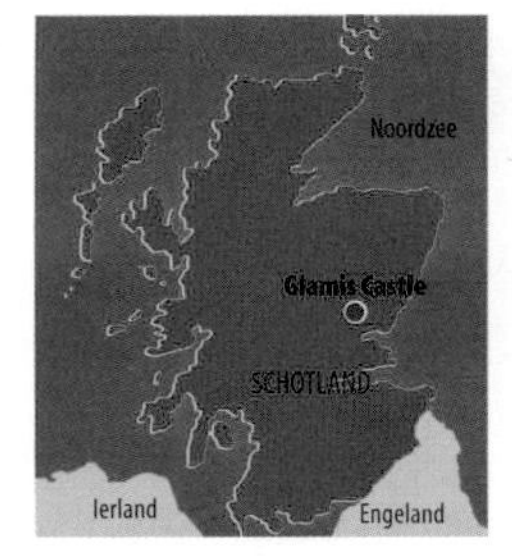

BEREIKBAARHEID

Vanaf station Dundee is Glamis Castle gemakkelijk te bereiken met de taxi of de bus.

BESTE SEIZOEN

De exacte data zijn elk jaar weer anders, maar het kasteel is vanaf begin januari tot medio maart gesloten.

TIP

Op de achterkant van een Schots biljet van tien pond staat Glamis Castle afgebeeld.

WEETJE

De Duncan Hall in het kasteel verwijst naar de moord op koning Duncan, maar die gebeurde niet helemaal zoals Shakespeare die beschreef.

Bovennatuurlijke pracht in de Laaglanden

***Glamis Castle** is doordrenkt met Schotse folklore, Shakespeare en koninklijke geschiedenis.*

Glamis Castle heeft weliswaar onderdak geboden aan de moordzuchtige Schotse koning uit Shakespeares tragedie, Macbeth, maar heeft geen connectie met de historische koning Macbeth. Macbeth vermoordde koning Duncan in 1040 op een Schots slagveld, eeuwen voordat het kasteel was gebouwd. Shakespeare had verhalen gehoord over de legendarische spoken die in het kasteel rondwaarden en misschien heeft hij Glamis zelfs bezocht. De band tussen het kasteel en Macbeth was een verzinsel van de grote schrijver en de Duncan Hall is een eerbetoon aan het verhaal.

Het Schotse kasteel is al eeuwenlang de inspiratiebron voor andere legenden en folklore en heeft een van de grootste verzamelingen spoken in Groot-Brittannië. Het staat tegenwoordig echter vooral bekend als het ouderlijk huis van de Britse koningin-moeder en de geboorteplaats van haar dochter, prinses Margaret. Het kasteel heeft al sinds de 14e eeuw een band met het Britse koningshuis.

Glamis Castle is een echt spookkasteel (boven).

Schotse baronialstijl

Glamis ligt in de vruchtbare laaglanden van Angus County nabij Fofar en werd in de 11e eeuw

gebouwd als jachtslot. In 1372 schonk koning Robert II van Schotland het land aan Sir John Lyon, en zijn afstammelingen zijn nog altijd de eigenaar. Het hoofdgebouw dateert uit 1435 en vormt nu de oostvleugel van het kasteel.

Begin 17e eeuw werd het gebouw omgebouwd tot een aantrekkelijker en leefbaarder woonhuis in Franse renaissancistische stijl, dankzij de ronde schoorstenen, overdekte balkons, barokke binnenhoven en overdadige beelden. Na de afbraak van allerlei overbodige verdedigingswerken, zoals de slotgracht, was de transformatie compleet. Deze zeventiende-eeuwse stijl wordt ook wel Schotse baronialstijl genoemd en is een combinatie van donjon en romantische elementen.

Glamis Castle ligt op een enorm terrein van ruim 5500 hectare. In de 18e eeuw werden er bomenlanen en parken toegevoegd. In 1893 werd er een Hollandse tuin aangeplant, in 1910 gevolgd door een Italiaanse tuin. Sindsdien is het kasteel bijna onveranderd gebleven.

Margarets geboorteplaats

De kamers ademen eeuwenlange Britse koninklijke geschiedenis. In de overdadige Victoriaanse eetkamer hangen portretten van alle graven van Strathmore. Een verdieping lager bevindt zich de zeventiende-eeuwse salon. Onder het koepelgewelf van deze ruimte vinden al generaties lang sociale evenementen plaats.

De suites van de koninklijke appartementen bestaan onder meer uit de zitkamer en slaapkamer van de koningin-moeder en de slaapkamer van de koning. De dertiende gravin van Strathmore liet deze vertrekken in 1923 inrichten, toen haar dochter, Lady Elizabeth Bowes Lyon, trouwde met Albert, de

hertog van York. Lady Elizabeth, later bekend als de koningin-moeder, beviel hier in 1930 van haar dochter, prinses Margaret. Ze stierf in 2002, slechts zeven weken na het overlijden van prinses Margaret. In 2008 werden bij het kasteel de Queen Mother Memorial Gates geplaatst. De huidige eigenaar is de achterneef van de koningin-moeder, de achttiende graaf van Strathmore.

Spookachtig

Het schijnt te wemelen van de spoken in Glamis Castle. Volgens de legende is er een geheime kamer, waar het Glamismonster woont. In 1821 werd er een misvormd kind en rechtmatig erfgenaam van Glamis geboren. Men vond zijn lichaam zo afzichtelijk, dat hij in een verborgen kamer werd opgesloten.

Dan is er nog de legende over graaf Beardie. In de 14e eeuw was graaf Beardie, de vierde graaf van Crawford, te gast. Beardie wilde gokken, terwijl het zondag was; toen hij niemand bereid vond om met hem te spelen, beweerde hij dat hij nog met de duivel zelf zou spelen. En dus verscheen de duivel. Ze speelden een dobbelspel in de geheime kamer, waar het geluid van ratelende dobbelstenen nog altijd te horen is.

In de kapel waart de Grey Lady rond, het spook van Lady Janet Douglas. In 1537 werd lady Douglas ervan beschuldigd koning James V te willen vergiftigen. Ze werd veroordeeld tot de brandstapel. In de kapel wordt een zitplaats voor haar vrijgehouden.

Glamis Castle speelde een hoofdrol in de Schotse tragedie van Shakespeare, Macbeth, als de plaats waar Macbeth koning Duncan vermoordde.

Glamis Castle is gebouwd op de plaats van een elfde-eeuws jachtslot en is al sinds 1372 het bezit van de Schotse familie Bowes Lyon. Wijlen de koningin-moeder groeide er op (onder).

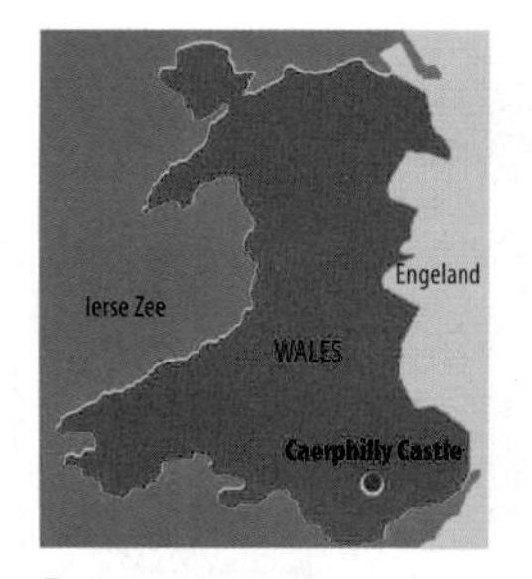

Bereikbaarheid

Met de auto via de A470 of A469 vanuit Cardiff, een afstand van slechts 7 kilometer.

Beste seizoen

Het beste seizoen voor een bezoek aan Wales is van mei tot augustus.

Tip

In deze streek staan veel kastelen. Er is een combikaartje verkrijgbaar voor een bezoek aan Caerphilly Castle, Castell Coch en Cardiff Castle.

Weetje

De scheve toren van Caerphilly staat schever dan de toren van Pisa.

Een uniek bouwwerk

Caerphilly Castle was een revolutionair meesterwerk in militaire bouwkunde.

Na de succesvolle inval in Engeland lieten de Anglo-Normandiërs hun oog op een nieuw gebied vallen: Wales. Rond de 13e eeuw was Wales al grotendeels door de Normandiërs veroverd en vielen veel gebieden onder Anglo-Normandisch bestuur. Een van de bestuurders was Gilbert de Clare, wiens land in het zuiden van Wales lag. De Welsh leider, Llwelyn the Last, had het gebied in midden- en Noord-Wales in handen. De Clare voelde zich bedreigd en liet in 1268 langs de noordkant van zijn territorium een reeks kastelen bouwen. Een er van was Caerphilly.

Nieuwe vesting

Caerphilly Castle was een meesterwerk op het gebied van militaire architectuur, met een vooruitstrevend defensief ontwerp. Het was het eerste Britse concentrische kasteel, terwijl in die tijd het mottekasteel het gangbare ontwerp was. Het was bovendien een van de grootste vestingen in Europa, en na Windsor Castle het op een na grootste van Groot-Brittannië. Interessant is het feit dat de vesting na voltooiing in 1271 slechts één keer werd aangepast, namelijk begin 13e eeuw. Daardoor hebben academici nu toegang tot een nagenoeg ongewijzigd bouwwerk, dat er nu grotendeels nog net zo uitziet als in de middeleeuwen.

Ook opmerkelijk is het feit dat Caerphilly werd gebouwd op een nog ongebruikte locatie. Er was nog niets gebouwd op die plek. Daardoor konden de planners gebruik maken van de modernste militaire technieken en werden ze niet gehinderd door bestaande structuren.

Optimale verdediging

Het oorspronkelijke doel van alle kastelen was een verdedigingswerk, en als middel om over de omgeving te heersen. Na verloop van tijd werden veel kastelen ook woonplaatsen. De meeste kastelen zijn dus vaak aangepast en herbouwd. Binnen de muren van Caerphilly Castle lagen uiteraard ook enkele woonvertrekken, maar het was toch in de eerste plaats een verdedigingswerk.

Wie in de 13e eeuw een kasteel wilde aanvallen, deed dit bij voorkeur met een katapult, waarmee grote rotsblokken konden worden afgeschoten. Bij de bouw van Caerphilly Castle werd al rekening gehouden met de defensieve mogelijkheden tegen katapulten. Allereerst werd Caerphilly midden in een meer gebouwd. Zo lag het buiten het bereik van de katapult. Daarnaast werden er verstevigde dammen aangelegd, die de buitenste en binnenste slotgracht van elkaar scheidden. Ten tweede werd het vooruitstrevende concept van het concentrisch kasteel toegepast. Dat is een kasteel binnen een kasteel, dus met een ring van muren rond een binnenterrein. De buitenmuren waren lager dan de binnenmuren. Op die manier konden boogschutters van achter de eerste verdedigingslinie pijlen afschieten. Tot slot was de enorme omvang van 1,2 hectare al voldoende om elke potentiële aanvaller af te schrikken.

Een kort bestaan

De bouw van Caerphilly begon in 1268. Twee jaar later viel de Welsh leider, Llwelyn, het kasteel aan terwijl het nog in aanbouw was. De Clare liet echter in 1271 weer verder bouwen en in 1273 was het kasteel af. Llwelyn viel snel daarna uit de gratie bij de Engelse monarchie en verloor in 1272, toen koning Edward I de troon besteeg, zijn titel en landgoederen. Zonder de dreiging van Llwelyn was Caerphilly minder belangrijk als vesting. Welshe troepen vielen het kasteel in 1294 aan, en nogmaals in 1316, maar konden weinig schade aanrichten.

Caerphilly Castle ligt slechts 7 kilometer ten noorden van Cardiff Castle, dat een veel belangrijker rol speelde bij het Normandische bestuur. Caerphilly was dus weliswaar groter dan Cardiff Castle, maar ook een stuk minder belangrijk. Caerphilly wordt nauwelijks genoemd in historische documenten en slechts één koning bezocht het ooit. Tijdens de strijd tegen zijn ex-echtgenote Isabella zocht Edward II in 1326 enkele dagen toevlucht tot het kasteel.

Een verlaten kasteel

Het kasteel verloor zijn belang en rond de 15e eeuw was het verlaten, waarna het een tijdlang in slechte staat verkeerde. In de 16e eeuw mocht een edelman uit de buurt stenen van het kasteel gebruiken voor de bouw van zijn huis, waardoor het kasteel verder aftakelde. De meningen over de rol van Caerphilly tijdens de Burgeroorlog (1641-51) lopen uiteen, maar er wordt wel beweerd dat Oliver Cromwell verantwoordelijk is voor de 'scheve' toren aan de zuidoostkant van het kasteel. Eind 18e eeuw werd het kasteel gekocht door de markies van Bute. Zijn nazaten lieten het uitgebreid restaureren. In 1950 kwam het kasteel in handen van de Welshe regering.

Bij de bouw heeft men het water rondom goed gebruikt bij de verdedigingswerken, waardoor de katapult, het aanvalswapen bij uitstek in die tijd, minder effectief was (volgende bladzijde). Dankzij het kasteelterrein van ruim 12 hectare is Caerphilly Castle het grootste kasteel van Wales en het op een na grootste van Groot-Brittannië.

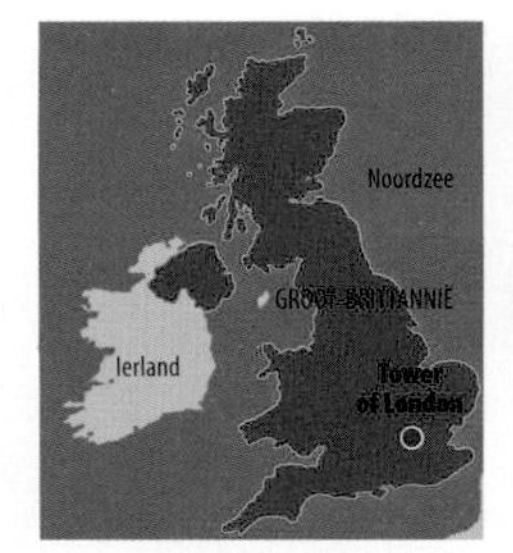

• UNESCO Werelderfgoed

Een vat van Britse geschiedenis

*De **Tower of London** was eeuwenlang het middelpunt van de Britse geschiedenis.*

Bereikbaarheid

De Tower of London is gemakkelijk te bereiken met het openbaar vervoer. Neem de Underground naar halte Tower Hill; daarna is het 5 minuten lopen.

Beste seizoen

Op een doordeweekse ochtend is het minder druk. Of ga om 21.30 en bekijk de Ceremony of the Keys, waarbij de Beefeaters de buitenste poorten afsluiten en de sleutels overhandigen aan de Governor of the Tower.

Tip

Sla vooral de kroonjuwelen niet over. Deze verzameling van 23.000 edelstenen bevindt zich in het Jewel House in de Tower of London.

Weetje

Volgens de legende is het afgelopen met de Tower en de monarchie als de zes raven die er wonen, wegvliegen. Misschien ziet u ze wel tussen de gebouwen.

In de loop der jaren heeft Her Majesty's Royal Palace and Fortress, de Tower of London, dienst gedaan als vesting, woning, koninklijke dierentuin, overheidskantoor en gevangenis voor politieke tegenstanders. Het eerste deel, de White Tower, werd in 1078 door William de Veroveraar gebouwd op de plek van een Romeinse muur. Dit gebouw toonde de vaardigheid van de Normandiërs. Daarna lieten allerlei heersers hun stempel achter op het steeds groter wordende complex, dat de belichaming zou worden van de geschiedenis van Engeland.

Hoogste gebouw in het jonge Engeland

Rond 1100 was de White Tower, die nog altijd overeind staat, voltooid; met zijn 30 meter hoogte was dit het hoogste bouwwerk in Engeland, dat van mijlenver te zien was. De White Tower werd oorspronkelijk gebouwd van witte steen en was een uitmuntend voorbeeld van de Normandische militaire architectuur, die zich vanuit Noord-Frankrijk over de Normandische gebieden verspreidde. De 4 meter dikke toren is onderdeel van een systeem van passieve afweer en werd gekenmerkt door een vestingcomplex rond een donjon, de White Tower. Kenmerkend voor de Normandische kastelen zijn de vier vierkante hoektorens. Bij de Tower is een van de torens echter rond, zodat er een wenteltrap in paste.

Koning Richard Leeuwenhart liet rond de White Tower een courtine bouwen, die in 1272 werd uitgebreid door Henry III. Zijn zoon, Edward I, liet een tweede, dikkere buitenmuur bouwen, omgeven door een slotgracht die tot 1843 gevuld was met water. Henry III en Edward I waren bovendien verantwoordelijk voor de bouw van veel van de paleisgebouwen binnen de vesting. Tijdens Edwards regeerperiode verkreeg de Tower een administratieve functie. Ook was de Tower tot 1812 een vestiging van de Royal Mint.

Als deze muren konden praten...

De gevangenen die in de daarop volgende eeuwen in het kasteel werden opgesloten, vormen een waar smoelenboek van de Britse geschiedenis. Eind 15e eeuw werden de zonen van Edward IV, de 12-jarige Henry V en zijn broertje Richard, door hun oom, de hertog van Gloucester, in de Tower opgesloten. Men vermoedt dat ze door Richard III zijn vermoord en hun geest waart nog rond in de Bloody Tower. Henry VII organiseerde tijdens de Rozenoorlog grote overwinningsfeesten in de Tower. Zijn zoon, Henry VIII, liet er tijdens zijn breuk met de Katholieke kerk diverse politieke gevangenen opsluiten en executeren. Hij liet er bovendien twee van zijn zes vrouwen, Anne Boleyn en haar nicht, Catherine Howard, onthoofden.

De katholieke Mary I liet in de Tower belangrijke protestanten opsluiten en executeren, onder wie lady Jane Grey. Mary sloot ook haar jongere zus Elizabeth I op, maar zij ontsnapte en werd later koningin. De Tower speelde een belangrijke rol tijdens de Engelse Burgeroorlog (1642–49); aan het einde van die oorlog vestigde Oliver Cromwell hier de eerste permanente militaire troepen.

Na de troonsbestijging van Charles II in 1660 werd de Tower niet meer gebruikt als kazerne of gevangenis. Veel gebouwen werden gebruikt als kantoor of opslagruimte, en als bewaarplaats van de nieuwe kroonjuwelen (de oude waren tijdens de Burgeroorlog door het parlement vernietigd. In 1845 liet de hertog van Wellington de Waterloo Barracks bouwen als onderkomen voor de Yeoman Warders of Beefeaters. Later die eeuw werd het kasteel in zijn oorspronkelijke middeleeuwse stijl hersteld en werd het een populaire toeristische trekpleister. Tijdens de beide wereldoorlogen werd de Tower weer in gebruik genomen als gevangenis en executieplaats, maar sindsdien is het kasteel weer een vredelievende attractie en museum.

In de White Tower kunt u het harnas van Henry VIII bekijken.

De Tower of London werd in de 11e eeuw gebouwd aan de Thames en is het belangrijkste overgebleven symbool van de verovering door de Normandiërs. Volgens sommige legenden ligt de oorsprong van het kasteel in de Romeinse tijd. Deze legende is vereeuwigd in het toneelstuk Richard III van Shakespeare, waarin Julius Caesar als bouwer van het kasteel wordt opgevoerd (boven). Rond de Tower zijn tal van beroemde personen geëxecuteerd, onder wie drie Engelse koninginnen: Anne Boleyn, Catherine Howard en lady Jane Grey. Elizabeth I werd hier gevangen gehouden, maar wist aan een dergelijk lot te ontsnappen.

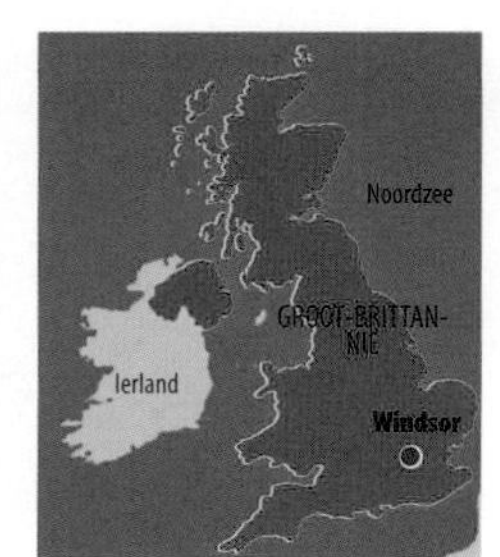

Koninklijke inspiratie aan de Thames

Windsor Castle *biedt een mengeling van stijlen.*

Bereikbaarheid

Windsor Castle is vanuit Londen per trein te bereiken vanaf de stations Waterloo en Paddington.

Beste seizoen

Het kasteel is gesloten als de koninklijke familie er woont, meestal in april, juni en december. De George's Chapel is op zondag gesloten voor bezoekers (maar geopend voor kerkgangers).

Tip

Als u wilt weten of de koningin aanwezig is, kijkt u of de koninklijke standaard (de officiële vlag van het Engelse staatshoofd) op de Round Tower wappert.

Weetje

De wisseling van de wacht vindt van april tot en met juni dagelijks van maandag tot en met zaterdag om 11 uur plaats. De rest van het jaar is dit om de dag.

Windsor Castle is het grootste en oudste bewoonde kasteel ter wereld en speelt dan ook al bijna duizend jaar een centrale rol in de Engelse monarchie. Al van oudsher is het kasteel de woonplaats van opeenvolgende vorsten, van wie er velen hun eigen stempel op het gebouw hebben gedrukt. Sommigen lieten de vertrekken opnieuw inrichten, anderen voegden in tijden van oorlog fortificaties toe, sommigen wilden een luxer woonvertrek en weer anderen lieten grote restauratieprojecten uitvoeren. Ondanks de vele verschillende invloeden is Windsor Castle een verrassend harmonieus en fraai uniek kasteelcomplex.

Het kasteel ligt op een hoge heuvel met uitzicht op de Thames, in een landgoed van 5 hectare. Het bestaat uit een Round Tower met aan weerszijden een rechthoekig gebouw (Upper Ward en Lower Ward). Een buitenmuur maakt het geheel af. De Upper Ward bestaat uit de privéappartementen van de staatshoofden en hun gasten, de Waterloo Chamber en St. George's Hall. In de Lower Ward bevinden zich de St. George's Chapel en de Albert Memorial Chapel.

Een kasteel in ontwikkeling

In 1070 koos William de Veroveraar, de eerste Normandische koning van Engeland, deze locatie aan de Thames voor zijn kasteel. In de 9e eeuw woonden er op deze plek al Saksische koningen. Windsor Castle was bedoeld als vesting voor het bewaken van de weg naar Londen, maar William vond de locatie vooral geschikt als jachtgebied. Zodoende werd het kasteel ook een koninklijke woonplaats.

William liet een houten toren of donjon en een houten buitenmuur bouwen, die vandaag de dag nog op exact dezelfde positie staat.

Ruim een eeuw later liet Henry II het kasteel verbouwen, ditmaal in steen. De houten toren werd vervangen door de Round Tower, het immense centrale gebouw van het kasteelcomplex boven op een kunstmatig aangelegde heuvel. Deze toren is van heinde en verre te zien.

Riddertijd

Edward III liet het kasteel verder uitbreiden, met onder meer de enorme St. George's Hall. In de St. George's Hall worden vaak staatsbanketten gehouden, voor groepen tot wel 160 gasten. In 1348 bepaalde Edward dat de Hall het hoofdkwartier was van de Orde van de Kouseband die hij pas had opgericht. Dit is de hoogste ridderorde die Engeland kent. Al sinds de oprichting van de Orde spelen de ridders een centrale rol in Windsor Castle. De Orde bestaat uit het staatshoofd en 25 ridders, die St. George (de heilige Joris) als beschermheilige hebben en die nog altijd jaarlijks bijeenkomen in Windsor Castle.

De bouw van de St. George's Chapel begon in 1475 onder Edward IV en werd in 1528 onder Henry VIII voltooid. De kapel was het spirituele centrum van de Orde van de Kousenband en wordt gezien als een van de mooiste voorbeelden van de laatgotische architectuur in heel Europa. De kapel is gebouwd in de Engelse perpendiculaire stijl, die zo wordt genoemd vanwege de vele verticale elementen, zoals de overdadige plafond met waaiergewelf en hoge ramen met verticale raamstijlen. In de kapel liggen de stoffelijke resten van tien Engelse vorsten, onder wie Edward IV en Henry VIII.

Door de eeuwen heen

Rond 1670 liet Charles II het kasteel in een rijkelijk versierde barokke stijl moderniseren en liet hij nieuwe staatsappartementen bouwen. Ook liet hij de Long Walk aanplanten, een 5 kilometer lange laan tussen het kasteel en het Great Park, een 2000 hectare groot hertenpark dat oorspronkelijk het jachtterrein van het kasteel was. Rond 1820 liet George IV de laatste grote verbouwing van het kasteel uitvoeren. George IV zorgde samen met zijn architect, Sir Jeffry Wyatville, en geïnspireerd door zijn voorkeur voor gotiek, voor het huidige uiterlijk van Windsor Castle. Ook liet hij de Waterloo Chamber bouwen, een enorme ruimte ter ere van de overwinning op Napoleon. Jaarlijks vindt hier de lunch van de Orde van de Kousenband plaats.

Koningin Victoria en haar echtgenoot, prins Albert, waren bijzonder dol op Windsor Castle. Na de dood van Albert liet koningin Victoria een door Henry VII gebouwde kapel ombouwen tot een overdadige gedenkplaats voor haar echtgenoot, de Albert Memorial Chapel. Het laatste grote bouwproject in Windsor Castle begon in 1992, nadat een groot deel van het kasteel door brand werd verwoest. De brand ontstond in de privékapel van de koningin en richtte in ruim 100 vertrekken schade aan. Gelukkig bleven de kostbaarste kunstwerken gespaard. De grootschalige renovatie nam vijf jaar in beslag, waarna het kasteel weer in oude glorie was hersteld.

Windsor Castle is ook vandaag de dag nog een actief kasteel. In de St. George's Chapel worden dagelijks diensten gehouden en op het kasteelterrein vinden vaak staatsaangelegenheden plaats. De huidige koningin Elizabeth gebruikt het kasteel meer dan haar voorgangers en brengt hier vaak het weekend door. Windsor is tijdens Pasen een maand lang haar officiële residentie, en ook tijdens de jaarlijkse bijeenkomst van de Orde van de Kousenband en de kerstperiode.

Met meer dan duizend vertrekken is Windsor Castle het grootste bewoonde kasteel ter wereld (vorige bladzijde, boven). Als de koningin op Windsor Castle verblijft, houden de wacht en het regimentsorkest een parade vanuit het plaatsje Windsor naar de kasteelpoort (vorige bladzijde, onder). In de St. George's Hall vinden grote staatsbanketten plaats, met soms wel 160 gasten. (foto links)

Bereikbaarheid

Het dichtstbijzijnde station is Bearsted. Er is een regelmatige busdienst tussen het station en Leeds Castle.

Beste seizoen

U kunt het gehele jaar van Leeds Castle genieten, maar de prachtige tuinen kunt u het beste in de lente en zomer bezoeken. Daarnaast worden er in de zomer allerlei openluchtconcerten georganiseerd.

Tip

Bezoek in Kent ook het nabijgelegen plaatsje Bearsted, een oud dorp met een middeleeuws uiterlijk.

Het dameskasteel

*In het romantische **Leeds Castle** is de vrouwelijke invloed duidelijk merkbaar.*

Op drie eilanden midden in een kunstmatig aangelegd meer ligt het elegante Leeds Castle, dat vaak het 'lieftalligste kasteel ter wereld' wordt genoemd. Het kasteel straalt de sfeer van een sierlijk landhuis uit en is omgeven door tuinen, kassen, wijngaarden, een grot en een doolhof. De bijnaam 'dameskasteel' is te danken aan de reeks Engelse koninginnen die hier hebben gewoond. De van oorsprong Amerikaanse lady Olive Bailley, die het kasteel het langst heeft bewoond (1926–1974), is grotendeels verantwoordelijk voor de magische uitstraling ervan.

Het kasteel van koninginnen

Het kasteel ligt op het platteland van Kent en stamt uit het jaar 857, toen de Saksen er een aarden bouwwerk neerzetten met een palissade of houten hek eromheen. Leeds Castle is vernoemd naar Ledian, een minister onder de Saksische koning Ethelbert IV, en niet naar de Engelse stad, zoals veel mensen denken. Drie eeuwen later maakten de Normandiërs er een stenen donjon van. De eerste historische vermelding van Leeds Castle was in het Domesday Book uit 1086, een inventarisatie van heel Engeland, uitgevoerd door William de Veroveraar; daarin staan de wijngaarden op het kasteelterrein vermeld, die nog altijd wijn produceren.

Het kasteel kwam in 1278 in handen van koning Edward I. Hij liet de Normandische donjon ombouwen tot een vesting en woonpaleis en liet de ronde eilanden aanleggen, waardoor het een onneembare vesting werd. Hij begon de traditie waarbij het kasteel aan de koningin werd overgedragen, die tot 1552 duurde. Het kleinste eiland, Gloriette, was gewijd aan zijn vrouw, koningin Eleanor. Hij liet er een Great Hall en een kapel bouwen, die hij na Eleanors dood

aan haar opdroeg. Later schonk hij het kasteel aan zijn tweede vrouw, koningin Margaret.

Twee Catherines

Het kasteel bleef tot de 16e eeuw in koninklijke handen. Henry V was de laatste koning die Leeds Castle aan zijn vrouw, Catherine de Valois, schonk. Catherine liet nadat ze het kasteel in 1422 kreeg onder andere de klokkentoren en klok aanbrengen. De slaapkamer en het bad van de koningin zijn vandaag de dag nog in het kasteel te zien, precies zoals ze er ten tijde van de Valois uitzagen. In de 16e eeuw liet Henry VIII het gebouw voor een enorm bedrag veranderen van kasteel tot luxe woonpaleis. Hij liet in 1544 de Maiden Tower bouwen, voor het bezoek van zijn eerste vrouw, Catherine van Aragon, evenals de overdadige eetzaal, met zijn versierde eikenhouten plafond en grote erkers met uitzicht op de tuin.

Lady Baillies project

Edward VI schonk Leeds Castle aan Sir Anthony St. Leger, als compensatie voor diens deelname aan een vredesverdrag met Ierland. Zijn familie bouwde het grote herenhuis op het middelste eiland en verkochten het kasteel in 1632 aan de familie Culpepper. Tijdens de Engelse Burgeroorlog (1641–51) werd het kasteel belegerd door de parlementstroepen en werden er korte tijd Hollandse en Franse krijgsgevangenen ondergebracht. Lord Culpepper werd later de eerste gouverneur van Virginia, nadat koning Charles II hem 2 miljoen hectare grond gaf in de nieuwe kolonie.

Leeds Castle bleef in de daarop volgende eeuwen van eigenaar wisselen, totdat het in de 19e eeuw in verval raakte. Het werd echter nieuw leven ingeblazen toen lady Olive Baillie het in 1926 kocht. Lady Baillie was een half-Amerikaanse, half-Engelse erfgename. Ze werd verliefd op Leeds Castle en werkte haar hele leven lang aan de renovatie ervan. Lady Baillie huurde de beste Europese architecten en binnenhuisarchitecten, zoals de Franse ontwerper Stéphane Boudin, die in opdracht van Jackie Kennedy werk had verricht aan het Witte Huis. Ze was een geweldige gastvrouw en liet het kasteel uitbreiden met tuinen, een vogelhuis, een golfbaan, zwembad, tennisbanen en tal van exotische dieren, voor het vermaak van haar gasten, onder wie James Stewart en Charlie Chaplin.

Leeds Castle wordt wel het lieftalligste kasteel ter wereld genoemd en ligt verspreid over drie eilanden in een kunstmatig meer (boven). De enorme eetzaal werd gebouwd door Henry VIII, die graag in Leeds Castle verbleef (voorgaande bladzijde, inzet). Vernon Gibberd ontwierp in 1988 de doolhof van Leeds Castle. De plattegrond is geïnspireerd op de vorm van een kroon.

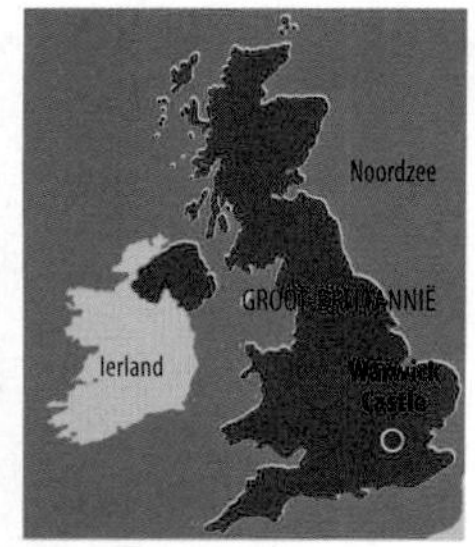

Onrust en rumoer aan de Avon

***Warwick Castle** heeft woelige tijden doorgemaakt.*

Bereikbaarheid

Er rijden treinen van Marylebone station in Londen naar Warwick Station, dat op ongeveer 1,5 kilometer van het kasteel ligt.

Beste seizoen

Tijdens de zomerfestivals worden er steekspeltoernooien georganiseerd. Van april tot oktober wordt er twee keer per dag met de katapult geschoten.

Tip

Mis vooral de 'The Royal Weekend Party' niet, een wassenbeeldententoonstelling over een gebeurtenis van eind 19e eeuw.

Boven op een zandsteenrots aan een bocht in de rivier Avon ligt het middeleeuwse Warwick Castle, dat volgens Sir Walter Scott nog over een ongerepte ridderlijke pracht beschikt.

Volgens de legende zou Ethelfleda, de dochter van de Angelsaksische koning Alfred de Grote, opdracht hebben gegeven tot de bouw van een burh, of aarden fort, als bescherming tegen de Vikingen.

Hoewel de berg waarop het kasteel staat Ethelfleda's Mound wordt genoemd, waren het echter de Normandiërs die begonnen met de bouw van wat volgens velen het mooiste kasteel van Engeland is.

De eerste graaf van Warwick

In 1068 koos William de Veroveraar deze plek om een vesting te bouwen van waaruit hij de Midlands aan zijn gezag wilde onderwerpen. Het werd een mottekasteel met een houten donjon, de gebruikelijke bouw in die tijd. Later schonk William het aan de Normandische edelman Henry de Beaumont, die de eerste graaf van Warwick werd. Henry II vestigde zich er in 1260 en liet een stenen toren en kapel bouwen. Tijdens de Tweede Baronnenoorlog van 1264 werd het oudere gebouw vernietigd en bleef alleen de heuvel gespaard. Het kasteel ging vervolgens over op William de Beauchamp, de 9e graaf van Warwick, wiens familie de daarop volgende 180 jaar de titel van graaf behield. In die periode werden de voornaamste wijzigingen uitgevoerd.

Riddertijd tot Rozenoorlog

De verdediging werd nog verbeterd door toevoeging van een poortgebouw met moordgaten, ophaalbruggen, valhekken en een versterkte poort en torens aan weerszijden van de poort. Caesar's Tower en Guy's Tower zijn allebei van mezenkooien voorzien, met openingen in de vloer, waar stenen doorheen konden worden gegooid op de aanvallende vijand. Caesar's Tower had een unieke dubbele borstwering en opvallende kerker, die met losgeld was betaald. Guy's Tower was maar liefst 40 meter hoog en bevatte woonvertrekken. In de 14e eeuw werd de imposante

Warwick Castle in de Midlands wordt gezien als het mooiste middeleeuwse kasteel van Engeland (voorgaande bladzijde). Bezoekers kunnen de statige vertrekken en prachtige kunstcollectie, wapentuig en harnassen bewonderen (boven).

voorgevel aangebracht, die uitkijkt op de rivier. Het kasteel was een symbool van de rijkdom en de macht van de familie Beauchamps en was een stijlvolle afwisseling van de gebruikelijke militaire ontwerpen. In deze tijd werden er veel riddertoernooien, uitgebreide feesten en statige processies gehouden. Maar aan de riddertijd kwam abrupt een einde door het uitbreken van de Rozenoorlog (1455-85): de strijd om de troonsopvolging die het begin vormde van de lange regeerperiode van het huis Tudor, en bijna de ondergang was van Warwick Castle.

Spoken en legenden

Warwick was na 1547 weer in koninklijke handen en werd op grote schaal hersteld en verbouwd. Desondanks bleef het verval voortduren. In 1572 werd er een houten bijgebouw geplaatst voor het verblijf van koningin Elizabeth I. Pas in 1604 liet Sir Fulke Greville het kasteel op verzoek van James I ombouwen tot een luxe landhuis, met fraaie tuinen, wandelpaden en heggen. Greville werd in 1628 door zijn bediende vermoord en er wordt beweerd dat zijn geest rondwaart in de Watergate Tower, die ook wel de Ghost Tower wordt genoemd. Grevilles erfgenamen lieten in de 18e eeuw een omvangrijke renovatie uitvoeren, die bestond uit prachtige landschappen, kunstverzamelingen en andere decoratieve elementen, zoals een grandioze eetzaal, een Engelse landschapstuin, gotische versieringen en een serre waar later de beroemde Warwick Vase werd geplaatst, een marmeren vaas uit de villa van Hadrianus uit Rome. Vandaag de dag behoort Warwick Castle tot de Britse topattracties.

Het kasteel ligt op de oever van de Avon. De Romeinen bouwden op deze plaats in het jaar 79 al vestingen.

Speelplaats van Elizabeth I

*In **Kenilworth Castle** werd een groot feest gegeven en vond het langste beleg plaats.*

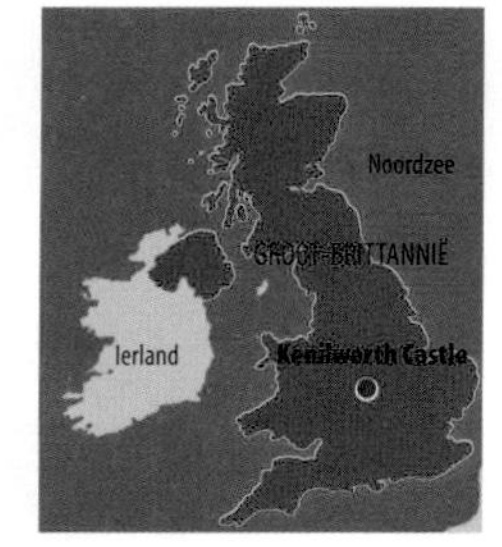

BEREIKBAARHEID
De dichtstbijzijnde treinstations zijn Warwick of Coventry, beide op 8 kilometer afstand.

BESTE SEIZOEN
Kenilworth Castle is het hele jaar open. Kijk van tevoren of er speciale evenementen worden gehouden, zoals de opvoering van het bezoek van koningin Elizabeth I aan het kasteel, boogschietlessen of middeleeuwse feesten.

TIP
Bezoek in de buurt ook Stoneleigh Abbey, in 1154 opgericht door cisterciënzer monniken. Jane Austen was dol op dit mooie landgoed.

Kenilworth Castle is nu een ruïne, maar was zelfs in vervallen toestand zo mooi dat de schrijver Sir Walter Scott het in zijn roman Kenilworth uit 1821 beschreef. Het kasteel ligt in de heuvels van Warwickshire en was ooit een speelplaats van de koninklijke familie. Ook hebben zich hier enkele bloedige hoofdstukken uit de Engelse geschiedenis afgespeeld. De tuinen uit de Tudortijd, de oorspronkelijke Normandische donjon en de grote zaal zijn nog in oorspronkelijke staat aanwezig, als overblijfselen van een ooit betoverend kasteel en tegenwoordig de grootste kasteelruïne in Engeland.

Parel in de Engelse kroon

De geschiedenis van Kenilworth begint vijftig jaar na de komst van Willem de Veroveraar. Rond 1120 gaf koning Henry I het koninklijk landgoed Stoneleigh aan Geoffrey de Clinton, kamerheer en schatbewaarder van de koning. De Clinton liet

een houten mottekasteel bouwen; de aarden heuvel ervan is nu nog te zien.

Koning Henry II liet zijn oog op het bouwwerk vallen en liet het rond 1170 in naam van de kroon confisqueren. Twintig jaar daarna liet koning John tal van aanpassingen aanbrengen. De kasteelmuur werd uitgebreid en het Great Mere werd aangelegd, een fraai, kunstmatig meer dat ook diende als verdedigingswerk.

Koninklijk beleg

Het kasteel bleef tot 1253 koninklijk eigendom; in dat jaar schonk Henry III het aan zijn zwager, Simon de Montfort. De Montfort werd later een van de eerste voorvechters van democratie in Engeland, een doorn in het oog van de monarchie. Hij was een van de leiders van een opstand tegen Henry III en gebruikte Kenilworth als

hoofdkwartier. De Montfort kwam later op het strijdveld om, maar zijn zoon Simon en de rebellen gebruikten het kasteel als een toevluchtsoord toen het koninklijke leger het omsingelde. Het daarop volgende beleg duurde zes maanden, het langste in de Engelse geschiedenis. De rebellen moesten zich uiteindelijk overgeven. Het kasteel was weliswaar onneembaar gebleken, maar binnen de kasteelmuren heersten ziekten en honger.

Een eeuw later was het John of Gaunt, de vader van koning Henry IV, die Kenilworth van een vestingkasteel liet ombouwen tot woonpaleis. Hij liet de fraaie privéappartementen en de grote zaal bouwen, die later als model diende voor Westminster Hall. Na de dood van Gaunt erfde zijn zoon, en dus de kroon, het kasteel en dat bleef zo tot koningin Elizabeth I.

Feestelijke pracht en praal

Koningin Elizabeth I, de maagdelijke koningin, bleef ongehuwd, maar was niet vies van enig mannelijk gezelschap. Robert Dudley, de graaf van Leicester, was haar gunsteling. In 1563 schonk ze Kenilworth aan Dudley en ze bracht hem daar minstens drie keer een bezoek. Haar laatste bezoek in 1575 zou de inspiratiebron zijn geweest voor Midzomernachtsdroom van Shakespeare en wordt beschreven in de roman Kenilworth van Scott. Het feestelijke bezoek vergde een jarenlange voorbereiding en Dudley liet het kasteel zelfs uitbouwen ter gelegenheid van het bezoek van Elizabeth. Hij liet een fraai poortgebouw en appartementen in Tudorstijl bouwen, een tuin ontwerpen en het jachtgebied vergroten. Elizabeth en haar entourage werden drie weken lang op overdadige wijze onderhouden, met vuurwerk, mythologische voorstellingen en extravagante banketten.

Na de dood van Dudley in 1588 wisselde het kasteel nog enkele malen van eigenaar en kwam uiteindelijk weer in koninklijk bezit. Tijdens de Burgeroorlog (1641–51) werd Kenilworth deels vernietigd en geplunderd door parlementstroepen, een lot dat meer Engelse kastelen te beurt viel. Na de oorlog maakte Oliver Cromwell het kasteel onverdedigbaar door de muur te vernietigen, het meer leeg te pompen en het omliggende woud te kappen. Na de terugkeer van de monarchie in 1660 schonk Charles II het kasteel aan de graaf van Clarendon. Het bleef in zijn familie tot 1958, waarna het kasteel aan de plaats Kenilworth werd geschonken. Sinds 1984 is het eigendom van English Heritage, een belangenvereniging van Engelse historische locaties. In 2005 ontdekte English Heritage uitgebreide informatie over de oorspronkelijke kasteeltuin. Aan de hand daarvan werd een renovatieproject op poten gezet om de tuinen weer in Elizabethaanse vorm aan te leggen en het vogelhuis te herbouwen. In 2009 was het project voltooid.

Kenilworth Castle dateert van circa 1120 en is de grootste kasteelruïne van Engeland (voorgaande bladzijde, boven). In de 13e eeuw vond tijdens de Baronnenoorlog het langste beleg in de Engelse geschiedenis plaats. De rebellen wisten onder leiding van Simon de Montfort ruim zes maanden het leger van de koning te weerstaan (onder). Kenilworth Castle is bezocht door diverse Engelse koningen en koninginnen, onder wie Elizabeth I. Haar bezoek in 1575 staat bekend als een van de grootste feesten in de Engelse geschiedenis (linksonder).

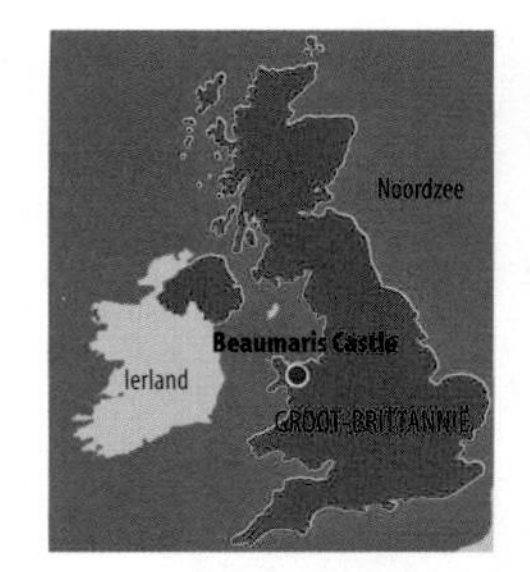

• **UNESCO Werelderfgoed**

Bereikbaarheid
Beaumaris ligt 130 kilometer ten westen van Liverpool en 275 kilometer ten noorden van Cardiff.

Beste seizoen
U kunt Wales het beste in de lente of herfst bezoeken. De zonsopgang en zonsondergang zijn spectaculair rond het kasteel.

Tip
Bezoek ook de kapel van het kasteel, met zijn plafond met ribgewelf en puntige ramen. Volgens de legende woont er ook een spook, dat zich verkleed als non aan bezoekers laat zien.

Weetje
De bouwers van het kasteel hebben echt overal aan gedacht. De wenteltrappen in het kasteel lopen met de klok mee. Een aanvaller die de trap op rent, moet dus zijn zwaard wel met zijn linkerhand vasthouden. Dat was voor de meesten een groot nadeel.

Triomf van innovatie

***Beaumaris Castle** is het hoogtepunt van alle kastelen die Edward I liet bouwen en wordt gezien als het technisch beste kasteel in Groot-Brittannië.*

Na de dood van de Engelse koning Henry III in 1271 bleef zijn zoon Edward I proberen om Wales te veroveren. Llewellyn de Laatste (zo genoemd omdat hij de laatste Welsh prins was) was aanvankelijk een bondgenoot van Edward, maar werd al snel zijn vijand toen hij zijn nieuwe koning geen eer betoonde. Edward verklaarde hem de oorlog en won.

In 1282 riep Llewellyn een tweede opstand uit, waarbij hij later omkwam. Dat was het einde van de Welshe weerstand.

Het gevolg van de tegenstand in Wales was dat Edward een omvangrijke bouwcampagne op gang bracht, die nog tot op heden internationale bewondering oproept. Na de eerste Welshe opstand begon Edward in 1276 met de aanleg van zijn 'ijzeren ring' van kastelen, een zeer vernieuwend en ambitieus bouwproject. Deze ijzeren ring bestond uiteindelijk uit acht kastelen, die stuk voor stuk een mooi voorbeeld zijn van laat dertiende-eeuwse en vroeg veertiende-eeuwse militaire architectuur. En van deze acht kastelen heeft Beaumaris, dat als laatste werd gebouwd, het beste, perfecte ontwerp.

De ijzeren ring

De verovering van Wales was een zware opgave, vooral in het bergachtige landschap in het noorden. De rebellen waren daar bekend met het landschap en konden gemakkelijk wegen blokkeren en aanvallen inzetten, waarna ze zich weer snel terugtrokken in de dichte bossen. Edward bouwde zijn kastelen dus vooral in deze streek, om twee redenen: hij wilde het Welshe volk zijn macht tonen en hij wilde kastelen bouwen die gemakkelijk te verdedigen en te bevoorraden waren. De bouw van Beaumaris begon in 1295, na de tweede Welshe opstand, want zoiets wilde Edward niet nogmaals meemaken.

Het kasteel lag op het eiland Anglesey en moest de Menai Straits tussen het eiland en het vasteland van Wales bewaken. Edward huurde bouwmeester James of St. George in, de beste militaire architect uit die tijd, die zijn ijzeren ring plande.

Een onvoltooid meesterwerk

Beaumaris was het grootste en laatste kasteel uit Edwards bouwproject en is een goed voorbeeld van een kasteel met concentrische cirkels. Het werd gebouwd op een nog onbebouwd terrein en was zorgvuldig gepland. Beaumaris, dat 'mooi moeras' betekent, ligt op een laag gebied aan een waterweg die naar zee leidt. Door deze verbinding met de zee kon het kasteel altijd worden bevoorraad. Ook diende het water als eerste verdedigingslinie.

Het ontwerp van Beaumaris is nagenoeg geometrisch symmetrisch. Doordat het kasteel op een lege vlakte werd gebouwd, kon het als een nieuw project worden aangepakt. Het resultaat was een gebouw met enorme afweermogelijkheden. Rond de binnenhof lagen vier verdedigingsgebieden. Ten eerste was er de slotgracht, gevolg door een achthoekige courtine die werd geflankeerd door zestien torens en twee poorthuizen. Daarna kwam de buitenhof, gevolgd door een binnenste courtine. De binnenmuur was bijna 5 meter dik en beschikte over nog zes torens en twee grote poortgebouwen. Daarnaast waren er nog veertien extra barrières, zoals een ophaalbrug, moordgaten, een versterkte poort en talloze valhekken. Het kasteel was dus vrijwel onneembaar.

Toch heeft het kasteel dit nooit hoeven bewijzen. Toen de bouw ervan begon, was de opstand al de kop ingedrukt. Na 1330 werd het kasteel verlaten. Onder koningin Elizabeth werd het nog kort gebruikt als gevangenis en tijdens de Burgeroorlog (1641–51) was het een bolwerk van de Royalisten en werd er wat renovatiewerk uitgevoerd. Sinds 1925 is het kasteel bezit van de staat Wales.

De naastgelegen waterweg bood Beaumaris nog extra bescherming en een manier van bevoorrading. De bouw duurde 35 jaar, vergde 2500 mankrachten en kostte een fortuin. De kosten waren zelfs zo hoog, dat het kasteel nooit is voltooid (bladzijde hiernaast). Beaumaris Castle wordt gezien als een van de architectonisch beste kastelen in heel Groot-Brittannië. Dankzij de vier vestingslijnen en diverse obstakels is het een uitstekend voorbeeld van middeleeuwse militaire architectuur.

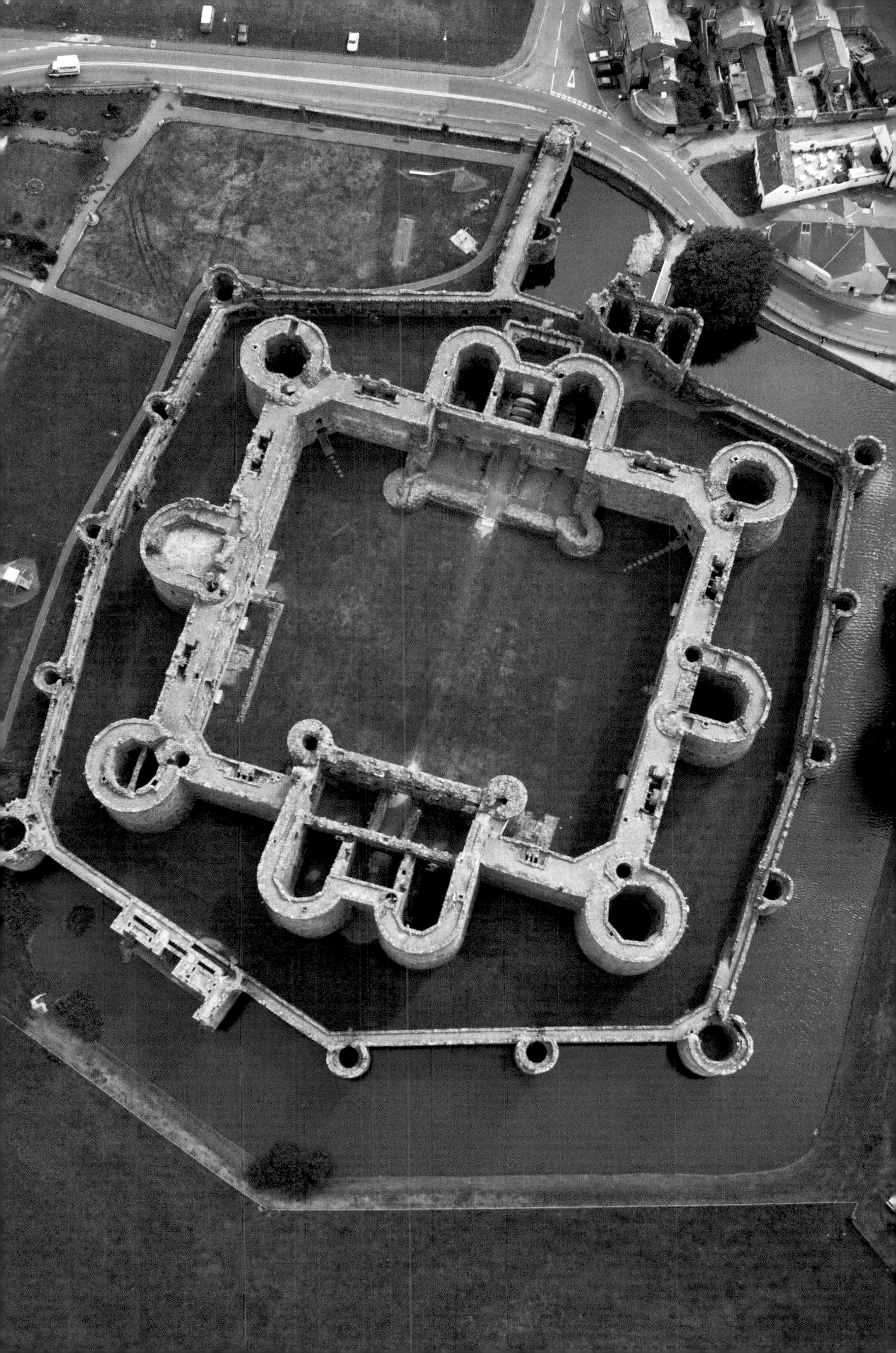

Bereikbaarheid

Ongeveer elke tien minuten vertrekt er vanuit Kopenhagen een S-trein naar Hillerod, een rit van drie kwartier. Daarna is het twintig minuten wandelen naar het kasteel, maar u kunt ook een bus of taxi nemen.

Beste seizoen

Einde lente tot begin herfst is de prettigste tijd voor een bezoek. Na zonsondergang wordt de Frederiksborg fraai verlicht. Dat is tot ver in de omgeving te zien.

Andere bezienswaardigheden

Vlakbij ligt de Fredensborg, die ook in de 17e eeuw door Christian IV werd gebouwd. Dit is het meest gebruikte koninklijke paleis in Denemarken.

Sprookjespaleis van langst regerende koning

***Frederiksborg** is de kroon op de prestaties van de langst regerende Deense monarch.*

Geen enkele andere Deense koning heeft zo'n langdurige invloed gehad op dit kleine Scandinavische land als Christian IV (1588–1648). Hij liet imposante kastelen en gezichtsbepalende bouwwerken bouwen, zoals de Ronde Toren en Holmens Kirke in centraal Kopenhagen. Christian was een fervent hervormer, gretig lezer en ongegeneerd rokkenjager, die bij diverse echtgenotes en maîtresses maar liefst 24 kinderen verwekte. In zijn geboortehuis, de Frederiksborg in Hillerod, kunt u dit personage en het land waarvoor hij de basis legde, beter leren kennen. Het bouwwerk is het grootste renaissancistische kasteel in Scandinavië.

Een overdadig paleis

Kasteel Frederiksborg was van oorsprong een aristocratisch landgoed rond een herenhuis, Hillerodsholm, dat de vader van Christian IV, Frederik II, in 1560 aankocht. Koning Frederik gaf het de naam Frederiksborg en bracht hier veel tijd door. Hij genoot van de jachtgebieden en het dunbevolkte platteland en veranderde het herenhuis tot een klein kasteel, dat beter bij een koning paste. In 1599 liet zijn 22-jarige zoon Christian IV het bescheiden kasteel uitgebreid herinrichten. Zo ontstond het rijkelijk versierde paleis in Hollandse en Franse renaissancistische stijl dat

de bezoeker vandaag de dag aantreft, met fraaie gevelspitsen, versieringen van zandsteen en met koper bedekte torenspitsen.

Slot Frederiksborg ligt verspreid over drie eilanden in het Kasteelmeer en wordt omgeven door barokke tuinen. Christian IV voorzag alle vleugels van het paleis van verfijnde details, van vergulde plafonds en kamerbrede vloerkleden tot de kostbare, handgemaakte meubels. De slotkapel is een miniatuuruitvoering van een Europese kathedraal. In de kapel werden tussen 1671 en 1840 generaties-lang Deense hoofden gekroond. In de kapel bevindt zich een galerie met wapenschilden en een orgel uit 1610, gebouw door Esajas Compenius, een prominente Deense instrumentmaker.

Kasteelterrein

De middeleeuwse delen van het slot liggen op het middelste eiland, terwijl de bouwwerken uit de renaissance het buitenste eiland beslaan. Het badhuis dateert uit de tijd waarin Frederik II graag ging jagen en staat op een afgelegen plek in het hertenpark; de koninklijke familie ging er graag zwemmen.

De enorme Neptunusfontein op het middelste binnenhof is een werk van een Hollandse beeldhouwer, in opdracht van Christian IV. Het origineel werd door Zweedse troepen meegenomen als oorlogsbuit, nadat ze van 1657 tot 1659 Slot Frederiksborg bezet hielden.

Aan de noordkant liggen de paleistuinen met hun strakke groene lanen, die in 1725 door Frederik IV werden voltooid en rond 1990 opnieuw werden aangelegd aan de hand van het oorspronkelijke ontwerp. Het hoogtepunt van de tuinen: buxussen in de vorm van koninklijke monogrammen.

Nationale Portretgalerij

In 1859 werd het grootste deel van het interieur door brand verwoest. Alleen de ontvangstzaal en Christians geliefde kapel bleven gespaard. J.C. Jacobsen, de oprichter van de Carlsberg brouwerij, was de hoofdfinancier achter de restauratie van slot Frederiksborg, die in 1864 werd voltooid. Jacobsen verleende zijn steun op voorwaarde dat het Nationaal Historisch Museum in het slot zou worden gevestigd. De Deense geschiedenis wordt getoond aan de hand van de belangrijkste schilderijen van het land. Het museum opende zijn deuren in 1882 en mag nog steeds op de grote belangstelling rekenen voor de Deense geschiedenis en het cultureel erfgoed.

De koninklijke architect, Johan Krieger, ontwierp de hier afgebeelde tuinen, achter het paleis met zijn diverse gevelspitsen en het kunstmatig aangelegde meer (bladzijde hiernaast, boven). In de slotkapel vond in 1995 de bruiloft plaats tussen de Deense prins Joachim en prinses Alexandria; de prins is intussen hertrouwd (bladzijde hiernaast, onder). De grote ontvangstzaal ontsnapte aan de grote brand van 1859.

• **UNESCO Werelderfgoed**

'Hamlets kasteel' aan zee

*Het zwaar versterkte **Kronborg** in Denemarken is een van de meest beschreven kastelen ter wereld.*

Bereikbaarheid

Met de trein bent u vanuit Kopenhagen in drie kwartier in Helsingor. De Kronborg is daarna snel gevonden.

Beste seizoen

Kronborg is het gehele jaar geopend voor bezoekers, maar de korte zomers zijn de beste periode om van het slot en de buitenmuren te genieten. Jaarlijks worden in augustus openluchtopvoeringen gegeven van Hamlet, een traditie die halverwege de 19e eeuw begon.

Op een strategische plek op het puntje van een kaap in de Straat van Oresund, een 4 kilometer brede waterweg tussen Denemarken en Zweden, ligt een van de aantrekkelijkste forten ter wereld en een van de belangrijkste renaissancistische kastelen van Europa: Slot Kronborg. Op deze plek werd tol geheven op schepen, maar het slot is waarschijnlijk vooral bekend als inspiratiebron voor de beroemdste Deen uit de literatuur, Hamlet. In het verhaal van Shakespeare worden alle hoeken en gaten van het imposante gebouw en de stad Helsingor (Elsinore) verkend.

Middeleeuwse tolheffers

De oorsprong van de Kronborg dateert uit begin 15e eeuw, toen Erik van Pommeren op deze plek een klein fort bouwde, Krogen (de haak) genaamd. Erik bouwde Krogen, een reeks stevige stenen huizen omgeven door een dikke muur, om tol te kunnen heffen op alle schepen die door de Straat van Oresund voeren. De inkomsten daarvan vulden niet alleen de daarop volgende 428 jaar de schatkist, maar droegen ook bij aan de opkomst en bekendheid van het slot.

Kronborg voltooid

De huizen van grof gehouwen steen maakten onder koning Frederik II plaats voor het in Hollandse renaissancestijl uitgevoerde slot Kronborg. Het was qua uiterlijk en omvang een unieke verschijning in Europa. Op verzoek van Frederik II werden er hoekbastions, borstweringen en slotgrachten toegevoegd. In 1577 werd er een vierkante kanontoren gebouwd die 57 meter boven de binnenhof uitstak. Daarmee zijn de versterkingen voltooid. Tegen 1584 bestond Kronborg uit drie verdiepingen, compleet met koninklijke appartementen, verhoogde en onderling verbonden zuid- en westvleugel, erkertorens, achthoekige belegeringstoren en stralende koperen daken met versierde gevels.

Er werd een slotkapel gebouwd (de oorspronkelijke kerkbanken en orgel zijn nog te bezichtigen) en een 63 meter lange ridderzaal toegevoegd. De zaal was rijkelijk versierd met een reeks wandkleden waarop 113 Deense koningen staan afgebeeld.

Kronborg van bovenaf gezien, met op de achtergrond een typisch Deense vrijetijdsbesteding: zeilen. U kunt hier urenlang de sfeer proeven van Kronborg, bijvoorbeeld door een wandeling door de tuinen of door over de geschiedenis ervan te lezen op de talloze informatieborden, zoals deze plaquette over Shakespeare.

De tragische prins van Denemarken

Kronborg was het lievelingsverblijf van Frederik, die veel luxe paleizen tot zijn beschikking had. In de grote balzaal vonden overdadige feesten plaats, waar regelmatig Engelse toneelgroepen optraden. Men vermoedt dat sommige toneelspelers later gingen samenwerken met William Shakespeare en hem vertelden over Kronborg; aan de hand daarvan verzon hij slot Elsinore, waar de prins van Denemarken woonde. De legende van Hamlets oorsprong is zo zeer synoniem geworden met Kronborg en de plaats Helsingor, dat het slot ook wel 'Hamlets kasteel' wordt genoemd en Helsingor 'de Stad van Hamlet'.

Brand en plunderaars

Het interieur ging in 1629 bij een brand verloren. De kapel bleef dankzij zijn sterke boog gespaard. De wandkleden die het overleefden, zijn te bezichtigen in Kronborg en in het Nationaal Museum in Kopenhagen. Frederiks zoon,

koning Christian IV, liet Kronborg in oude luister herstellen, met een grotere balzaal en plafondschilderingen waarop Deense historische motieven stonden afgebeeld. De stijl weerspiegelde de vroege barok.

Door de Zweedse verovering en bezetting van Kronborg (1658–1660) werd het slot van zijn schatten, fonteinbeelden, kunstwerken en kostbare Vlaamse wollen kleed ontdaan. Hierop werden meteen extra kantelen toegevoegd. Het interieur werd in 1770-1773 nogmaals hersteld, dit keer voor Frederik V, maar na 1785 was Kronborg geen koninklijk onderkomen meer en werd het gebruikt als kazerne en als gevangenis. Uit die tijd stamt nog de 'krimpende' gevangeniscel, terwijl een standbeeld van de mythologische 8e-eeuwse huurling Holger Danske, in 1907 vervaardigd door H.P. Pedersen-Dan, een vriendelijker uitstraling heeft. Er wordt wel beweerd dat 'Ogier de Deen' zich zal verweren tegen alle mogelijke bedreigingen van de Deense soevereiniteit.

Uit de as herrezen

*Ondanks diverse branden behoort de Deense **Amalienborg** tot de mooiste Europese paleizen.*

Bereikbaarheid

Amalienborg is vanuit Kopenhagen gemakkelijk bereikbaar met het openbaar vervoer, taxi of auto.

Beste seizoen

In de zomer is het er het aangenaamst, maar als u geen bezwaar hebt tegen de kou, kunt u in de winter gaan. Dan kunt u ook de wisseling van de wacht meemaken, omdat de koningin er dan vaker aanwezig is.

Tip

Neem een watertaxi (onderdeel van het openbaar vervoer) door de haven en stap uit bij de opera van Kopenhagen. Aan de andere kant van de haven ziet u de Amalienborg liggen.

Het element vuur heeft zowel in de mensenwereld als in de natuur van oudsher veranderingen aangejaagd. Grote delen van Kopenhagen zijn door brand van gedaante veranderd, waaronder enkele grote paleizen. De Christianborg, waar nu het Deense parlement en het hooggerechtshof zijn gevestigd, was al sinds begin 15e eeuw het hoofdverblijf van de Deense koningen, totdat er in 1794 brand uitbrak. Dit was de aanleiding voor de bouw van slot Amalienborg Palace. Sindsdien is het paleis de hoofdwoning van het staatshoofd en vandaag de dag woont hier de huidige koningin, Margrethe II.

Vier edele huizen

Op het land waar nu slot Amalienborg staat, bevond zich ooit het Sophie Amaliepaleis, dat helaas op de veertigste verjaardag van koning Christian V afbrandde. Daarbij kwamen bijna 200 mensen om. Er werden vier edele families gekozen die op het ontruimde land vier nieuwe paleizen mochten bouwen, die voor onbepaalde tijd als vervangers dienden voor de koninklijke familie. De families waren bereid om de bouw volgens de exacte wensen van de koninklijke architect uit te voeren, in ruil voor de idyllische accommodatie en vrijstelling van alle belastingen. Het resultaat was het Brockdorggpaleis voor baron Joachim Brockdorff, Moltkepaleis voor minister van staat A.G. Moltke, Levetzaupaleis voor raadsheer Christian Frederik Levetzau en Schackpaleis voor gravin Anne Sophie Schack. Toen er in 1794 brand uitbrak in de Christianborg, verhuisde koning Christian VII naar slot Amalienborg en liet hij de tijdelijke bewoners uitzetten.

Vakmanschap en waakzaamheid

Van de vier paleizen zijn er maar twee te bezichtigen, Christian VII (Moltkepaleis) en VIII (Levetzaupaleis); eerstgenoemde is een van de mooiste voorbeelden van rococo-architectuur in Denemarken. Enkele van de beste vaklieden werkten aan paleis Christian VII en sinds 1885 heeft het tal van hooggeachte gasten ondergebracht, zoals president Barack Obama. Christian VII was de duurste vleugel van de Amalienborg, hetgeen bijvoorbeeld blijkt uit de overdadige grote zaal, die prachtige houtsnedes en stucwerk bevat door de befaamde Zwitserse architect Giorgio Fossati. In het paleis Christian VIII woont nu kroonprins Frederik en bevindt zich bovendien een kleine kunstverzameling van de Glucksburg-dynastie, waarvan de Griekse koninklijke familie afstamt.

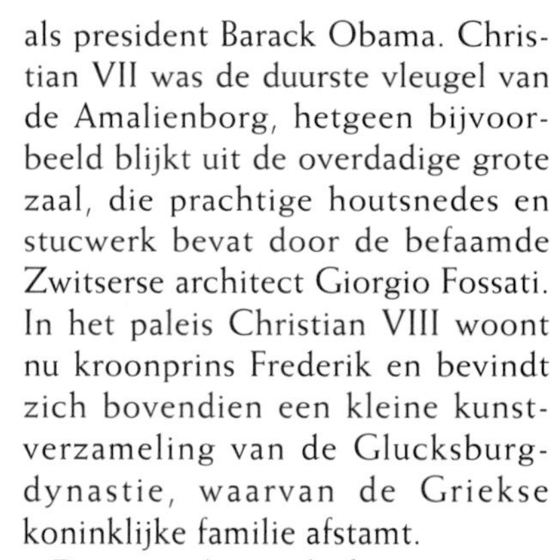

De grote binnenhof is een mooi uitkijkpunt, vanwaar u uitzicht hebt op het indrukwekkende operagebouw aan de overkant van de haven, dat symmetrisch op één lijn ligt met de paleizen. Een hoogtepunt van een bezoek aan slot Amalienborg ziet u op de binnenplaats: de dagelijkse wisseling van de wacht om 12 uur 's middags. Er zijn drie soorten wisselingen van de wacht, afhankelijk van wie er in het paleis aanwezig is. De 'koningswacht' (als de regerend vorst aanwezig is) is de uitgebreidste ceremonie, begeleid door muziek. Midden op de binnenplaats staat een standbeeld uit 1771 van Frederik V op zijn paard, dat als een van de mooiste paardenbeelden ter wereld wordt gezien. De Franse beeldhouwer Saly werkte er wel twintig jaar aan.

Het paleis Frederik VIII (Brockdorffpaleis) wordt momenteel heringericht als toekomstige woning van de kroonprins. In 1828 werd het paleis gerenoveerd in neo-classicistische Empirestijl. De huidige naam dateert uit 1906, toen Fredrik VIII koning werd. Paleis Christian IX (Schackpaleis) was enige tijd het onderkomen van het hooggerechtshof en het ministerie van Buitenlandse Zaken.

In 1863 betrok Christian IX het paleis, waar hij bleef wonen tot zijn dood in 1906. Hij wordt wel de schoonvader van Europa genoemd, want zes van zijn kinderen trouwden met leden van andere koninklijk huizen en de meeste huidige vorsten in Europa zijn afstammelingen van hem. Zijn paleis stond leeg tot 1948, toen zijn nalatenschap in kaart werd gebracht. Sinds 1967 is het de woning van koningin Margrethe II, een veelzijdige vrouw met diverse universitaire kwalificaties en talenten, van kostuumontwerp en schilderen tot het vertalen van boeken. Ze is de populairste vorst die ooit op de Deense troon heeft gezeten.

De sokkel waarop het beeld van Frederik V staat, werd in 1760 geplaatst ter gelegenheid van de honderdste verjaardag van de absolute monarchie, die in 1848 ten einde kwam toen Denemarken een constitutionele monarchie werd (boven). De kroonjuwelen worden veilig bewaard in het nabijgelegen slot Rosenborg, waar ze te bezichtigen zijn (links).

Machtscentrum aan het water

Het Zweedse ***Kungliga Slottet*** *is het grootste nog gebruikte paleis ter wereld.*

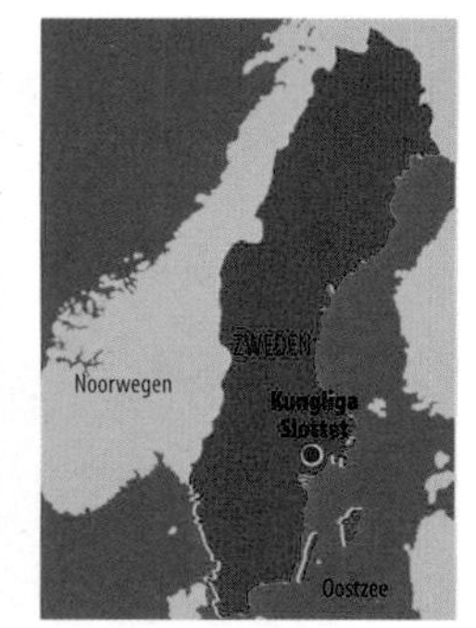

Bereikbaarheid

Neem de metro naar station Gamla Stan of loop over de bruggen die het eiland met het vasteland van Stockholm verbinden.

Beste seizoen

In de zomer is de hoofdstad altijd levendig, met mooi weer en lange dagen.

Andere bezienswaardigheden

Maak een wandeling door de middeleeuwse straatjes van Gamla Stan en bewonder de architectuur, die teruggaat tot de 13e eeuw.

Stockholm is het kloppend hart van de Zweedse natie en is dat al geruime tijd, want uit vondsten blijkt dat hier al in het eerste millennium mensen woonden. De Zweedse mythologie gaat nog verder terug en rept over de mythologische koning Agne, die hier rond 400 n.Chr. woonde. Het symbool bij uitstek van de geschiedenis en ontwikkeling van deze Scandinavische hoofdstad is het koninklijk paleis of Kungliga Slottet in Stockholm, dat de oudste wijk van de stad, Gamla Stan, domineert. Het paleis bevat de collectieve departementen die samen het koninklijk hof vormen en biedt bovendien onderdak aan diverse nationale musea en is al 500 jaar, in diverse vormen, de hoofdwoning van de Zweedse vorst.

ontwikkelde Tre Kronor zich onder de Vasamonarchie tot een groots renaissancistisch paleis met diverse torens. Op schilderijen uit deze periode, die te zien zijn in het Tre Kronor Museum van het koninklijk paleis, staat een zeer imposant kasteel afgebeeld. In 1697 werd het door een brand verwoest.

Meteen na de brand stelde de koninklijke architect, Tessin de Jongere, een vijfjarenplan op voor de bouw van een majestueus nieuw paleis. Het nieuwe slot werd echter pas in 1754 voltooid, bijna zestig jaar nadat Tre Kronor in vlammen was opgegaan. Het lang verwachte koninklijke paleis dat vandaag de dag het beeld van Gamla Stan bepaalt, werd met grote nauwkeurigheid vervaardigd door de beste vaklieden.

Vier symbolische gevels

De vier in rococostijl uitgevoerde gevels van het paleis zijn stuk voor stuk uniek. De oostzijde van het paleis, van de koningin, heeft een vrouwelijk uiterlijk en bevat de elegante koninginnetrap, onderdeel van de oostelijke poort. Door de enorme pilasters op de oostgevel is het paleis al van verre te zien. De westvleugel, die de koning vertegenwoordigt, is mannelijk van uitstraling. In de westelijke poort is de majestueuze westelijke trap gevestigd. De zuidvleugel vertegenwoordigt de Zweedse natie en de koninklijke appartementen liggen aan de noordkant.

Vorstelijke bewoners van nu

De barokke interieurs van Kungliga, die rond 1730 door architect Carl Harleman werden ontworpen, zijn nog goed bewaard gebleven. De koninklijke appartementen zijn prachtige staatsiekamers waar de woonvertrekken van het koninklijk huis zijn gevestigd. Ze worden gebruikt voor gala's, parlementaire diners en kabinetsvergaderingen. De rijkelijk versierde interieurs omvatten eeuwen van Zweedse geschiedenis, zoals de slaapkamer van koning Gustav III (er wordt wel beweerd dat de vorst gasten uitnodigde om hem 's ochtends in zijn slaapkamer te zien ontwaken), de schrijfkamer van de intellectuele koning Oscar II en de jubileumkamer van de huidige vorst, koning Carl Gustaaf.

In de schatkamer worden diverse met juwelen versierde kronen tentoongesteld. De oudste is de kroon van koning Carl X uit 1650. Het topstuk uit het wapenmuseum dat in het paleis is gevestigd, is Adolf, het opgezette paard van koning Gustav II, die beide in 1632 tijdens de slag bij Lutzen omkwamen. De met bloedvlekken bedekte kleding van de gevallen koning versterkt nog de macabere aard van deze bezienswaardigheid.

Met ruim 600 vertrekken is het Kungliga Slottet het grootste paleis ter wereld dat nog door een levende vorst wordt gebruikt. Het staat onwrikbaar in de 'Oude Stad' van Stockholm, als symbolische beschermer van de hoofdstad en het land.

Deze gouden kroon op de poort aan de voorzijde geeft de ingang van de koning aan (bladzijde hiernaast, boven). De prachtige rococodetails van het paleisinterieur worden op meesterlijke wijze verzorgd (bladzijde hiernaast, onder). Op dit luchtaanzicht van het koninklijk paleis is te zien hoe belangrijk Gamla San is, dankzij de centrale ligging in de haven van Stockholm.

Vroege vikingblokkade

Gamla Stan, de 'oude stad', bestaat uit een netwerk van middeleeuwse straatjes en gebouwen uit de 13e eeuw. De wijk ligt op een van de grootste Stockholmse eilanden, Stadsholmen, en omliggende eilandjes. Naar verluidt bouwden de Vikingen rond 900 n.Chr. een houten blokkade aan de kade, want het eiland was het perfecte uitkijkpunt vanwaar de belangrijkste vaarroute, de Noordstroom die door de haven loopt, kon worden beschermd.

Rond 1300 stond er op deze plek een stenen vesting met een donjon en een grote binnenhof, omgeven door hoge muren. De vesting ontwikkelde zich tot een enorm middeleeuws kasteel, Tre Kronor (drie kronen) genaamd en werd de belangrijkste woonplaats van Zweedse vorsten nadat koning Gustava Vasa in 1521 brak met de Unie van Kalmar uit 1397 tussen Denemarken, Noorwegen en Finland. Dit was het begin van de moderne staat Zweden. Tijdens de zeventiende-eeuwse Gouden Eeuw van Zweden

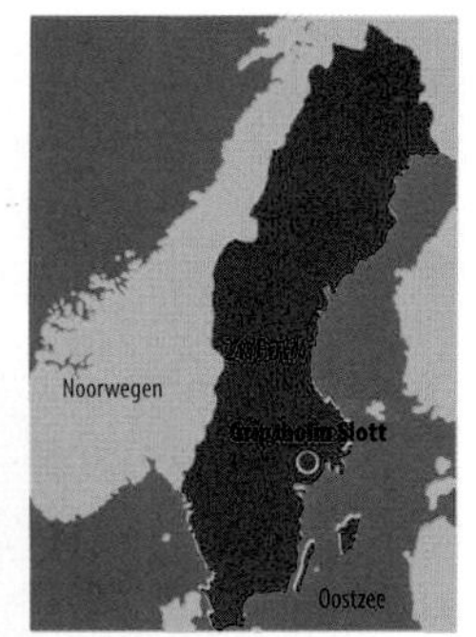

Bereikbaarheid

Het slot ligt 70 kilometer ten westen van Stockholm. Er is een regelmatige treinverbinding naar Laggesta, waar bussen vertrekken naar Gripsholm (vanaf einde lente tot begin herfst rijdt er een stoomtrein tussen Laggesta en Gripsholm).

Beste seizoen

Het slot is geopend van 15 mei tot 15 september. Op overige dagen kunnen er groepsrondleidingen worden gereserveerd.

Andere bezienswaardigheden

Op het eiland Bjorko staat Birka, het grootste Vikingdorp in Zweden.

Nationale schat van Zweden

Het ***Gripsholms Slott*** *bestrijkt vier eeuwen Zweeds erfgoed – en schandaal – in een uitbundig paleis.*

Pal ten westen van Stockholm ligt aan het Malarenmeer een van de mooiste Zweedse kastelen, als symbool van de ooit zo grootmoedige Zweedse monarchie en de Scandinavische breuk met het katholicisme. Het staat op een schilderachtig eiland, waar koningen ooit kwamen uitrusten van het rumoer in de drukke hoofdstad. Dankzij de afgelegen ligging was het ook een geschikte schuilplaats voor koninklijke lieden die uit de gratie waren gevallen. Gripsholm is nu een nationaal monument, waar u de 400-jarige geschiedenis kunt bekijken.

Religieus geschil

Gripsholm dankt zijn naam aan Bo Jonsson Grip, een invloedrijke Zweedse edele die eind 14e eeuw al een eerder kasteel op het eiland bouwde. Aan het einde van de middeleeuwen werd het kasteel aan een Kartuizer abdij uit het naburige stadje Mariefred geschonken. Het verblijf van de orde van beschouwende monniken kwam ten einde toen de staat het kasteel vorderde, na het geschil tussen koning Gustav Vasa en de paus. Gustav eiste dat hij mocht bepalen welke bisschoppen er werden benoemd, maar de paus weigerde dit. De koning uitte zijn ongenoegen door steun te verlenen aan de druk van reformatorische geschriften. Dit luidde de overgang van het land in naar het protestantisme en uiteindelijk de aanname van het lutheranisme als nationaal geloof.

Koningsdrama's

Koning Gustavs bouwmeester Henrik von Kollen begon in 1537 met de bouw van een grandioos renaissancistisch paleis, dat onderdeel was van een reeks nieuwe verdedigingswerken in het hele land. Het voltooide paleis was een enorme vesting, met op elke hoek een grote stenen ronde toren, met rijkelijk ingerichte kamers en gebogen gangpaden. De nauwkeurig bewaard gebleven kamer van hertog Karl uit de tijd van Gustav, met zijn fraai handbeschilderde bloemendessins, is een van de mooiste 16e-eeuwse paleisvertrekken in Zweden.

Het kasteel werd gebruikt om lastige koninklijke figuren weg te stoppen, zoals in de 16e eeuw de broer van koning Erik XIV en de weduwe van koning Karl X, koningin Hedvig Eleonora, die na de dood van haar man te bemoeizuchtig werd gevonden en daarom naar Gripsholm werd verbannen.

De maan schijnt op de kenmerkende renaissancistische paleistorens. De Runensteen van Gripsholm uit de 11e eeuw is van onbekende oorsprong en bevat een inscriptie uit Vikingtijden. De steen staat langs de weg naar het kasteel en werd rond 1820 buiten de 'theatertoren' gevonden.

Hedvig gebruikte haar opsluiting in het paleis, die samenviel met de 17e-eeuwse 'grote machtsperiode' van Zweden, om het paleis te laten verbouwen, waarbij de Koninginnevleugel werd toegevoegd.

In de 18e eeuw creëerde Gustav III, een notoir slechte amateuracteur, in een van de grote ronde torens een prachtig theater, waar hij kon optreden en van voorstellingen door anderen kon genieten. Het theater is nog altijd een van de mooiste podia van Europa uit deze periode. De salon stamt ook uit deze tijd en er hangen nog altijd portretten van Gustav III.

In de 19e eeuw onderging het kasteel een uitgebreide renovatie. Volgens critici zag het er daarna juist ouder uit, omdat men had geprobeerd om het kasteel te veranderen in een nationaal monument. Uit diverse paleizen in het hele land werden meubels en kunstwerken uit vier eeuwen verzameld en in Gripsholm geplaatst. De portretcollectie, die binnenkort ruim 4500 stukken telt, is de grootste ter wereld en wordt nog elk jaar groter, doordat er van onderscheiden personen een 'ereportret' wordt gemaakt.

Idyllisch natuurreservaat

In het paleispark aan de oostkant van het eiland zijn sinds circa 1500 verschillende tuinen aangelegd. Er werden grote hoeveelheden kruiden en bloemen gekweekt en ooit stonden er 3600 fruitbomen. Er staat nog altijd een kleine boomgaard met 250 appelbomen, waarvan het verse sap wordt gemaakt dat ter plekke wordt verkocht. De bloemen in Gripsholm zijn afkomstig uit de eigen kassen. Aan de westkant werd in 1993 een kruidentuin aangeplant als herinnering aan de Kartuizer monniken.

Het hertenveld dateert uit de 17e eeuw, toen het werd aangelegd voor een koninklijke boerderij. Rond 1860 werd er een dierentuin van gemaakt en in 1890 werden er herten uit het koninklijke jachtgebied in Stockholm ondergebracht. Tegenwoordig is het park een reservaat van damherten, een hertensoort die inheems is in Klein-Azië en het Middellandse Zeegebied.

IJzige attractie in Lapland

*Het jaarlijks opgebouwde **Lumi Linna IJskasteel** in Kemi, Finland, verlicht de donkerste winterdagen.*

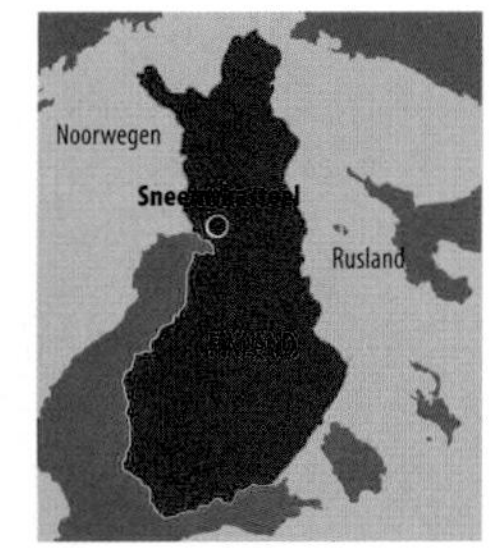

BEREIKBAARHEID

De treinrit van Helsinki naar Kemi duurt 9 uur. Daarnaast zijn er vluchten tussen de twee steden.

BESTE SEIZOEN

Het Sneeuwkasteel gaat elk jaar eind januari open en blijft, ijs en weder dienende, open tot begin april.

TIP

Neem dikke kleren mee en zorg dat u te allen tijde een muts en handschoenen draagt, want de gemiddelde binnentemperatuur is ongeveer -5ºC.

ANDERE BEZIENSWAARDIGHEDEN

De andere grote attractie in Kemi is de enorme ijsbreker Sampo, die in de haven ligt.

In de koude streek van het Finse Lapland, 725 kilometer ten noorden van Helsinki, duurt de winter wel 200 dagen en komt de zon 51 dagen lang de hele dag niet boven de horizon uit. Dat zijn de poolnachten. Op de koudste dagen van het jaar daalt het kwik tot -50ºC, waardoor er tot ver in de zomer nog sneeuw ligt. De Finnen in Lapland zijn al duizenden jaren bestand tegen de polaire elementen. De laatste jaren hebben ze van de grote vorstperiode een deugd gemaakt in de vorm van het ijskasteel. Hoewel de inwoners van Lap-land niet zelf op het idee zijn gekomen om kastelen te bouwen uit ijsblokken, bouwen ze wel elk jaar het grootste ijsfort, het Lumi Linna Sneeuwkasteel van Kemi.

Historische ijskastelen

Het oudste bekende ijskasteel dateert uit 1739 toen keizerin Anna, het nichtje van Peter de Grote, in Sint Petersburg een ijskasteel liet bouwen ter ere van de overwinning van haar rijk in de Russisch-Turkse oorlog. Uit bevroren meren en

rivieren werden enorme ijsblokken gezaagd, die met water aan elkaar werden verbonden. Zo werd er een 20 meter hoog en 50 meter breed kasteel gebouwd. Het kasteel werd ingericht met meubels van ijs en voorzien van een ijstuin en zelfs ijskanonnen met echt buskruit erin, die ijskogels afschoten. Sindsdien zijn er overal ijskastelen gebouwd, in Noord-Amerika en in het noorden van Scandinavië en zelfs onlangs in Turkmenistan, in een poging het zuidelijkste ijskasteel op het noordelijk halfrond te bouwen. In Finland werd er in 1996 voor het eerst een sneeuwkasteel gebouwd. Er kwamen 300.000 bezoekers naar Kemi, een industriële havenstad aan de Botnische Golf.

Bouwen en herbouwen

Het sneeuwkasteel in Kemi is elk jaar weer anders van vorm en omvang, want er wordt telkens een andere architect ingeschakeld. Wel worden er altijd boogplafonds toegepast, omdat dit de nodige stabiliteit biedt. Het bouwvlak varieert van 1,5 tot 2 hectare.

De bouw duurt ongeveer zes weken. IJsblokken uit de Botnische Golf vormen de wanden en plafonds en worden bijeen gehouden door 'snice', een cement van sneeuw en ijs dat in het hele poolgebied wordt gebruikt om ijsblokken te verbinden. De hoogste torens van het kasteel waren 20 meter en de langste muur was duizend meter lang; sommige ijskastelen zijn wel drie verdiepingen hoog geweest. Het kasteel wordt gebouwd zonder ondersteunende structuren. De sneeuw wordt in vormen gespoten die na het uitharden worden verwijderd.

Koud en licht

Een hotel, restaurant, kunstgalerie en kapel maken telkens weer deel uit van het kasteel, maar het theater is een recente toevoeging aan het ontwerp. Het twintig kamers tellende hotel is ingericht met bedden van ijs, waarop het dankzij poolslaapzakken en fleecedekens uit te houden is. Er wordt wel beweerd dat u zich na een nachtje onder nul heerlijk uitgeslapen voelt.

Ook het restaurant is ingericht met bevroren meubels, zoals ijstafels, met rendierhuiden beklede krukken en zelfs een ijsbar. De kamers en openbare ruimtes zijn versierd met prachtige ijssculpturen en worden verlicht door lantaarns met dimlicht.

De oecumenische kapel vormt ieder jaar weer het hoogtepunt van het sneeuwkasteel. Er zijn al tientallen paren van over de hele wereld hier getrouwd. Nergens heeft de doorschijnende glans van de indirect verlichte ijsconstructie zo'n sterk effect als op deze heilige plek, waar gemiddeld honderd mensen in passen. De nationale lutheraanse kerk organiseert hier tijdens de paar maanden waarin het kasteel is geopend diensten en er zijn zelfs kinderen gedoopt.

Terug naar zee

Als u dit architectonische sneeuwwonder, de grote trots van Kemi, wilt zien, moet u er snel bij zijn. Zodra in de april de zon weer op Lumi Linna schijnt, wordt het bouwwerk vernietigd en met een bulldozer in de Botnische Golf geschoven, waar het ijs kan smelten. Half mei zijn er op de locatie van het sneeuwkasteel op de binnenhaven van Kemi de zomerrestaurants te vinden.

De lage noorderzon verlicht de ingang van het kasteel in een witte gloed (vorige bladzijde, boven). In het gehele bouwwerk worden boogplafonds toegepast, zoals hier in de foyer; zo ontstaat er een stabiel geheel (vorige bladzijde, onder).
De bedden zijn gemaakt van sneeuw en ijs en bieden de gasten een heerlijke (en stevige) nachtrust (boven). In het restaurant staat het belangrijkste dier van Lapland, het rendier, in vele vormen op de menukaart, van soep tot filet (onder).
De verlichting van het kasteel, inclusief de buitenkant van de kapel (onder) is in handen van vaardige technici.

Van veldslag naar aria

*Het formidabele kasteel **Olavinlinna** illustreert het Finse bezette verleden en het drukke heden.*

Bereikbaarheid

Vanuit Helsinki vertrekken er dagelijks treinen en bussen en de reis duurt vijf tot zes uur. Ook is er een vliegverbinding vanuit het stadscentrum naar Savonlinna (25 kilometer).

Beste seizoen

De zomer is de prettigste tijd van het jaar voor een bezoek en het operafestival duurt de hele maand juli.

Andere bezienswaardigheden

In de Finse streek Savo ligt de hoogste concentratie meren in het land. De landschappelijke schoonheid is het verkennen waard.

Finland was een groot deel van zijn geschiedenis een slagveld waar ruzies tussen Rusland en Zweden werden uitgevochten. Vanaf de middeleeuwen tot begin 20e eeuw werd Finland, en de stammen die de bevolking vormden, afwisselend overheerst door Zweden en Rusland. De twee partijen lieten hun sporen achter op het landschap, de cultuur en de identiteit van de Finnen. Kasteel Olavinlinna in het zuidoosten van Finland lag vaak midden in deze geopolitieke strijd en aan de verschuivende grenzen is te zien welk land er wanneer van invloed was. In het kasteel vonden ook geheime bijeenkomsten plaats van revolutionairen, die droomden van een onafhankelijk Finland. Sindsdien is Olavinlinna een symbool geworden van nationale trots. Het is bovendien een van de best bewaarde middeleeuwse kastelen in Scandinavië.

Aanval op bouwers

In 1475 liet Erik Axelsson Tott, een in Denemarken geboren Zweedse regent, Olavinlinna bouwen om aanvallen uit het tsaristische Rusland te kunnen weerstaan, door een strategisch fort in de belangrijke streek Savo te plaatsen.

De grote meren, rivieren en beken in dit deel van het land vormden een natuurlijke hindernis voor oprukkende legers. Het kasteel ligt dicht bij de Russische grens op een rotseiland in de buurt van het Saimaameer. Het snel stromende water rond het eilandje waarop Olavinlinna ligt, bevriest zelden, hetgeen bevorderlijk is voor de verdediging. Tott noemde het kasteel naar de heilige Olaf, een beroemde Noorse kruisridder uit de 11e eeuw die een belangrijke beschermheilige van ridders werd.

De Russen beschouwden het nieuwe fort als een regelrechte provocatie en minachting van een verdrag met Zweden, dat volgens hen dit land aan hun kant van de grens plaatste. Vanaf de eerste dag van de bouw konden de arbeiders dus voortdurend worden aangevallen. Er werd een geïmproviseerde houten vesting geplaatst om ze tijdens hun werk te beschermen. Dit deel werd op het hoger gelegen deel

van het eiland gebouwd en bestond uit een versterkte kern met drie torens van 20 meter hoog, omgeven door een 10 meter hoge muur. Van deze drie torens zijn de klokkentoren en de kerktoren bewaard gebleven, maar Sint Eriks Toren werd begin 18e eeuw verwoest of afgebroken.

Er werd meteen begonnen met de volgende fase, waarvoor eerst een versterkte omheining rond de eerste structuur van het kasteel werd geplaatst. Ondersteunend personeel, zoals soldaten, wachters en keukenpersoneel, woonde hier; de hoger geplaatste lieden woonden binnen de kasteelmuur. De omheining met dubbele toren werd eind 15e eeuw voltooid, waarna Olavinlinna een van de sterkste vestingen uit die tijd was.

In Russische handen

Tot begin 18e eeuw deed Olavinlinna dienst als Zweeds grenskasteel. Het kasteel moest zich in Zweedse handen diverse malen bewijzen tegen de Russen, te beginnen in 1495 en ook nog tijdens de 16e en 17e eeuw.

De ongelofelijk dikke muren en kanonnen weerden alle aanvallen af, totdat het de Russen in 1714 tijdens de Grote Noordelijke Oorlog eindelijk lukte om het kasteel in te nemen.

Na een nieuw verdrag kwam het weer kort in Zweedse handen, maar in 1743 trokken de Zweden zich terug. De nieuwe Russische eigenaren brachten versterkingen aan en voegden de rechthoekige bastions toe. In 1809 verloor het kasteel zijn strategische belang toen Rusland aan het einde van de Finse oorlog heel Finland innam. Er waren tot 1847 Russische soldaten in Olavinlinna gelegerd en het werd korte tijd gebruikt als een gevangenis, waarna het in onbruik raakte.

Eind 19e eeuw raakte het lege kasteel tweemaal door brand zwaar beschadigd. Daarna nam de staat het kasteel over en begon de renovatie. Zo kwam het kasteel uiteindelijk bij zijn derde en huidige eigenaren terecht: het Finse volk. Ze hebben het werk van de vorige bewoners nieuw leven ingeblazen en hun eigen stempel op de vesting gedrukt door ter plekke een concertzaal van wereldklasse te bouwen.

Associaties met de opera

Vandaag de dag heeft Olavinlinna drie attracties te bieden. Het museum bevat diverse objecten uit het verleden; in het Orthodox museum ziet u religieuze relieken uit Rusland en Finland. Een uniekere attractie begint tot slot met de Finse sopraan Aino Ackte. Zij bezocht in 1907 een geheime nationalistische bijeenkomst op het kasteel en het viel haar op dat het afgelegen en historische Olavinlinna uitstekende akoestische en artistieke mogelijkheden bood. Vijf jaar later, in 1912, had ze de leiding over het eerste operafestival in Olavinlinna. Na uitgebreide renovatiewerkzaamheden ging het Savonlinna Opera Festival in de zomer van 1967 open voor het publiek.

De middeleeuwse vesting ligt afgelegen aan een waterweg en is toegankelijk via een draaibrug (linksboven). De buitenmuur en omheining erachter zijn kenmerkend voor Europese kastelen uit deze periode.

Steunpilaar op de Domberg

***Kasteel Toompea** heerste duizend jaar over de zeevaart en maakte de groei mogelijk van de best bewaarde middeleeuwse stad van Europa.*

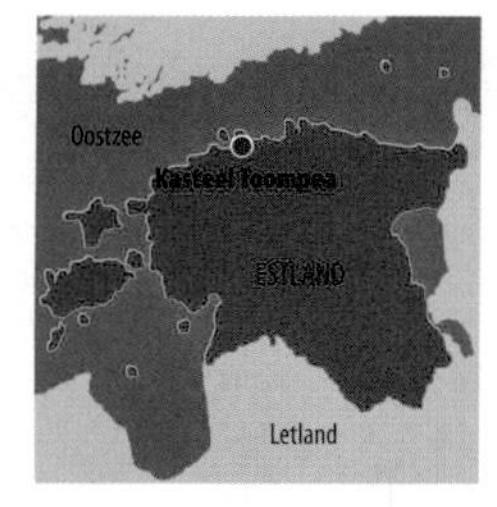

• **UNESCO Werelderfgoed**

Bereikbaarheid

Neem een taxi of boot vanuit het lagere gedeelte van de stad, ga naar de toren Pikk jalg (uit 1380) en beklim de toren om het kasteel te bereiken.

Beste seizoen

Einde lente tot begin herfst is de prettigste tijd van het jaar.

Andere bezienswaardigheden

De Domkerk (Mariakathedraal) ligt vlak bij het kasteel en biedt een beeld van hoe de stad er in de 13e eeuw uitzag, toen dit de eerste en enige kerk in de stad was.

Toompea is afgeleid van het Duitse woord Domberg en is een hoog vlak tafelland van 6,9 hectare op 20 tot 30 meter hoogte boven de stad Tallin. Volgens de Baltische mythologie is Toompea de berg die werd gevormd door het graf van de Estse held Kalev. De heuvel kijkt al van meet af aan uit over Tallin. Deze stad was ooit als een van de Hanzesteden een van de machtigste buitenposten in Noord-Europa. Al in de 10e eeuw deden Scandinavische en Russische handelaren Tallin aan. Kasteel Toompea heeft diverse eigenaren gekend en ligt hoog boven de best bewaarde middeleeuwse stad van Europa.

Kruisridders voor anker

Het kasteel is een voortzetting van een oude houten vesting uit de 10e eeuw, die diende als bescherming van de handel in en buiten de haven. De oude stad werd geregeerd door feodale opperheren en ontstond op de heuvel, waar de vesting en een stelsel van muren bescherming boden. Tallin breidde zich verder uit en de middeleeuwse wegen hebben stuk voor stuk hun oorsprong in de oude stad op de Toompea. Begin 13e eeuw namen Deense kruisridders, onder leiding van koning Waldemar II, Tallin over en bouwden de vesting verder uit. Ook bouwden ze in 1219 de eerste kerk, die ook wel de Domkerk wordt genoemd. Later werd dat de Mariakathedraal, die er nog altijd staat.

Bescherming en katholicisme

Vanaf 1226 viel de stad onder pauselijke jurisdictie en voerden de Ridders van de Teutoonse Orde tijdens een periode van grote welvaart het bevel. In 1285 trad Tallin toe tot de Hanzesteden.

De bond, die rond 1158 in Duitsland werd opgericht, diende ter bescherming van handelsroutes in

Europa tegen piraterij en was verantwoordelijk voor het verschepen van luxe goederen als specerijen en zout. In deze periode werd de stadsmuur aangelegd.

In 1345 werd Tallin verkocht aan de Livoniaanse Orde, een autonome afdeling van de Teutoonse Ridders. De Livoniaanse Orde liet de vesting herbouwen tot een van de machtigste middeleeuwse kastelen uit de streek, met hoge stenen muren en torens. Zo kon de veiligheid worden gegarandeerd van de toenemende bevolking en handel in een stad die een ongeëvenaarde spil tussen Europa en Rusland vormde.

150 jaar eenzaamheid

In de daarop volgende eeuwen bleef Toompea een belangrijk kasteel terwijl de handel bleef bloeien, zelfs na de ondergang van de Hanze eind 16e eeuw. In 1684 werd een groot deel van het kasteel door brand verwoest. De Domkerk was een van de weinige gebouwen op de heuvel die gespaard bleven. De stad viel in die tijd onder Zweeds bestuur en werd na de brand heropgebouwd en uitgebreid met enkele bastions.

In 1710 moesten de Zweden de stad uit handen geven aan tsaar Peter I en volgde een periode van commerciële en culturele stilstand van 150 jaar, waarbij het kasteel het paleis van de tsaristische gouverneur werd. De periode van stagnatie kwam ten einde toen Tallin werd gekozen tot centrum voor een provinciaal bestuur, met het kasteel als hoofdgebouw. Het kasteel werd grondig verbouwd en kreeg op bevel van Katharina de Grote een mooi roze kleurtje, tot groot ongenoegen van veel inwoners van Tallin.

Symbool van nationale trots

Rond 1920 werd er op de binnenplaats van het kasteel een kleurrijk gebouw ontworpen als onderkomen voor het Estse parlement. Tijdens de Tweede Wereldoorlog was Tallin bezet door de Duitsers en richtten luchtbombardementen veel schade aan. Na de oorlog werd er onder het Stalinistisch bewind veel heropgebouwd. Op de 35 meter hoge Hermantoren van het kasteel, hoog boven een hoek van het parlementgebouw, wapperde tot eind jaren '80 de Sovjetvlag. De toren is het hoogste punt van het kasteel en was in 1987 een symbool van de Estse onafhankelijkheid, toen er in de nadagen van het Sovjetregime een nationale vlag hing.

Het kasteel heeft in de loop der eeuwen zwaar te lijden gehad onder het weer, brand en oorlogen. De oorspronkelijke vesting van de Denen is verdwenen, evenals het 14e-eeuwse kasteel dat ervoor in de plaats kwam. Maar de overgebleven bastions, delen van de hoge muren en drie hoektorens van de middeleeuwse vesting geven een goed beeld van het ooit zo machtige kasteel Toompea, en ook de charme van de oude stad op de heuvel heeft de tand des tijds doorstaan.

Uitzicht op de Toompeaheuvel met links een van de stoere kasteeltorens en de Russisch-orthodoxe kerk van Alexander Nevsky op de achtergrond (voorgaande bladzijde, boven). Hermans Toren op de zuidwestelijke hoek van het kasteel werd aan het eind van de 14e eeuw voltooid (voorgaande bladzijde, inzet). Sommige delen van de middeleeuwse stadsmuur staan nog overeind en zijn tien meter hoog.

BEREIKBAARHEID

Het Winterpaleis aan de rivier (het Hermitagemuseum) ligt in het hart van de stad en is gemakkelijk te voet of per taxi te bereiken, of vanaf metrostation Nevsky Prospekt aan de blauwe lijn.

BESTE SEIZOEN

De Russische winters zijn mooi maar ijzig koud. Het mooiste weer vindt u einde lente tot begin herfst.

TIP

De laatste jaren heeft Sint Petersburg een ware culinaire transformatie ondergaan en zijn er nu uitstekende cafés en restaurants te vinden waar gemoderniseerde versies van Russische gerechten worden opgediend, naast de vele internationale opties.

Sint Petersburgs levend erfgoed

*Het **Winterpaleis** was het tsaristische machtscentrum en is nu een vermaard museum.*

In 1703 stichtte Peter de Grote de stad Sint Petersburg op de oever van de Neva en in 1712 verving zijn nieuwe stad Moskou als hoofdstad van Rusland. Tsaar Peter I bouwde de eerste versie van de uiteindelijk vijf versies van het befaamde Winterpaleis. Zijn dochter, tsarina Elizabeth II, een stoutmoedig heerseres die op zoek was naar erkenning van de macht van Rusland, liet het kolossale paleis bouwen dat vandaag de dag te zien is. Het geweldige en imposante Winterpaleis was eeuwenlang het symbool van de macht van tsaristisch Rusland en was later het doelwit van de bolsjewistische revolutie. Tegenwoordig is het paleis deels een monument en deels een museum van wereldklasse.

De vier winterpaleizen

Peter de Grote liet het eerste Winterpaleis bouwen als vervanging voor een bestaande blokhut, Domik Petra I geheten, die werd verhuisd naar de Petrovskaya-oever en daar nog altijd staat. Het eerste Winterpaleis was een eenvoudige villa van twee verdiepingen met een leistenen dak, dat paste bij de relatief bescheiden woonwensen van de tsaar. In 1721 besloot Peter om een nieuw onderkomen te laten bouwen. Dat werd het tweede Winterpaleis, waar hij in 1725 overleed. Het was groter dan het eerste paleis, maar wel klein in vergelijking met de grote Europese paleizen. Het derde paleis werd in 1728 voltooid en was nog iets groter dan zijn voorganger en werd uitgevoerd in dezelfde barokstijl. Met deze stijl wilde Peter een Sint Petersburg scheppen als een opvallende nieuwe Russische hoofdstad vol met westerse kenmerken, in plaats van de Byzantijnse architectuur van Moskou. In 1732 droeg keizerin Anna Ivanovna, een nichtje van Peter I, de architect Francesco Bartolomeo Rastrelli op om het naastgelegen Apraksinpaleis opnieuw in te richten. Het resultaat wordt het vierde Winterpaleis genoemd.

Van rivaliteit naar groots ontwerp

Tsaar Ivan IV volgde in 1740 als kind al Anna op en werd afgezet in een coup door de dochter van Peter I, groothertogin Elizabeth. Na haar kroning luidde Elizabeth een nieuwe periode in de stad van haar vader in en de hoofdstad begon te wedijveren met steden als Parijs. Rond 1750 besloot ze om het Winterpaleis te laten aanpassen zodat het zich kon meten met het mooiste

paleis uit die tijd, het paleis van Versailles van Lodewijk XVI in Frankrijk. Weer werd Rastrelli ingehuurd, maar dit keer was het de opdracht van zijn leven. Hij begon weer helemaal opnieuw en ontwierp het reusachtige Winterpaleis zoals we dat vandaag kennen.

De bouw begon in 1754 en werd in 1756 voltooid. Het afgeronde Elizabethaanse (genoemd naar de Russische architectonische periode ten tijde van keizerin Elizabeth) werd geroemd als een meesterwerk. Het telde 1500 kamers en 117 trappen, een omvang die paste bij onderkomen van een rijk dat over een zesde van de landmassa van de wereld en 1,7 miljoen inwoners regeerde.

Rastrelli ontwierp rijkelijk versierde interieurs met veel kunstwerken, waarvan het merendeel in 1837 door een brand werd verwoest. De Jordaantrap en de Grote Kerk bleven gespaard. De rest van het paleis moest worden heropgebouwd en vormt een mengeling van renaissancistische en neoclassicistische elementen. De Jordaantrap is vernoemd naar een gebeurtenis waarbij de tsaar tijdens een religieuze staatsceremonie de trap afdaalde en naar de rivier Neva liep ter ere van de doop van Jezus in de Jordaan. De trappen zijn bekleed met rood fluweel en de wanden en trapleuning zijn uitgebreid versierd met beelden en vergulde houtsnedes. Enorme spiegels en plafondschilderingen maken de visuele symfonie compleet, die was bedoeld om gasten te imponeren.

In de Grote Kerk in de oostvleugel werd in 1763 de eerste dienst gehouden. Vandaag de dag wordt de kerk gebruikt als onderdeel van het Hermitage en doet deze geen dienst meer als religieuze ruimte.

Kunst overleeft politieke onrust

Elizabeth I stierf kort voor de voltooiing van het paleis en dus was Katharina de Grote de eerste bewoonster. Katherina was een fervent kunstverzamelaarster en creëerde in 1764 het Hermitage om 255 schilderijen tentoon te stellen die ze in Berlijn had gekocht. Haar verzameling werd steeds groter en werd in de loop der jaren door anderen uitgebreid. Zodoende bezit het museum nu ruim 2,7 miljoen kunstwerken, waaronder meesterwerken door schilders als Picasso, Rembrandt, Leonardo da Vinci, Goya en Monet, naast artefacten uit de Russische oudheid en van elders.

In 1917, aan het begin van de Russische revolutie, werd het paleis door een menigte bolsjewieken bestormd en geplunderd. Het paleis werd kamer voor kamer vernield tijdens een maandenlange plundering, waarbij schilderijen werden vernield, antieke vazen op de marmeren vloeren werden gegooid en boeken uit de bibliotheek van Alexander III werden verbrand. In oktober 1917 besloot het nieuwe regime dat het Winterpaleis onderdeel zou vormen van het Hermitage, en dat is het nog tot op de dag van vandaag.

Dit bovenaanzicht geeft een beeld van de omvang van het paleis en van de 47,5 meter hoge Alexander zuil op het plein, die in 1883 werd opgericht ter ere van de overwinning op Napoleon in 1812 (bladzijde hiernaast). Het fraai gerenoveerde interieur is nu de achtergrond voor de uitmuntende kunstcollectie van het Hermitage.

De tand des tijds doorstaan

Kasteel Mir *heeft oorlogen en stormen doorstaan en is nog altijd een boeiend toneel van belangrijke historische momenten.*

• **UNESCO Werelderfgoed**

Bereikbaarheid

Mir is vanuit Minsk (90 kilometer) gemakkelijk met de auto te bereiken via de snelweg M1 richting Brest. Een andere optie is een twee uur durende busrit vanuit Minsk.

Beste seizoen

De lente en de herfst zijn de prettigste seizoenen. Van woensdag tot en met zondag worden er van 10.00 tot 17.00 uur rondleidingen gegeven.

Andere bezienswaardigheden

In het nabijgelegen oerbos in het nationaal park Belavezhskaja Pushcha kunt u uitstekend dagtrektochten maken en vindt u de bedreigde wisent (Europese bizon).

In het zuidwesten van Wit-Rusland nabij Brest aan de oevers van een klein meer ligt het ooit zo machtige kasteel Mir. Het staat op een plek die eeuwenlang een kruispunt was van de handel tussen oost en west, noord en zuid. De ontwikkeling van Mir viel samen met dynamische veranderingen in Europa, zoals de overgang van het heidendom naar het christendom, een belangrijke verschuiving die de diverse bouwstadia van het kasteel verklaart.

Het kasteelcomplex heeft middeleeuwse oorlogen, belegeringen tijdens de Napoleontische tijd, wisselingen van eigenaar, een eeuw van leegstand en de Duitse bezetting tijdens de Tweede Wereldoorlog doorstaan en is een belangrijk monument.

Feodale boerderij

Halverwege de 16e eeuw begon de in Litouwen geboren hertog Yuri Ilyinich aan de bouw van kasteel

Mir, als vervanging voor een feodale boerderij uit de 15e eeuw. In die tijd werden de gotische muren en toren gebouwd, maar daarna veranderde er niets totdat de machtige edele Mikolay Radziwill het kasteel in 1569 in handen kreeg. De Radziwills waren een dynastieke familie uit Litouwen, die in 1528 circa 18.240 paarden en bijna half zoveel ruiters bezaten. Hun macht nam aanzienlijk toe en dankzij hun geld, cavalerie en voetsoldaten regeerden ze over diverse gemeenschappen in het toenmalige Pruisen, waaronder de plaats Mir. Op het hoogtepunt van hun macht gaf het Heilige Roomse Rijk hen zelfs de prinsentitel.

Radziwills aan de macht

De Radziwills zetten het werk van Ilyinich voort en begin 17e eeuw was er een compleet woonkasteel met trekjes van vroegrenaissancistisch ontwerp gebouwd, met tuinen in Italiaanse stijl en grote waterpartijen, inclusief een kunstmatig meer in het zuiden. Naarmate het christendom zich vanuit Rome over dit continent verspreidde, maakten heidense symbolen en objecten plaats voor christelijke. Het hoofdpaleis telde op dat moment drie verdiepingen en met tegels versierde gangen. Na belegeringen in 1655 en 1706 werden er bij reparaties barokke kenmerken toegevoegd.

Tijdens Napoleontische veldslagen liep het kasteel in 1794 en 1812 ernstige schade op. Na het laatste beleg kwam het verblijf van de Radziwills na ruim 250 jaar ten einde en begon het verval van deze grootse dynastie.

Uitbreiding na leegstand

De daarop volgende eeuw stond het kasteel leeg, totdat de hertog van Svyatopolk-Mirsky het in 1891 aankocht. De hertog begon met renovatiewerkzaamheden en liet op het terrein een nieuw paleis bouwen, dat in 1914 afbrandde. Uit die periode zijn nog een kapel, wachtershuis en grafkelder bewaard gebleven.

De kapel ligt aan de westkant van het complex en is gemaakt van pleisterwerk. De grafkelder van Svyatopolk-Mirsky ligt aan de oostkant van het paleis en is versierd met een tegelmozaïek van Christus. Het wachtershuis is in dezelfde stijl opgetrokken en staat ten noorden van de grafkelder. Het wordt heringericht als technische werkplaats voor het gehele complex.

Verwoesting

In 1941 vielen Duitse troepen Rusland binnen en bezetten het huidige Wit-Rusland. De bezetting

duurde tot augustus 1944. Het Duitse leger gebruikte kasteel Mir als gevangenis en getto. In 1942 werden de laatste joden die nog in deze streek woonden, hier verzameld. Op 13 augustus 1942 werden de meesten van hen vermoord, nadat enkele honderden waren ontsnapt. Aan de noordkant van het complex staat nu een gedenkteken, waar ooit de Italiaanse tuinen lagen. Op de plek van de massamoord staat een stenen gedenkzuil uit de jaren '50 en een beeld van een Israëlische kunstenaar uit 1998.

In oude glorie hersteld

In 1991 begon de renovatie van kasteel Mir. Het hoofdgedeelte van het gerenoveerde kasteel heeft vier hoektorens en een afzonderlijke poorttoren. De hoektorens zijn vijf verdiepingen hoog en de poorttoren telt zes verdiepingen. Alle torens hebben een kelder met gewelfplafonds van baksteen. In een van de torens is een architectuurmuseum gevestigd en bezoekers kunnen de prachtige wenteltrap beklimmen. De buitenkant van de kasteelmuren is gemaakt van geschilderd pleisterwerk en rode baksteen. De raamkozijnen, deurposten en balkons zijn uitgevoerd in zandsteen.

Het kasteel dat nu te zien is, herbergt verschillende architectuurstijlen, van oude verdedigingswerken en de middeleeuwse Wit-Russische gotiek tot renaissancistische en later barokke elementen. Deze aparte stijlen, die vijf eeuwen van Europese geschiedenis beslaan, vormen samen een organisch geheel dat zo uniek is voor Mir. Het is een architectonisch bouwwerk met rijke kleuren en gevarieerde versieringen, die de versmelting van oost en west en van oud en nieuw weerspiegelen, die ontstond door handel, migratie en oorlog. Dankzij de renovatie wordt de rijke geschiedenis van Mir nieuw leven ingeblazen en wordt zijn plaats in de geschiedenis bevestigd.

Boven op de middeleeuwse muur bevindt zich een wandelgang (midden boven).

Dit aanzicht van de wenteltrap biedt een voorbeeld van het metselwerk uit de oudere delen van het kasteel.
Het hoofdgedeelte van Mir bestaat uit baksteen en pleisterwerk en heeft glazen dakpannen.

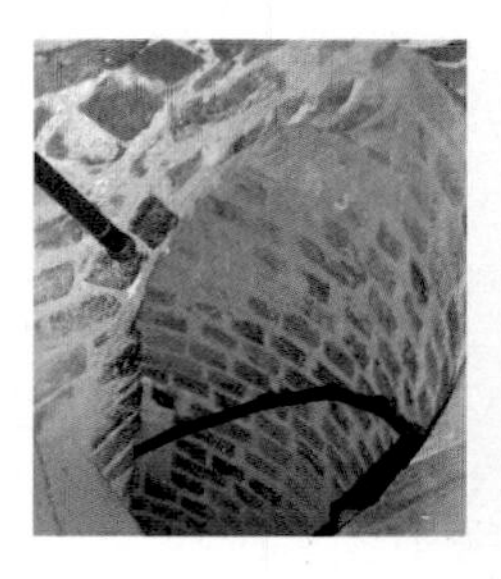

De bovendelen van de hoektorens zijn achthoekig, terwijl de onderste verdiepingen en kelder vierkant zijn (bladzijde hiernaast, boven). De poorttoren is zorgvuldig gerenoveerd in oorspronkelijke 16e-eeuwse staat (voorgaande bladzijde, onder).

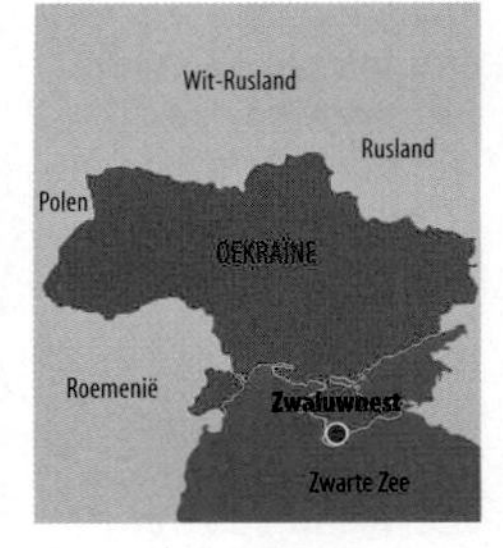

Baken aan de Zwarte Zee

*Het droomachtige **Zwaluwnest** in de Krim torent hoog boven de Zwarte Zee uit.*

Bereikbaarheid

Het kasteel ligt op 13 kilometer rijden vanuit Jalta, langs de kust.

Beste seizoen

De prettigste tijd van het jaar in het zuiden van de Krim is april tot en met juni. Dan wordt het nog niet te warm en staat de natuur volop in bloei.

Andere bezienswaardigheden

De Romeinse ruïnes bij Charax liggen op korte afstand rijden van het kasteel. Het toepasselijk genoemde Zwaluwnest staat op een kaap hoog boven de Zwarte Zee.

Het is sinds de bouw begin 20e eeuw vaak van eigenaar verwisseld en heeft zich ontwikkeld van buitenhuisje aan de kust tot een uniek restaurant en regionale curiositeit. Het kleine sprookjeskasteel heeft een aardbeving overleefd, een rol gespeeld in diverse Sovjetfilms en is nu een opvallend symbool in het zuiden van de Krim.

Liefdevol begin

In 1895 besloot een Russische generaal om op de afgelegen locatie van het huidige Zwaluwnest een kleine houten villa te bouwen, die hij de naam Liefdeskasteel gaf. Nog geen tien jaar na de bouw kwam het Liefdeskasteel in handen van A.K. Tobin, lijfarts van de laatste Russische tsaar, Nicholaas II. In 1911 wisselde het Liefdeskasteel weer van eigenaar, toen het werd gekocht door een Duitse baron die rijk geworden was door de olie in de Oostzee. De baron liet het houten Liefdeskasteel meteen afbreken en vervangen door het huidige kasteel.

Geboorte van een compact kasteel

De architect van het Zwaluwnest was Leonid Sherwood, zoon van de beroemde Vladimir Sherwood die het grandioze Staatshistorisch Museum op het Rode Plein van Moskou ontwierp. Leonids neogotische ontwerp werd boven op de Avrorianskaklip (Auroraklip) gebouwd, 40 meter boven de zee. Het biedt uitzicht op Kaap Ai-todor en op een onbewolkte dag is in de verte de kustlijn van Jalta te zien.

het Zwaluwnest is met een afmeting van 20 x 10 meter een relatief klein bouwwerk en wordt vaak beschreven als een 'decoratief kasteel'. De logeerkamer op de begane grond is sober versierd met decoratief hout, terwijl de andere wanden geschilderd of gepleisterd zijn. De begane grond wordt al geruime tijd als restaurant gebruikt. Daarnaast is er op de begane grond een kleine foyer en een trap naar de verdieping en de toren.

De buitenkant van het kasteel is van steen. Er is één hoofdtoren met daarop korte torenspitsen en op de begane grond en eerste verdieping zijn er uitzichtterrassen. De vaag neogotische stijl doet denken aan een middeleeuws kasteel.

De legende duurt voort

In 1914 verkocht de Duitse baron het kasteel aan ondernemer P.G. Shelaputin, die het verbouwde tot een restaurant. Na de Russische Revolutie van 1917 deed het Zwaluwnest korte tijd dienst als toeristische attractie, waarna het kort werd gebruikt door een boekenclub uit een van de naburige badplaatsen uit deze subtropische streek. In 1927 veroorzaakte een aardbeving met een kracht van 6–7 op de schaal van Richter lichte schade aan het kasteel en een barst in de rots. Met het oog op de veiligheid bleef het Zwaluwnest 40 jaar gesloten.

Bij de renovatie in 1968 werd er eerst een enorm betonnen platform onder het kasteel aangebracht. Sinds 1975 is er op de begane grond een Italiaans restaurant gevestigd, waardoor toeristen gelijktijdig van het uitzicht en een nogal dure maaltijd kunnen genieten.

Het kasteel schitterde in diverse Sovjetfilms, waaronder de Russische versie van *En toen waren er nog maar...* van Agatha Christie. Volgens een twijfelachtig maar vermakelijk verhaal bestond er in de middeleeuwen een kasteel, dat eigendom was van een grote Russische krijger. De krijger bouwde het kasteel voor een mooie vrouw die hij in een oorlog gevangen had genomen; toen hij gewond terugkeerde uit een veldslag, was zijn gevangene verdwenen. De bewoners van deze streek geven twee verklaringen: ofwel ze werd door Turkse ontvoerders meegenomen – een voor de hand liggende verklaring, gezien de historische conflicten tussen Rusland en Turkije – ofwel ze was verliefd geworden op de krijger en van de rotsen gesprongen omdat ze dacht dat hij was omgekomen. Waar u ook gaat of staat in de Krim, overal vindt u verhalen, ansichtkaarten en schilderijen van het Zwaluwnest. Als u deze streek bezoekt, kunt u het gevaarlijk gelegen kasteel niet overslaan.

Als u op een onbewolkte dag vanuit deze richting naar de Ai-todorkaap kijkt, ziet u Jalta aan de kust liggen (rechts). Het kasteel is na een aardbeving verstevigd met een betonnen platform.

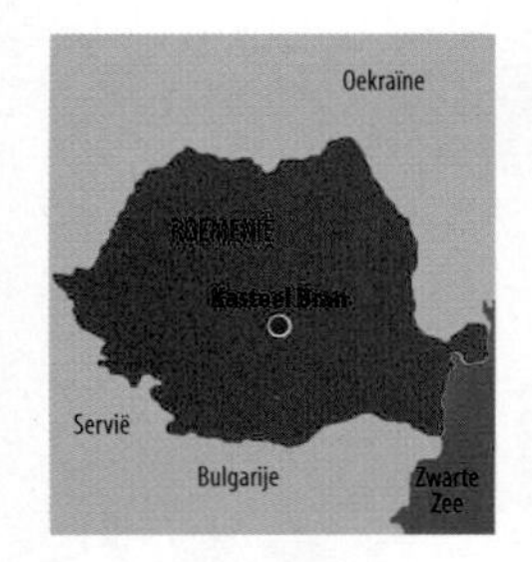

Bereikbaarheid

Kasteel Bran ligt op 30 kilometer afstand van Brasov. Vanuit Bran vertrekt er elk halfuur een bus naar Brasov.

Beste seizoen

Ga naar het plaatselijke Middeleeuws Festival dat jaarlijks in juli in Sighisoara wordt georganiseerd.

Tip

Breng ook een bezoek aan het nabijgelegen plaatsje Sighisoara, een mooi bewaard gebleven en charmant middeleeuws stadje in Transylvanië.

Weetje

Hoewel Kasteel Bran vaak in verband wordt gebracht met Dracula en Vlad de Spietser, woonde Vlad in werkelijkheid in de kasteelruïne van Poenari.

Kasteel van Dracula

*De vampieren, Ottomanen en koninginnen van **Kasteel Bran**.*

'We liepen steeds verder omhoog... opeens zag ik...een grote kasteelruïne. Uit de hoge zwarte ramen scheen geen licht, en de verbrokkelde kantelen staken als een rafelige rand af tegen het maanlicht.' Met deze woorden beschreef Bram Stoker in zijn roman Dracula uit 1897 onheilspellende Transylvanische onderkomen van de beroemdste vampier uit de literatuur, graaf Dracula. Zijn fictieve gebouw, met zijn imposante spitsen en torens, lijkt inderdaad op het echte Kasteel Bran in de charmante middeleeuwse plaats Brasov in Roemenië. Omgeven door de spookachtige Karpaten en met zijn mysterieuze labyrints en geheime vertrekken lijkt Bran de perfecte achtergrond voor dat duistere verhaal.

Inspiratie voor een roman

De auteur, een Ier, heeft het kasteel echter nooit bezocht. Stoker maakte gebruik van de vampierverhalen uit de Roemeense folklore en verzon aan de hand daarvan het kasteel en het personage. Een andere legende, over een strijdende prins, wijst al langere tijd op een verband tussen kasteel Bran en het Draculakasteel uit de fantasie van de schrijver. Prins Vlad Tepes werd in 1431 in Transylvanië geboren als zoon van Vlad II Dracul. De naam Dracul komt van het Roemeense woord voor 'draak' en duidde erop dat de oude Vlad lid was van de Orde van de Draak, een genootschap dat het christelijke Europa moest verdedigen tegen de Ottomanen. Daarom werd Vlad III ook wel Dracula genoemd: 'zoon van Dracul'. De jonge Vlad werd berucht om zijn meedogenloze aanvallen op de binnenvallende Ottomanen, waarbij hij de vijand vaak spietste. Dat leverde hem zijn bijnaam op. Deze techniek bereikte een bloedig hoogtepunt na een veldslag in 1462, waarbij Vlad de Spietser een veld vol met gespietste Turken achterliet, als waarschuwing voor naderende vijanden. Hoewel het kasteel een belangrijke rol speelt in de Draculamythe, moet er nog wetenschappelijk worden vastgesteld of Tepes hier zijn hoofdkwartier had, gevangen zat of te gast was. Volgens sommige bronnen heeft hij kasteel Bran zelfs nooit bezocht, waardoor het verband tussen Dracula en kasteel Bran een mythe bleef.

Sporen van Saksen

Kasteel Bran begon als een militair bolwerk en handelscentrum voor de bewoners van Brasov. Het oorspronkelijke houten bouwwerk lag op een strategische plek tussen Transylvanië en Walachije en was in 1212 door Teutoonse ridders gebouwd als vesting. Begin 14e eeuw vormde het uitbreidende Ottomaanse Rijk een bedreiging voor de Hongaarse koning Lodewijk I van Anjou, die de Saksische inwoners in 1377 toestemming gaf om het bouwwerk te verstevigen. Vandaag de dag zijn de dubbele stenen muren die ooit de doorgang naar het zuiden afsloten, nog zichtbaar. Ook is de put op de binnenplaats nog bewaard gebleven. Later die eeuw werd het kasteel een douanekantoor en handelscentrum, waar boeren hun kaas, melk, schapenvlees en hout verhandelden.

Sprookjesachtig

Kasteel Bran ligt op een 60 meter hoge rots en heeft uitzicht op de sprookjesachtige riviervallei, die er veel minder bedreigend uitziet dan de mythe u wil doen geloven. Het lijkt wel alsof het gebouw uit de rots is gegroeid. Het kasteel is gebouwd uit grijze steen en baksteen. De vier torens van drie verdiepingen zijn afgewerkt met een rood dak en bruine houten balkons. Rond de binnenplaats zijn enkele smalle trappen uitgehouwen en de vele gangen en poorten aan de binnenkant geven het gebouw een gotische uitstraling.

Cadeau voor een koningin

In 1920 schonk de stad Brasov het kasteel aan de Roemeense koningin Marie, echtgenote van koning Ferdinand. De koningin hield veel van het kasteel en liet uitgebreide renovatiewerkzaamheden uitvoeren, waardoor de vesting een koninklijk onderkomen werd. De wapenkamer werd omgebouwd tot kapel, en de schietgaten werden vervangen door ramen. Ook liet ze van de waterput een lift maken, waarmee het park onder aan het kasteel te bereiken was.

Bran bleef eigendom van de koninklijke familie totdat de communisten het in 1948 overnamen. In 2006 gaf de Roemeense regering het terug aan de kleinzoon van koningin Marie, Dominic von Habsburg. De aartshertog overwoog even om het kasteel te verkopen, maar besloot dat het een museum zou blijven. Tegenwoordig is het een van de grootste toeristische trekpleisters in Roemenië.

Kasteel Bran wordt ook wel het kasteel van Dracula genoemd en is nauw verbonden met de vampierlegenden. Kasteel Bran werd gebouwd om de christelijke bevolking te beschermen tegen de binnenvallende Ottomanen.

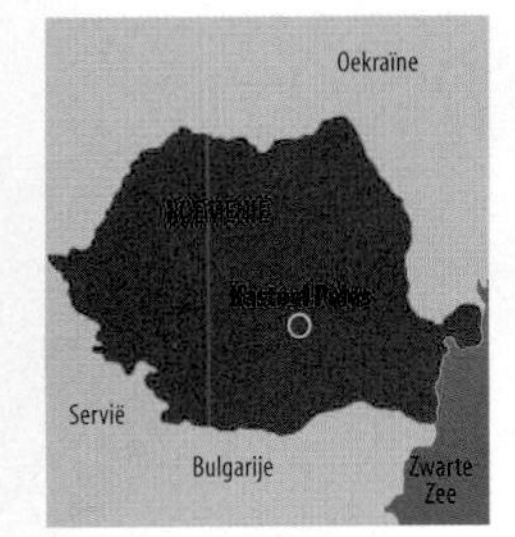

Moderne woning aan de voet van de Karpaten

***Kasteel Peles** combineert overdaad met alle moderne gemakken.*

Bereikbaarheid

Peles ligt in Sinaia, op 120 kilometer afstand van Boekarest en 44 kilometer van Brasov. Sinaia is gemakkelijk per trein te bereiken.
De dichtstbijzijnde luchthaven is in Boekarest.

Beste seizoen

Einde lente en begin herfst zijn de prettigste seizoenen voor een bezoek aan Roemenië. In november is het kasteel de gehele maand gesloten voor de jaarlijkse schoonmaakbeurt.

Tip

Sinaia is een populaire Roemeense bergstad waar u in de winter kunt skiën, in de zomer wandeltochten kunt maken en het hele jaar door van minerale baden kunt genieten.

In het jonge land Roemenië, dat pas in 1859 ontstond, staat een van de nieuwste kastelen van Europa, Peles. Van 1875 tot 1883 werkten duizenden arbeiders, handwerklieden, kunstenaars en architecten uit heel Europa aan dit neo-renaissancistische wonder, waarvan de dramatische torenspitsen afsteken tegen de Karpaten en het dichte woud een betoverend effect heeft. Ondanks de sprookjesachtige buitenkant staat het moderne karakter buiten kijf: het was een van de eerste kastelen ter wereld met elektriciteit, centrale verwarming en een lift. Toch blijft Peles onlosmakelijk verbonden met het trotse Roemeense verleden.

Nieuw koninkrijk

Koning Carol I van de Roemenen, een Duitse prins en militair, voerde

zijn land tijdens de Russisch-Turkse oorlog van 1877 naar de onafhankelijkheid van het Ottomaanse Rijk. Hij trouwde met Elizabeth von Wied, dichteres met het pseudoniem Carmen Sylva (Dichteres van het bos). Tijdens een verkenning van de ruige streek Sinaia, ook wel de 'parel van de Karpaten' genoemd vanwege de pittoreske ligging onder aan het Bucegigebergte, koos Carol deze plek voor zijn jachtgebied en zomerresidentie.

Ambitieus ontwerp

De bouw begon in 1875. De Duitse afkomst van Carol speelde een belangrijke rol bij het ontwerp: een paleisachtige Alpenvilla met klassieke Europese stijlen, met name Italiaanse elegantie en Duitse neorenaissancistische lijnen. De vorst

schilderingen van Gustav Klimt en andere stukken.

De mengeling van Duitse neo-renaissancistische, Italiaanse, Turkse, Moorse en Franse imperialistische interieurs maken Peles tot een uniek bouwwerk. De Erehal, de hoofdingang van het kasteel, bevat wanden met houtsnedes uit Europees walnotenhout en een beweegbaar plafond met glas-in-lood. Het Italiaanse renaissancistische motief van de Florentijnse Kamer is terug te vinden in de bronzen deuren uit Rome; de Maurasalon heeft een marmeren fontein van Carraramarmer, oriëntaalse wapens en andere Moorse elementen, terwijl de Turkse kamer is versierd met luxe Perzische en Ottomaanse wandkleden en Weense zijdebrokaat.

Andere opvallende vertrekken zijn de wapenkamer, een verzameling van 4000 wapens uit vier eeuwen, de Koninklijke Bibliotheek met talloze zeldzame uitgaven – en een klassieke geheime doorgang – en de romantische Italiaanse tuinen met een fraai bronzen beeld van Carol I.

Weer staatseigendom

Peles werd in 1947 door het communistische regime van de koninklijke familie afgenomen. Tijdens de heerschappij van Ceausescu verbleef deze dictator weinig in Sinaia, maar ontving hij er wel buitenlandse hoogwaardigheidsbekleders, zoals Richard Nixon, Gerald Ford en Yasser Arafat. Na de decemberrevolutie van 1989 vervulde Peles weer zijn oude rol als museum en nationale schatkamer.

Het sprookjesachtige Peles werd gebouwd als zomerverblijf van de langstregerende Roemeense vorst, Carol I (voorgaande bladzijde, boven) De wapenkamer telt een verzameling van 4000 stukken uit de 14e tot en met de 19e eeuw (voorgaande bladzijde, onder). Rond om Peles liggen Engelse parklandschappen en een elegante Italiaanse tuin (onder).

huurde beroemde architecten in voor het kasteel, dat boven op een vlak laaggebergte op een gebied van 400 hectare lag. Wilhelm von Doderer (Oostenrijk), Johannes Schultz (Duitsland) en Karel Liman (Tsjecho-Slowakije) brachten Carols visie tot leven. Laatstgenoemde was vooral verantwoordelijk voor de kenmerkende torens, inclusief de 66 meter hoge centrale toren.

De bouw werd stilgelegd tijdens de Roemeense Onafhankelijkheidsoorlog van 1887–1888, maar werd in 1883 voltooid en bestond toen uit Peles, jachtkasteel Foisor en slot Pelisor (waar de koning en koningin tijdens de bouw woonden). Tien jaar later werd Carol II hier geboren.

Grote kunstverzameling

Na de dood van Carol I in 1914 werd Peles een museum. Vandaag de dag bevat het een van de mooiste kunstcollecties in midden-Europa. In de ruim 170 vertrekken, een theater, concertzaal en keizerlijke suites bevinden zich 2000 schilderijen, waaronder reproducties van werken van Michelangelo en muur-

Paleis voor een ridder

*Het **Grootmeesterpaleis** is een middeleeuws fort dat een religieuze en militaire orde moest beschermen en is met Rhodos mee veranderd.*

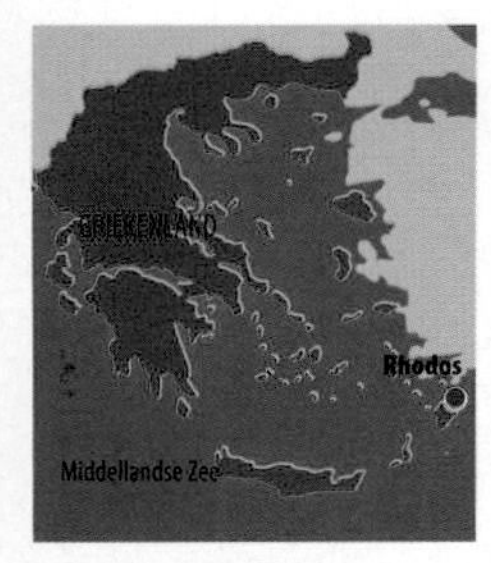

BEREIKBAARHEID

De luchthaven Diagoras International Airport ligt 14 kilometer van de stad Rhodos. Het Grootmeesterpaleis ligt midden in de Oude Stad en is te voet bereikbaar.

BESTE SEIZOEN

Rhodos is een populaire bestemming en in de zomermaanden is het belangrijk om ruim van tevoren een vlucht te boeken. Reis eventueel in de lente of herfst.

ANDERE BEZIENSWAARDIGHEDEN

Rhodos is een van de twaalf eilanden in de Egeïsche Zee, dat al eeuwenlang invloeden ondergaat uit Europa, Turkije, het Midden-Oosten en Afrika.

Volgens de antieke mythe is het eiland Rhodos een kind van de zonnegod Helios en de nimf Rhode; in de oudheid stond hier de Kolos van Rhodos, een van de zeven wereldwonderen. Er is niets tastbaars overgebleven van de mythe of het beeld, maar Rhodos ademt geschiedenis uit. Oude ruïnes zoals de Acropolis van Rhodos getuigen van de vroegste Griekse beschaving. Rhodos bleef tot ver in de middeleeuwen een belangrijk politiek en cultureel centrum; ook vindt u hier indrukwekkende voorbeelden van middeleeuwse architectuur, zoals het Grootmeesterpaleis. Het Grootmeesterpaleis is een vesting die nauw is verbonden met de betwiste politieke en religieuze affiniteit van het eiland en is een afspiegeling van de geschiedenis van Rhodos: gebouwd door christenen, bezet door Turkse moslims, nagenoeg verlaten tijdens het Ottomaanse Rijk, heropgebouwd en bezet door Italiaanse troepen en weer teruggevorderd door Griekse eilandbewoners.

Christelijke wortels

De geschiedenis van het Grootmeesterpaleis begint in Jeruzalem, niet op Rhodos. In 1080 werd de orde van de johannieterridders opgericht, die zieke of gewonde christelijke pelgrims verzorgden. Toen de kruistochten begonnen, verkregen de ridders een militaristische rol. De ridders werden uiteindelijk in 1291 uit Jeruzalem verdreven door de islamitische strijdmacht. Ze trokken eerst naar Cy-prus en daarna naar Rhodos. Ze namen het eiland in 1309 met geweld in en ondervonden veel problemen in hun nieuwe thuisbasis. De johannieterridders moesten het voortdurend opnemen tegen Barbarijnse piraten en moesten in de 15e eeuw ook twee invasies afslaan. De christenen werden het doelwit van sultan Suleiman de Grote, die 1522 ruim 200.000 krijgers naar het eiland stuurde. De 7000 ridders bezweken na een beleg van zes maanden en vluchtten naar Sicilië.

Van paleis tot stad

De Ridders van Rhodos (zoals de johannieterridders werden

De torens van de Mandrakihaven worden versierd door bronzen hertenbeelden. Naar verluidt was de haven ooit het voetstuk van de Kolossus van Rhodos, een enorm beeld van de zonnegod Helios dat 30 meter hoog zou zijn geweest (voorgaande bladzijde). Gewelfplafonds in het grootmeesterpaleis herinneren aan het middeleeuwse verleden, maar het zijn in feite reconstructies uit het begin van de 20e eeuw (boven). Beeld van het Grootmeesterpaleis vanuit de Mandrakihaven. De kantelen en torens zijn duidelijk middeleeuws van aard en beschermden de Ridders van Rhodos ruim twee eeuwen lang tegen piraten en binnenvallende legers (onder).

genoemd) bouwden hun paleis volgens hun eigen machtsstructuur. Het paleis ligt aan het einde van de Straat van de Ridders, de hoofdstraat in de ridderwijk van de oude stad, en heeft uitzicht op enkele herbergen waar ooit leden van diverse tongues, aan de ridders gelieerde groepen, verbleven. Het paleis zelf is een omvangrijk bewijs van de macht van de middeleeuwse orde. Het is voorzien van torentjes en kantelen en is dus een typisch middeleeuwse vesting. De binnenplaats is 40 x 50 m; er staan beelden uit de laathellenistische stijl, die waarschijnlijk van Kos afkomstig zijn. De vloeren in de bovenkamers zijn versierd met mozaïeken uit de laathellenistische, Romeinse en vroegchristelijke tijd. Ook bevindt zich in het paleis een gipsen replica van de beroemde Laocoöngroep. Het beeld is gemaakt door beeldhouwers uit Rhodos en beeldt de aanval uit door zeemonsters op de Trojaanse priester die zijn landgenoten waarschuwt voor het geschenk van de Grieken. Het origineel staat in het Vaticaan.

Italiaanse wedergeboorte

Nadat de ridders in 1522 uit Rhodos waren verdreven, werd hun paleis overgenomen en gebruikt door de Ottomanen. Maar door een aardbeving en een explosie van munitie in de 19e eeuw werd het grandioze fort bijna verwoest. Tijdens de Italiaanse bezetting van Rhodos herbouwden de Italianen het paleis boven op de middeleeuwse ruïnes. Ze gebruikten het origineel als voorbeeld, waardoor het paleis aan de buitenkant historisch correct is. De binnenkant was echter gericht op het nieuwe beoogde doel van het paleis als koninklijk vakantieverblijf. Elektriciteit en liften botsen met oude mozaïeken, hoewel het paleis sinds de laatste verbouwing tot museum een reeks objecten bevat over het leven in het oude Rhodos. Het Grootmeesterpaleis is een uniek aandenken aan het middeleeuwse Rhodos en heeft nog veel verhalen te vertellen.

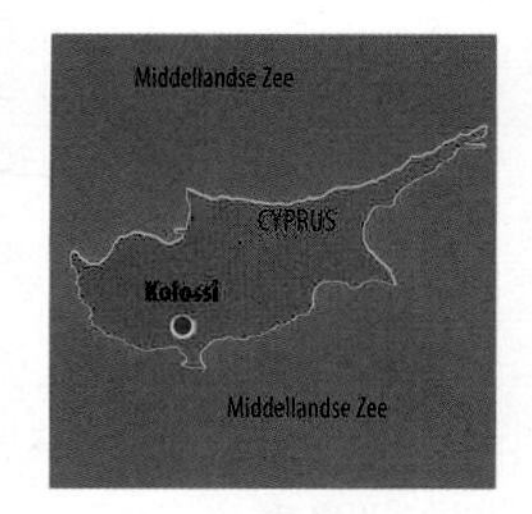

Toren tussen de druiven

***Kolossi** ligt verscholen tussen de wijngaarden en olijfbomen en is de productiebasis voor het befaamde exportproduct van Cyprus, Commandaria-wijn.*

Bereikbaarheid

Kolossi ligt op 15 kilometer van Limassol aan de weg naar Paphos, een korte rit per auto of fiets vanuit de op een na grootste stad van Cyprus.

Beste seizoen

In de zomer is het prachtig op Cyprus; augustus is de drukste maand, met stralend blauwe luchten.

Aanrader

Rond Kolossi liggen verspreid in het land allerlei bouwwerken die vroeger bij het kasteel hoorden, zoals de ruïnen van een suikerfabriek uit de 14e eeuw.

Richard Leeuwenhart (1189–1199) zette op 1 mei 1191 voet aan wal van de havenstad Lemesos op Cyprus. Het was geen gelukkige aankomst. Zijn vloot was door een storm uiteengeslagen en zijn verloofde was door de lokale despoot gevangen genomen. Na de landing veroverde Richard snel het hele eiland. Nog voordat hij aan zijn derde kruistocht begon naar het Heilige Land, trouwde Richard met zijn koningin Berengaria van Navarro in de Sint Joriskapel in Limassol. Zijn bruiloft werd een groot feest, waarbij de beroemde drank van het eiland rijkelijk vloeide: een zoete wijn uit 800 v.Chr. die bij festivals ter ere van Afrodite werd gebruikt. Koning Richard zou de wijn hebben uitgeroepen tot 'de wijn van koningen en de koning van de wijnen.' Tegen het einde van de 12e eeuw verkocht Richard Cyprus aan de orde van de Tempelierridders, die het een jaar later aan Guy van Lusignan verkocht. Hij begon hier zijn monarchie. Het kruisvaarderskoninkrijk Cyprus was een feit.

Vruchtbaar land

Middeleeuwse bezoekers aan Cyprus roemden de ongelofelijk vruchtbare vallei aan de monding van de Kouris. Tot in de verte strekten zich velden vol suikerriet, druiven en katoen uit. Het gebied was dan ook een waardevol bezit. In 1210 schonk de Cypriotische koning Hugo I (1267–1284) de vruchtbare vallei aan de johannieterridders. Na de val van Jeruzalem in 1291 verplaatsten de ridders hun basis van het Heilige Land naar Cyprus. Ergens in de 13e eeuw bouwden de ridders in hun sappige vallei de eerste versie van Kolossi, een enorme kasteeltoren die vanaf 1301 het centrum van de orde werd. Nadat de ridders in 1310 Cyprus voor Rhodos verruilden, behielden ze Kolossi, want het kasteel was een handige plek van waaruit ze de rijkdom van hun plantages en wijngaarden konden beheren. In deze periode kreeg Commandaria, het oudste wijnmerk ter wereld, zijn naam. Naast de suikerplantages op Cyprus was de zoete wijn een waar goudmijntje voor de ridders, waarmee andere bouwprojecten op Rhodos werden gefinancierd.

De wijn en suiker brachten niet alleen welvaart, maar trokken ook ongewenste gasten aan. De Genuesen en Mameluken vielen begin 15e eeuw diverse malen aan en verwoestten de toren van de ridders.

Kracht na wederopbouw

In 1454 liet de grootcommandeur van de Orde, Louis de Magnac, boven op de ruïnes van de oude toren een nieuwe, sterkere toren bouwen. De kasteeltoren was ruim 20 meter hoog en had muren van ruim een meter dik met kantelen bovenop. Magnac liet bovendien zijn wapenschild op de oostelijke muur van het kasteel aanbrengen, als teken van zijn macht en kracht. Het kasteel was via een korte ophaalbrug te betreden. Van boven konden verdedigers door een mezenkooi of machicoulis kokende olie of heet lood over eventuele aanvallers gieten. Het kasteel is eenvoudig en star en bestaat uit twee zalen op de begane grond. In het ene vertrek staat een grote open haard, terwijl een wenteltrap naar de gerenoveerde kantelen leidt. Alleen een muurschildering van de kruisiging herinnert u eraan dat deze vertrekken ooit werden gebruikt en het is moeilijke voor te stellen hoe het er op het hoogtepunt van alle drukte in de toren aan toe ging. De kelder bestaat uit drie opslagruimtes, waarin waarschijnlijk de oogst uit de omliggende velden werd bewaard.

De johannieterridders hadden minstens tot halverwege de 15e eeuw het beheer van Kolossi en de omliggende gebieden in handen. Toen kreeg de familie Comaro de toren en het land in bezit, evenals de titel grootcommandeur van Cyprus. Na de inval van de Ottomanen in 1799 viel deze eer de familie Mozzenigo te beurt. Kolossi is een ongemeubileerd en ietwat star aandenken aan de gevarieerde geschiedenis van Cyprus, maar de omgeving, met zijn natuurschoon en rijke oogst, blijft aantrekkelijk.

De kantelen geven Kolossi een duidelijk middeleeuws aanzien. Het is onduidelijk wanneer de bouw begon, maar het huidige bouwwerk dateert uit 1454 (volgende bladzijde). Het wapenschild van Louis van Magnac bestaat uit emblemen van de Lusignans, die Cyprus van 1192 tot 1475 overheersten, en ook heersten over de koninkrijken Jeruzalem en Armenië.

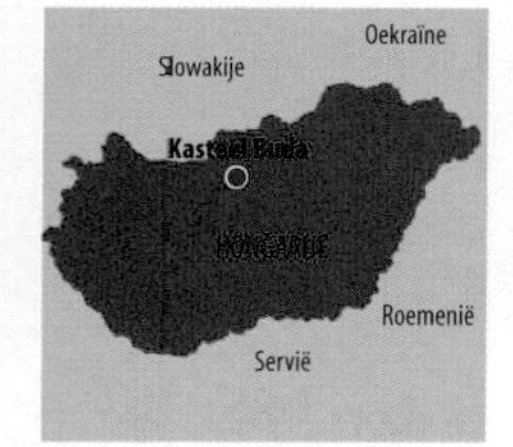

• **UNESCO Werelderfgoed**

Bereikbaarheid

Kasteel Buda is vanuit heel Boedapest te zien en is te voet bereikbaar. Er rijdt ook een kabelspoorweg de heuvel op, vanwaar u een prachtig uitzicht hebt over de rivier Pest.

Beste seizoen

Lente of herfst, als het niet zo druk is.

Aanrader

Wandel vooral even over de Kettingbrug, de eerste verbinding tussen Boeda en Pest en een belangrijk symbool van de Hongaarse heropleving eind 19e eeuw.

Onverzettelijk hart van Boedapest

*Het statige **Budakasteel** heeft belegeringen, vernietigingen en Sovjetarchitectuur doorstaan en overheerst Boedapest al eeuwenlang.*

Op een heuvel, met uitzicht op de hele stad, staat kasteel Buda, dat getuige is geweest van gewelddadige en bepalende gebeurtenissen in de Europese geschiedenis. Het kasteel werd in de 13e eeuw door koning Bela IV (1235–1270) gebouwd en groeide onder keizer Sigismund Luxemburg (1387-1437) uit van een versterkt gebouw tot een middeleeuws paleis. Het was een van de grootste gotische paleizen in Europa en werd door koning Matthias Corvinus (1458–1490) verder uitgebreid. Corvinus huurde tientallen Italiaanse handwerklieden, architecten en kunstenaars in om het paleis in renaissancistische stijl te verbouwen. Corvinus liet een nieuw cour d'honneur (driezijdig binnenhof) en de Corvinabibliotheek met zijn gouden plafond toevoegen. Er is niets be-

De koepel op Buda is ontworpen en gebouwd in 1961 en is van de hand van architect Lajos Hidasi, op basis van barokke modellen. In de jaren zestig werd het kasteel gerenoveerd, maar de interieurs bleven tot in de jaren tachtig onaangeroerd. Aan de voet van kasteel Buda ligt de wijk Pest. Hoewel de stad in de middeleeuwen een belangrijk economisch centrum was, werden Buda en Pest pas in 1873, na de bouw van de Kettingbrug, met elkaar verbonden.

waard gebleven van Corvinus' kasteel, maar Boedapest groeide onder 'zijn' 'verlichtende' heerschappij uit tot baken van de renaissance in Noord-Europa.

Oud conflictgebied

Boedapest was het doelwit van veel grote conflicten, waaronder de voortdurende strijd tegen het Ottomaanse Rijk. In 1526 viel Boedapest in handen van sultan Suleiman I (1520–1566). De Ottomanen behielden de stad 150 jaar, maar toonden weinig belangstelling voor hun grote prijs en het kasteel raakte in verval. Ook raakte het beschadigd door pogingen van de Habsburgers om het te heroveren. Na het grote beleg van 1686 lukte het christelijke troepen eindelijk om de stad op de Ottomanen te heroveren. Helaas ging hierbij het kasteel grotendeels verloren.

Wederopbouw en vernietiging

Het kasteel raakte bij een brand in 1723 nog verder beschadigd. Maar onder toezicht van Maria Theresa van Oostenrijk werd de grote renovatie een symbool van vriendschap tussen de Habsburgse dynastie en het koninkrijk Hongarije. De cour d'honneur werd in flamboyante rococostijl herbouwd en op het terrein werden twee kapellen gebouwd. In de ene kapel, die is gewijd aan Sigismund en de heilige Stefan, de eerste koning van Hongarije, wordt de gemummificeerde hand van Stefan als reliek bewaard. Kasteel Buda werd uiteindelijk de residentie van de paltsgraaf, de door de Habsburgers benoemde hoogwaardigheidsbekleder in Hongarije. Toen de spanningen tussen Hongarije en de Habsburgers echter hoog opliepen, werd het kasteel aangevallen en bezet. In 1849 werd Buda weer eens volledig door gevechten verwoest.

Vrede op kasteel Buda

Het herstel begon in 1850; in 1867 vond in het paleis de overdadige kroning van Franz Josef plaats (1848–1916). Dankzij het Oostenrijk-Hongaarse Compromis van datzelfde jaar werd er een dubbelmonarchie gevestigd, waarna de Hongaren begonnen met de bouw van een paleis dat zijn gelijke niet kende. Het kasteel en omliggend terrein werd volledig opnieuw ingericht. Het barokke paleis bleef behouden, maar werd twee keer zo groot. De opzienbarendste uitbreiding was de Krisztinavárosvleugel. Er werd onder aan de heuvel een grote ondersteuningsstructuur gebouwd, waarop de achterkant van de nieuwe vleugel leunde. De interieurs, inclusief de prachtige balzaal, waren rijkelijk versierd met stucwerk, verguldsel en enorme kroonluchters.

Maar de nieuwe schoonheid van Buda hield geen stand. Het kasteel was het middelpunt van het culturele en politieke leven in Hongarije, maar na de Tweede Wereldoorlog was het toch weer een ruïne. In de naoorlogse periode volgde weer een renovatie. Het oorspronkelijke middeleeuwse kasteel werd opgegraven en gerenoveerd. Helaas werd het grootse Habsburgse paleis door de Sovjetautoriteiten op rampzalige wijze 'gemoderniseerd', waarbij alle versierselen werden verwijderd.

Het huidige Buda is een mengsel van heden en verleden. Er is een uitgebreid herstelplan opgesteld, maar het kasteel draagt nog altijd de littekens van de geschiedenis. Vanaf de Kasteelheuvel valt de opkomst van Europa en het geweld dat daarmee gepaard ging, niet te ontkennen.

Het ondergrondse labyrint van kasteel Buda bevat veel vreemde objecten, zoals dit halfbegraven beeld. Het doolhof werd afwisselend gebruikt als kerker, wijnkelder, schuilkelder en schatkamer en is geopend voor avontuurlijke bezoekers.

Hongaars Versaille aan het meer

Paleis Eszterháza *is gebouwd naar het voorbeeld van een Frans chateau en was de woonplek van enkele grote componisten.*

BEREIKBAARHEID

Fertöd en Eszterháza liggen op slechts 100 kilometer van Wenen, maar zijn niet per trein bereikbaar. De beste optie is om in Wenen of Sopron een auto te huren.

BESTE SEIZOEN

Eszterháza ligt buiten de normale routes en het wemelt er meestal niet van de toeristen. De tuinen zijn aan het begin van de zomer op hun mooist.

ANDERE BEZIENSWAARDIGHEDEN

Het nabijgelegen Neusiedlermeer is het op een na grootste meer in centraal-Europa. Het wordt ook wel het 'meer van de Weners' genoemd en u kunt er zeilen, windsurfen en vissen.

De Eszterházys waren naar verluidt rijker dan de Habsburgers en waren een machtige familie van landeigenaren in het Oostenrijks-Hongaarse Rijk. Ze waren van oudsher trouw aan de kroon en woonden voornamelijk in Eisenstadt, dat nu deel uitmaakt van Oostenrijk, om aan het drukke Wenen te ontsnappen. Maar hun grootste paleis lag nog verder afgelegen, in het plaatsje Fertöd aan het Neusiedlermeer. Paleis Eszterháza werd gebouwd door hun beroemdste nazaat, de 'geweldige' Nikolaus, die zijn inspiratie opdeed in Versailles. Net als het echte Versailles ligt ook dit paleis op een moerasachtig, afgelegen terrein, waardoor de pracht en praal van Eszterháza alleen maar meer opviel.

Een rococopaleis

De bouw van Eszterháza begon in 1762, toen Nikolaus na de dood van zijn broer prins werd. Nikolaus' visie op luxe, gebouwd op de plaats van een bestaande jachthut, kreeg al snel vorm. Ondanks de gelijkenis met Versailles lijkt Eszterháza architectonisch nog het meest op het grote Oostenrijkse paleis Schönbrunn, tot aan de gele kleur aan toe. Achter grote boeketten van ijzeren rozen ligt een binnenplaats, die naar het centrale paleis leidt. Midden in het paleis ligt de ceremoniële hal, een visioen van twee verdiepingen vol met schelpmotieven, zilver en goud filigraan, sierlijke cupido's en engeltjes en schitterende plafondfresco's. Op de bovenste verdieping bevinden zich de Chinese salon, de groene salon en de Maria Teresiakamer, stuk voor stuk ingericht in overdadige rococostijl. Het in Italiaanse stijl uitgevoerde Sala Terrena (tuinpaviljoen) domineert de begane grond en leidt naar de tuin en de binnenplaats. Boven een witte marmeren vloer zijn fresco's te zien van engelen met kransen in de vorm van de letter E.

Haydns tweede huis

Nikolaus staat niet alleen bekend om de overdaad van Eszterháza, maar was bovendien de beschermheer van Franz Joseph Haydn. Haydn woonde ruim twintig jaar op Eszterháza en componeerde hier veel van zijn beste werken. De relatie tussen componist en beschermheer was hecht. Nickolaus bood Haydn een eigen huis, een vorstelijk salaris en topmuzikanten voor zijn orkest. Net als veel mensen in zijn familie was Nickolaus een getalenteerd muzikant; hij gaf Haydn de vrije teugel als Kappelmeister. Haydn componeerde in deze periode aan de lopende band stukken. Veel van zijn grote symfonieën en strijkkwartetten zijn gecomponeerd op verzoek van Nickolaus. Toch begon de geïsoleerde ligging van Eszterháza Haydn en zijn muzikanten op te breken. Zijn 'Abschiedssymphonie' uit 1772, waarin de leden van het orkest het podium verlaten totdat er nog maar twee violisten over zijn, zou zijn gecomponeerd om Nickolaus duidelijk te maken dat de muzikanten het paleis nu wel eens wilden verlaten.

Haydns symfonieën werden in de hoofdgebouwen opgevoerd, maar zijn opera's werden uitgevoerd in het fraaie Operagebouw van Eszterháza. Het gebouw was in 1768 voltooid maar brandde in 1779 af, waarna het snel weer werd opgebouwd. Naast de Opera stond het Marionettentheater, dat op tijd klaar was voor het bezoek van Maria Theresa in 1773. De koningin bekeek een marionettenopera van Haydn vanuit een fraaie loge in pagodevorm.

Rond het kasteel

Eszterháza was befaamd om de muzikale uitvoeringen, maar kon nooit aan zijn landelijke oorsprong ontsnappen. Dankzij een zwijnenreservaat, fazantenhuis en wijngaard was het landgoed zelfvoorziend. Dankzij het 130 hectaregrote omliggende park blijft Eszterháza niet alleen herinnerd om zijn interieur, maar ook het landschap. De bossen zijn net zo zorgvuldig ontworpen als het paleis. Een netwerk van paden en avenues leidt de bezoeker naar open plekken, verborgen bouwwerkjes en een Chinees speelhuis. Eszterháza liep tijdens de Tweede Wereldoorlog grote schade op. Het in de Sovjetjaren begonnen renovatiewerk duurt nog altijd voort. De afbladderende verf kan de ware grootsheid van dit rococojuweel niet verhullen. Het is nog even afgelegen als in Haydns tijd en is zeker de moeite waard.

De herkenbare gele kleur van Eszterháza is dezelfde als die van slot Schönbrunn in Wenen. Het was de lievelingskleur van koningin Maria Theresa, en werd gebruikt voor alle Habsburgpaleizen (boven). Het elegante verguldsel van de interieurs weerspiegelt de grote invloed van de rococostijl op het 18e-eeuwse Europa. Veel plafond zijn versierd met kleurrijke fresco's in Italiaanse stijl (links). Nickolaus Eszterházy keek niet op een paar centen voor zijn paleis in Fertöd. Naar schatting kostte het paleis 13 miljoen gulden (de valuta van Oostenrijk-Hongarije), een astronomisch hoog bedrag waardoor zijn zoon en opvolger, Anton, in grote financiële problemen kwam.

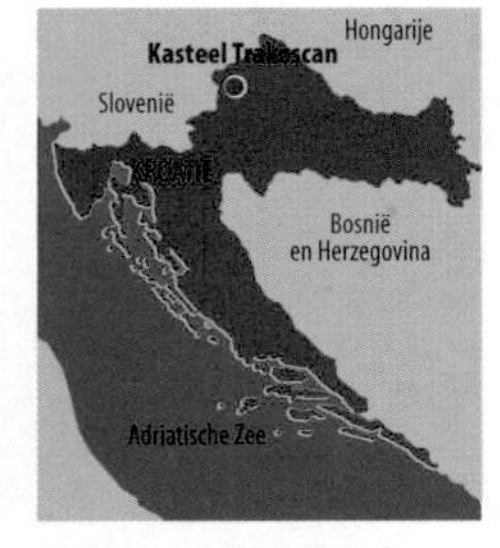

Bereikbaarheid

Trakoscan ligt op ongeveer een uur rijden vanuit Zagreb. U kunt ook een excursie boeken vanuit Zagreb en met het openbaar vervoer kunt u een bus door Varazdin nemen.

Beste seizoen

Mei tot september.

Op en top romantiek

***Kasteel Trakoscan** werd oorspronkelijk gebouwd als militaire vesting, maar is omgebouwd tot een prachtig neoromantisch landgoed.*

Een van de beroemdste kastelen in Kroatië, Trakoscan, overleeft al zeven eeuwen lang – in verschillende fasen van renovatie. Het landgoed ligt slechts 80 kilometer ten noordwesten van Zagreb en is vanuit de hoofdstad gemakkelijk te bereiken. Er staat niet alleen een prachtig kasteel in Duitse Romantiekstijl, compleet met de oorspronkelijke inrichting, maar u vindt er ook fraaie tuinen, een kunstmatig meer, een kapel en prachtige uitzichten.

Verdedigingswerk

Trakoscan ligt op een heuvel in de provincie Zagorje en was in de 13e eeuw oorspronkelijk gebouwd als observatiefort om de weg van Ptuj naar Bednja te bewaken. De herkomst van de naam is onbekend. Het kasteel is misschien vernoemd naar een oud fort dat er ooit stond, of naar de middeleeuwse ridders van Drachenstein die dit gebied overheersten.

De familie Celjski, die eind 14e eeuw het kasteel en veel andere landgoederen in heel Kroatië en Slovenië bezat, was de eerste beschreven eigenaar. De familie stierf begin 15e eeuw uit en alle landgoederen uit hun bezit, waaronder Trakoscan, werden verdeeld. Het kasteel ging van de ene eigenaar over op de andere, onder wie Ivanis Korvin, die het schonk aan zijn assistent, Ivan Gyulay. De familie Gyulay bezat Trakoscan drie generaties lang, tot 1566, toen het laatste familielid overleed en de nalatenschap aan de schatkist verviel.

Van militarisme tot romantiek

Trakoscan werd vooral gebouwd als militaire vesting, hoewel er na diverse verbouwingen weinig bewaard is gebleven van de oorspronkelijke vorm. De kern van het kasteel is een vesting in Romaanse stijl en in de dikke muren van de noordoostelijke vleugel, de centrale toren en de toegangstoren aan de zuidoostkant zijn daarvan nog sporen te vinden.

In 1584 schonk koning Maximiliaan het kasteel aan de Kroatische edele Juraj Draskovic, wiens zonen, Ivan II en Petar, de westelijke toren bouwden, voorzien van het wapenschild van de familie. De familie Draskovic bewoonde het kasteel tot de Tweede Wereldoorlog, met een korte onderbreking halverwege de 18e eeuw, toen het kasteel onbewoond was en voor militaire doeleinden werd gebruikt. In die periode werd het kasteel niet onderhouden en trad het verval snel in.

Juraj V. Draskovic toonde begin 19e eeuw weer belangstelling voor het geheel en verbouwde het kasteel tot een herenhuis, compleet met kunstmatig meer en uitgebreide tuinen in neoromantische stijl.

De interieurs zijn in de loop der jaren zorgvuldig bewaard gebleven, dus bezoekers kunnen vertrekken als de bibliotheek, de muziekkamer, de hoofdslaapkamer en de jachthal in oorspronkelijke uitvoering zien. In de jachthal van het kasteel bevindt zich een grote verzameling jachtobjecten en –trofeeën, evenals een indrukwekkende hoeveelheid middeleeuwse wapens in de ridderkamer.

Familiegeschiedenis in kunst

Het opmerkelijkste vertrek is exclusief gewijd aan het leven en werk van de schilderes Julijana Erdody, de eerste vrouwelijke academische schilder in Kroatië. Kunstliefhebbers zullen ook onder de indruk zijn van de grote verzameling familieportretten, die meer dan tien generaties van de familie Draskovic beslaat en bestaat uit adellijke personen, kinderen en legerofficieren uit de Zevenjarige Oorlog en die in het hele kasteel hangen, maar vooral in de galerie en de officierskamer.

Het majestueuze kasteel kijkt uit over een kunstmatig meer dat in de 19e eeuw is aangelegd. Het gebied is vooral mooi in de herfst, als het gebladerte van kleur verandert.

Citadel aan de Adriatische kust

De imposante muren van ***Dubrovnik*** *beschermden deze barokke havenstad eeuwenlang.*

Bereikbaarheid

De luchthaven van Dubrovnik ligt in Cilipi, op een afstand van ongeveer 25 kilometer. Dubrovnik is gemakkelijk te bereiken per auto en bus, want het ligt aan het einde van de Jadranska Magistrala, de hoofdweg langs de Kroatische kust. Daarnaast is Dubrovnik per veerboot te bereiken vanuit diverse Kroatische havens, waaronder Split, en vanuit Italië.

TIP

Bezoek vooral het museum van de Franciscaner monniken. Hier vindt u de op twee na oudste apotheek van Europa, die al sinds 1317 in gebruik is, een serene kloostergang, een klein museum en het graf van de beroemde dichter van Dubrovnik, Ivan Gundulic.

De vestingmuren rond de oude stad Dubrovnik zijn een van de mooiste middeleeuwse Europese bouwwerken die nog volledig intact zijn. Deze versterking houdt al eeuwenlang vijanden op afstand, waardoor de prachtige oude stad en haven konden blijven profiteren van de strategische locatie aan de poort naar de Adriatische Zee.

Stad van vluchtelingen

De huidige stad Dubrovnik begon in de 7e eeuw als een nederzetting op het eiland Laus. Het exacte begin van deze nederzetting wordt nog betwist, maar vast staat wel dat de eerste bewoners die een stadsmuur bouwden, vluchtelingen waren die aan Slavische indringers wilden ontsnappen. Oorspronkelijk waren de muren rond Ragusa, zoals de nederzetting heette, van hout. In de loop der eeuwen ontwikkelden ze zich tot de indrukwekkende bouwwerken van nu. In de 9e en 10e eeuw breidde Ragusa zich fors uit, tot aan de oostkant van het eiland. Vervolgens werd de waterweg tussen het eiland en het vasteland opgevuld en was de stad vanaf de 11e eeuw met het land verbonden. De basismuur zoals we die vandaag de dag kennen en die op sommige plaatsen 1,5 meter breed is, werd in de 14e eeuw voltooid, evenals vijftien forten, die de veiligheid van Ragusa moesten garanderen.

De gouden eeuw

Hoewel de muren in de 14e eeuw waren voltooid, werd er nog tot ver in de 17e eeuw verder aan gewerkt. Dat wordt gezien als de gouden eeuw van Ragusa; gedurende die periode werd de stad nooit veroverd, ondanks voortdurende bedreigingen vanuit Turkije en Venetië. De stad bloeide dankzij de handelsvloot en werd rijk achter de 1940 meter lange en 25 meter hoge muren.

Maar in 1667 vond er een zware aardbeving plaats, waarbij 5000

de Mincetatoren, die in 1463 werd gebouwd om de dreigingen vanuit Turkije en Venetië te kunnen weerstaan. De architect en beeldhouwer Giorgio da Sebenico uit het naburige Zadar ontwierp en bouwde de slanke ronde toren, die het symbool is van de 'onoverwinnelijke' kracht van Dubrovnik. De toren is bovendien het hoogste punt in de muur en biedt een fraai uitzicht op de stad, de haven en de zee.

Dubrovnik is toegankelijk via vier poorten, twee aan landzijde en twee die naar de haven leiden. Wie door de Pilapoort of de Plocapoort de stad betreedt, aan de westelijke en oostelijke kant van de stad, komt in een complex doolhof van poorten en slingerende paden terecht. Bij de Pilapoort ziet u meteen het imposante Fort Bokar, een vesting die een van de oudste is in zijn soort. Het fort vormde een tweede verdedigingslinie, na de grote Mincetatoren, met uitzicht over de westelijke toegang tot de stad.

De zuidoostkant van de stad, bij de haven, wordt gedomineerd door het St Janfort, ook wel Mulotoren genoemd. Het fort werd gebouwd om de stad te beschermen tegen piraten en vijanden die over zee kwamen en bevat vandaag de dag een aquarium en een scheepvaartmuseum.

Het Sponzapaleis is met zijn zuilen en bogen een van de weinige gebouwen uit de renaissance die de aardbeving van 1667 hebben overleefd. Het paleis stamt uit de 16e eeuw en bevat nu het stadsarchief.

De oude stad Dubrovnik wordt omgeven door 1940 meter lange versterkte muren, die grotendeels uit de 14e en 15e eeuw stammen. De gebouwen hebben een rood dak en witgekalkte muren (boven). De bakstenen versterkingen in de stadsmuren getuigen van de defensieve oorsprong van Dubrovnik (rechts). De landpoort Korcula, uit de 15e eeuw, is de hoofdingang naar het oude centrum van Dubrovnik (links).

mensen omkwamen en de stad grotendeels werd verwoest. Alleen de muren bleven gespaard. De stad werd in barokke stijl herbouwd, zoals vandaag de dag nog te zien is.

De duistere eeuw

Na een eeuw van wederopbouw werd Ragusa door verschillende legers binnengevallen, waaronder de Fransen in 1806 en het Oostenrijks-Hongaarse Rijk in 1815. Toen dat Rijk in 1918 viel, werd de stad opgenomen in het koninkrijk Joegoslavië en werd de naam veranderd in Dubrovnik.

Tijdens de Tweede Wereldoorlog werd de stad door nazi's bezet, waarna het onder Tito deel werd van het communistische Joegoslavië. In 1991, na de val van het communisme, werd de stad zeven maanden door Servische troepen belegerd. Door de beschietingen werden veel gebouwen en de muren ernstig beschadigd. Na de oorlog werd de stad met hulp van UNESCO in volle vooroorlogse glorie hersteld.

Beschermen en verdedigen

Het belangrijkste verdedigingspunt in het noordwesten van de stad is

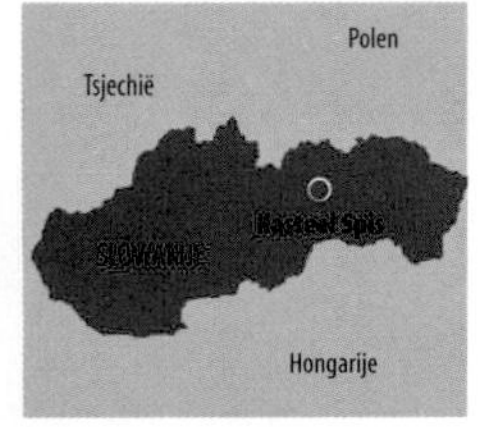

• **UNESCO Werelderfgoed**

Bereikbaarheid

U vliegt naar Bratislava en neemt vervolgens een bus of trein naar Poprad in het noorden van Slowakije. Vanuit de luchthaven van Poprad neemt u de bus naar Spisské Podhradie. Vervolgens is het 3 kilometer lopen naar het kasteel.

Beste seizoen

Geopend van mei tot oktober.

Aanrader

Woontoren, waterreservoir, kerker, middeleeuwse festivals, Spisska Kapitula, kathedraal van St Martinus.

Oostelijk bolwerk

Kasteel Spis *weerstond vijf invasies, maar de achttiende-eeuwse aristocraten vonden het te onaangenaam om er te wonen.*

In de 13e eeuw raakte de streek rond Spis en andere delen van het Hongaarse koninkrijk bevangen door angst. De Mongoolse bedreiging, die lange tijd was onderschat, kwam nu in volle hevigheid dichterbij. In 1237 werd de Hongaarse koning Bela via een brief van Batu Khan voor de keuze gesteld: onvoorwaardelijke overgave van zijn koninkrijk of totale vernietiging. Koning Bela negeerde de waarschuwing. Spoedig daarna vielen de Mongolen binnen en namen het land in bezit. De zwaar bewapende Hongaarse ridders werden gemakkelijk bedwongen door de lichte Mongoolse cavalerie. Het lukte de Mongolen echter niet om de zwaar versterkte steden te veroveren, zoals Nitra, Pozsony (het huidige Bratislava) en Gyor.

De verspreid liggende ruïnes van kasteel Spis liggen hoog op een kalksteenheuvel in Oost-Slowakije en trekken met hun middeleeuwse militaire architectuur veel bezoekers.

Mongoolse invasie

De Hongaren leerden een harde les. Toen koning Bela IV het land begon te herbouwen, liet hij overal versterkingen aanbrengen om de Mongolen beter te kunnen afweren. Kasteel Spis in Slowakije was een van deze nieuwe versterkingen.

Het enorme kasteel ligt op een 634 meter hoge kalksteenheuvel en is van verre al te zien. Overdag is het grijswit van kleur, maar 's avonds verandert het door de verlichting in een blauwe zweem.

Kasteel Spis is een van de grootste middeleeuwse kasteelruïnes in centraal-Europa en beslaat ruim 4 hectare. Met de besneeuwde toppen van het Tatragebergte op de achtergrond is het een typisch Slowaaks beeld. Het kasteel werd voor het eerst vermeld in kronieken uit 1209 en het is bekend dat het tijdens de Mongoolse plunderingen van 1241 is beschadigd. In de 13e eeuw werkten Italiaanse steenhouwers mee aan de bouw van de nabijgelegen Spisska Kapitula, maar ook aan de versterking van de kasteelmuren. De laatste aristocratische bewoners verruilden het kasteel voor de comfortabelere herenhuizen in omliggende plaatsen, waarna het kasteel in verval raakte. In 1780 brandde het volledig af. Onlangs zijn sommige oorspronkelijke gebouwen gerenoveerd en daarin is nu een museum gevestigd.

Italiaanse steenhouwers

Het kasteel bestaat uit een centrale toren uit de 13e eeuw, twee binnenmuren in Romaanse stijl met versterkte toegangspoorten en de buitenmuur met de hoofdtoegang. Van de kazernes van het garnizoen en de grote poort zijn alleen nog enkele resten over. Binnen de binnenmuren zijn de fundamenten van een ronde buskruittoren ontdekt. De slotkapel en een cisterne liggen in de binnenhof van de centrale toren. De donjon ligt strategisch op het hoogste punt van de heuvel. Vanaf de top hebt u een spectaculair uitzicht op het prachtige landschap in oost-Slowakije. In deze toren woonde ooit de eigenaar van het kasteel met zijn gezin. Later werden er delen toegevoegd, maar daarvan is na de brand van 1780 niets meer over. Wel is er nog een Romaans paleis, waarin nu een museum is gevestigd. Bezoekers kunnen ook de slotkapel en cisterne bekijken in de binnenhof van de centrale toren. Daal ook eens af naar de kerkers, waar vijanden langdurig werden vastgezet.

Ondergrondse kerker

Zodra u het kasteel van binnen en buiten hebt bekeken, kunt u aan de andere kant van het stadje de Spisska Kapitula bezoeken. In dit straatje met gotische huizen, omgeven door een muur, is de bisschop van Spiss gevestigd. Het is het tegengestelde van het wereldse kasteel van de aristocratie. Bezoekers kunnen de klokkentoren van de kathedraal van St Martinus uit 1285 beklimmen. Binnen staat een fraai gotisch altaar.

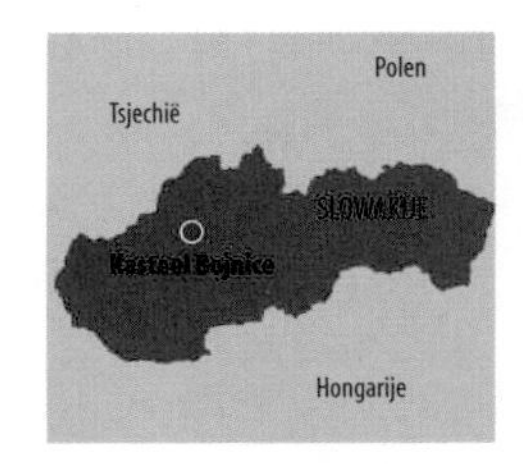

Bereikbaarheid

Bojnice ligt op ongeveer 160 kilometer van de Slowaakse hoofdstad Bratislava, dat weer op slechts 60 kilometer van Wenen ligt. Het kasteel is te bereiken met bus of trein, een rit van ongeveer 3 uur.

Beste seizoen

Mei tot september.

Aanrader

Het nationaal museum, travertijnen grot, lindeboom van Matthias Corvinus.

Middeleeuwse schoonheid

*Het neogotische **kasteel Bojnice** is in veel films te zien geweest en is een van de populairste attracties in Slowakije.*

Kasteel Bojnice staat op een ruige heuvel en is net een sprookjeskasteel. En dat is precies wat graaf Jan Palffy voor ogen had, toen hij Bojnice ontwierp naar voorbeeld van zijn favoriete Loirestreek en enkele bolwerken in Tirol. De graaf erfde in 1852 een saaie 12e-eeuwse vesting en liet die ombouwen in neogotische stijl. De met koper beklede kegelvormige torens steken boven de kantelen uit en er zijn schietgaten voor boogschutters. Rondom ligt een slotgracht. Bojnice trekt ruim 350.000 bezoekers per jaar en is het populairste kasteel in Slowakije. Op het gebied van schoonheid kan het wedijveren met de mooiste kastelen. Het doet denken aan een ander 19e-eeuws neoromantisch paleis, het beroemde Schloss Neuschwanstein.

Neogotische metamorfose

In tegenstelling tot zijn Beierse tegenhanger werd dit kasteel niet verwoest en zijn er dus nog oorspronkelijke delen te zien. Er stond hier al minstens sinds 1113 een bolwerk, een houten fort dat voor het eerst werd genoemd in archieven van de Zoborabdij. Het kasteel werd snel herbouwd, dit keer van steen, en wisselde vaak van eigenaar. Het werd achtereenvolgens gekocht door de families Zapolya, Gileth, Leustach en Noffrys. De Hongaarse koning Matthias Corvinus genoot er iets langer van. Koning Ferdinand I schonk het aan de familie Thurzo, die er een woonpaleis in renaissancistische stijl van maakten, maar daarna stierf de aris-

tocratische familie uit. In 1646 kocht de familie Palffy, een oude aristocratische Hongaarse familie, het voor 200.000 gouden munten. Na weer een nieuwe metamorfose, dit keer in barokke stijl, werd er minder vaak aan verbouwd. Maar daarna liet de romantiek luidkeels van zich horen. Deze artistieke beweging was een reactie op de rechte lijnen van het neoclassicisme en legde de nadruk op verbeelding en emoties. Kunstenaars, schrijvers en architecten haalden hun inspiratie uit de middeleeuwen.

Romantische stijl

Graaf Jan Palffy (1829–1908), erfde in 1852 enkele kastelen in Slowakije en begon Bojnice in romantische stijl te verbouwen. Nadat hij de enorme schuld had afbetaald die hij ook had geërfd, huurde hij de Hongaarse architect Jozef Hubert in voor een groot renovatieproject. De architect had niet veel in te brengen. Palffy had een levendige fantasie en een sterke wil. Hij tekende de meeste bouwtekeningen zelf. De puntige toren op de westvleugel is een volledig nieuwe toevoeging en ziet er prachtig uit. Om de juiste stijl te treffen, kocht Palffy in heel Europa antiek meubilair.

Het kasteel werd uitgerust met moderne voorzieningen, zoals stromend water en badkamers. Maar dit was meer dan slechts een bouwproject. Het was een statement. Palffy wilde de aristocratische geschiedenis van zijn familie laten herleven, maar was zich niet bewust van het toenemende nationalisme en de repercussies van de revolutie van 1848.

Palffy kon de vruchten van zijn inspanningen niet plukken. Hij stierf in 1908 als vrijgezel in Wenen, twee jaar voordat het kasteel werd voltooid. In zijn testament droeg hij zijn erfgenamen op om van zijn kastelen openbare musea te maken. Daar wilden zijn erfgenamen niets van horen en er volgden hevige discussies over de erfenis. De kunstcollectie werd uiteindelijk geveild en het kasteel werd in 1939 door de schoenenmagnaat Jan Bata gekocht. Na de oorlog werd het kasteel door de Tsjecho-slowaakse regering genationaliseerd en in een museum veranderd. Er zijn meubels, vazen, schilderijen, antieke stukken en tapijten te zien.

Verkoelende grot

Sla vooral de natuurlijk travertijnen grot onder de vierde binnenplaats niet over, die op 26 meter diepte ligt. De grot werd rond 1950 ontdekt. Het is er heerlijk koel, een mooie manier om een kasteelbezichtiging op een warme zomerdag af te ronden. bezoek vervolgens het omliggende park met zijn 700 jaar oude grootbladige lindeboom. De stam heeft een omtrek van maar liefst 11 meter. Dit was de favoriete plek van de 15e-eeuwse koning Matthias Corvinus, die graag in de schaduw van de lindeboom zijn decreten dicteerde. De boom heet nu 'de lindeboom van koning Matthias'.

Kasteel Bojnice is het resultaat van een 19e-eeuwse gotische wederopleving en bevat puntige bogen, gewelfde plafonds, met koper bedekte spitsen en schietgaten in middeleeuwse stijl.

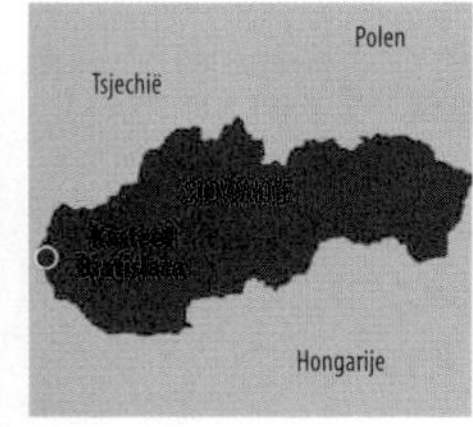

Icoon aan de Donau

Kasteel Bratislava *is een bolwerk met een divers architectonisch verleden en wordt nu aangepast aan de moderne tijd.*

Bereikbaarheid
Vlieg naar de luchthaven van Bratislava. Neem vanuit Praag, Wenen of Boedapest de trein. Vanuit Wenen gaat er een bootdienst.

Beste seizoen
Mei tot september.

Aanraders
Kasteel en omliggend terrein, boottocht op de Donau, Historisch Museum (tijdelijk gesloten), Museum van Joodse Cultuur (Zidovska 17), Historische Klokkenmuseum (Zidovska 1).

De donjon met zijn vier torens staat hoog boven de Donau en is een icoon van de Slowaakse natie, die sinds 1992 weer onafhankelijk is. Kasteel Bratislava staat prominent afgebeeld op de munten van 10, 20 en 50 cent. Het is bovendien het middelpunt van een groot stedelijk renovatieproject, waarbij de bruine gevel is vervangen door een stralend witte. Het kasteel wordt teruggebracht tot zijn 19e-eeuwse toestand. Tropische planten zullen een barokke tuin sieren.

Over de Donau

Kort na de onafhankelijkheid in 1992 voorspelde een Britse krant dat 'Bratislava waarschijnlijk weinig toeristen zal trekken', nadat er een grote nieuwbouwwijk en olieraffinaderij het uitzicht op de Donau verstoorden. Deze sombere voorspelling kwam echter niet uit. Het uitzicht vanaf het kasteel is zelfs geweldig en zeker de steile wandeling waard. Uniforme huizen uit het communistische tijdperk staan pal tegenover eeuwenoude paleizen, met elkaar verbonden door de Novy Most of nieuwe brug uit 1972, een spinachtige vliegende schotel die boven de Donau zweeft. Dankzij boottochten over de Donau komen er steeds meer bezoekers uit het naburige Wenen, dat op nog geen 60 kilometer afstand ligt.

De kasteelheuvel kijkt uit over een doorwaadbare plaats in de Donau, die van oudsher een belangrijke kruispunt is op de plek waar de Karpaten en de Alpen elkaar ontmoeten. Al in de steentijd werd de streek bewoond en naar verluidt waren het de Kelten die de eerste omheinde nederzetting bouwden op dit land. Het eerste schriftelijke bewijs van de stad en het kasteel dateert uit 907. In de Annalen van Salzburg wordt een gevecht beschreven tussen Beierse en Hongaarse troepen. Rond de 10e eeuw maakte de stad deel uit van Hongarije.

Het eerste paleis en de kerk van de Verlosser werden in de 11e eeuw gebouwd. In de 14e eeuw werd het kasteel voor het eerst afgebeeld in de 'Geïllustreerde Kroniek' uit Wenen, in een artikel over een Duits schip dat door verdedigers van het kasteel tot zinken was gebracht. Sigismund von Luxemburg liet het in de 15e eeuw in gotische stijl uitbreiden met 7 meter hoge versterkingen. Koning Ferdinand liet het kasteel in renaissancistische stijl verbouwen, de nieuwste mode in de 16e eeuw.

In de 17e eeuw vonden onder leiding van de Hongaarse onderkoning Pal Palffy barokke renovaties plaats. Hij huurde de Italiaanse barokke schilder Giovanni Battista Carlone in en liet de vier hoektorens toevoegen. Ook kreeg het kasteel er een verdieping bij.

Hoofdstad van Hongarije

De Hongaarse keizerin Maria Theresa was dol op het kasteel. Ze liet het door vooraanstaande Franse, Italiaanse en Oostenrijkse architecten verbouwen tot een extravagant paleis in rococostijl. Er waren Franse tuinen, oranjerieën, paardrijscholen voor in de zomer en de winter, stallen en een schilderijengalerij. Maria Theresa verhuisde zelfs de Hongaarse hoofdstad naar 'Pressburg', zoals het toen heette. De heilige kroon van Hongarije werd hier bewaard; tegenwoordig bevindt de kroon zich in het parlementsgebouw in Boedapest.

In 1783 verhuisde de hoofdstad naar Buda en werd het lege kasteel een katholiek seminarie. De beroemdste student was Anton Bernolak, die de eerste Slowaakse grammatica schreef. Hoewel zijn werk niet overal werd aangenomen, was het een keerpunt in de ontwikkeling van een Slowaakse nationale identiteit. Na de dood van Josef II in 1790 werd het seminarie ontbonden en werd het kasteel een militaire kazerne met meer dan duizend soldaten. Na jarenlange verwaarlozing brandde het op 28 mei 1811 af, waarschijnlijk door nalatigheid van Oostenrijkse en Italiaanse soldaten. Niemand had belangstelling voor de kasteelruïne.

Romantische ruïnes

Gelukkig gingen de plannen aan het begin van de 20e eeuw om het kasteel te slopen niet door. Na de Tweede Wereldoorlog waren de ruïnes een fraaie achtergrond voor een amfitheater. In 1953 werd eindelijk begonnen met de renovatie, onder leiding van architecten Alfred Piffl en Dusan Martincek. Na een korte onderbreking door de Sovjetinvasie van Tsjecho-Slowakije en de bezetting van het kasteel opende het hrad (kasteel) in 1968 eindelijk zijn deuren voor het publiek. Nu Bratislava weer een hoofdstad is, zal dankzij het huidige renovatieproject de grandeur van tijdens Maria Theresa weer worden hersteld.

Kasteel Bratislava ligt 85 meter boven de rivier en biedt een prachtig uitzicht op de drukte op de Blauwe Donau. Op een heldere dag zijn de grenzen met Oostenrijk en Hongarije te zien.

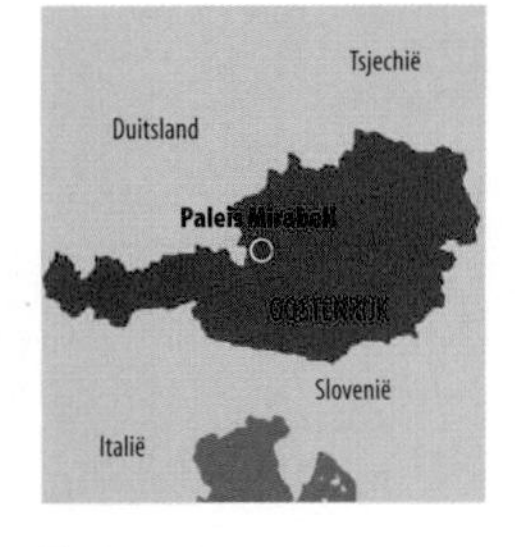

Bereikbaarheid

Per trein is het twee uur rijden van Wenen naar Salzburg; Mirabell ligt centraal in de stad en is gemakkelijk te voet te bereiken.

Beste seizoen

De tuinen liggen er eind lente en begin herfst het mooist bij.

Niet te missen

Salzburg is een stad van cultuur, muziek en kunst en het jaarlijkse Festival bestaat uit geweldige concerten op schitterende locaties.

Elegant in Salzburg

Paleis Mirabell *weet de wereld al eeuwen te betoveren met zijn romantische ligging en weelderige tuinen.*

Schoonheid wordt achtervolgd door schandalen, dat leert een blik op de geschiedenis van paleis Mirabell ons wel. Het sierlijke paleis, dat eerst Schloss Altenau heette, werd in 1606 door aartsbisschop Wolf Dietrich von Raitenau gebouwd voor zijn maîtresse Salome Alt. Als geestelijke mocht Raitenau niet trouwen; de tien kinderen die hij bij Salome verwekte werden als bastaarden gezien en zijn grote liefde mocht bij sociale gelegenheden vaak niet aanwezig zijn. Altenau was een mooi toevluchtsoord voor een beproefd gezin, totdat Raitenau in 1612 in de gevangenis belandde. Hij was verstrikt geraakt in de machtsstrijd rond de contrareformatie en werd afgezet door zijn neefje, Markus Sittikus. Nadat hij het elegan-

te toevluchtsoord van Raitenaus maîtresse had ingenomen, merkte Sittikus de indrukwekkende Alpen en de fraaie tuinen op en noemde hij het paleis Mirabell: 'mooi uitzicht'.

Magische zalen van wit marmer

De opeenvolgende eigenaren uit de 17e eeuw lieten Mirabell steeds ingrijpend verbouwen. Na Sittikus liet de prins-aartsbisschop Paris Graf von Lodron versterkingen aanbrengen in Salzburg en ook rond het paleis en de tuinen. Onder de volgende aartsbisschop, Franz Anton Fürst von Harrach, werd het landgoed een autonoom complex, verenigd door de rijke barokke stijl van die tijd. Harrach gaf de beroemde architect Lukas von Hildebrandt opdracht tot een nieuw ontwerp voor Mirabell. Sommige befaamde interieurs zijn tijdens deze renovatiefase toegevoegd. De Donnerstiege, die genoemd is naar de ontwerper

Georg Donner, werd in 1726 gebouwd; balustrades van gehouwen marmer vormen golven langs een reeks brede trappen, versierd met cherubijntjes en engelen. De trap leidt naar de enorme fresco op het plafond, een werk van Martino Altomonte en Gaetano Fanti. De Marmorsaal is befaamd om zijn elegante stucwerk, grote marmeren zuilen en verrukkelijke beelden. De jonge Mozart trad hier vaak op, maar de zaal is nu vooral beroemd als sierlijke achtergrond voor bruiloften en concerten. Mirabell werd in 1818 deels verwoest door een brand die de hele stad in de as legde en werd herbouwd door architect Peter Nobile. Nobile vereenvoudigde de barokke versierselen en gebruikte de toen populaire neoclassicistische stijl. De grote marmeren trap en zaal bleven gespaard, maar de plafondfresco's werden verwoest.

Fraaie tuinen, speelse parken

Mirabell werd in 1866 door de stad Salzburg aangekocht en huisvest nu het burgemeesterskantoor. Het paleis is mooi bewaard gebleven, maar de echte attractie is de tuin. Het enorme terrein straalt proportie en humor uit en was ooit een van de mooiste barokke tuinen. De tuin werd oorspronkelijk in 1689 aangelegd maar werd in 1730 opnieuw ingericht door Franz Anton Danreiter, en later nogmaals in de 19e eeuw. De fontein in het midden van de parterre is versierd met beelden van Griekse helden en heldinnen; de beroemdste fontein van Mirabell staat echter op de kleine parterre, vlak achter het paleis. Een bronzen Pegasus lijkt uit de fontein te springen, op weg naar de hegboog die evenwijdig aan de border loopt tussen de kleine parterre en de grote. Filmfanaten herkennen de fontein en de heg direct als het decor van een van de beroemdste scènes uit *The Sound of Music*: het lied 'Do-Re-Mi'.

De tuin bevat nog meer speelse elementen. In de doolhof staat een heckentheater (hegtheater) waar tijdens het Salzburg Festival, het jaarlijkse festival ter ere van klassieke muziek en opera, nog altijd concerten worden gegeven. Ook de Zwergerlgarten (dwergtuin) is een hoogtepunt. De tuin werd in 1715 door Franz Harrach aangelegd en staat vol met grappige dwerg- en kabouterbeelden, waarvan sommige karikaturen zijn van Harrachs tijdgenoten. De kleine boomgaard blijft echter een van de populairste attracties van Mirabell, een fraai voorbeeld van de enorme charme die de populaire paleizen in Salzburg uitstralen.

De groteske maar innemende dwergen in de Zwergerlgarten van Mirabell amuseren en schokken bezoekers al 300 jaar (vorige bladzijde, onder). In het paleis zijn nu de stadskantoren gevestigd, maar de beroemdere vertrekken, zoals de Donnersteige en Marmorsaal kunnen worden bezichtigd. Door de elegante proporties van de Marmorsaal is dit een populaire concertlocatie, al sinds de jonge Mozart er in de 18e eeuw het publiek in vervoering bracht. Mirabells grote parterre ligt tussen balustrades en straalt formele elegantie uit. De centrale fontein is versierd met beelden uit 1690 en is een van de oudste bestaande elementen in het paleiscomplex.

De parel van Wenen

De machtige Habsburgers uit Oostenrijk brachten de zomer altijd door in het grootse ***Schloss Schönbrunn****.*

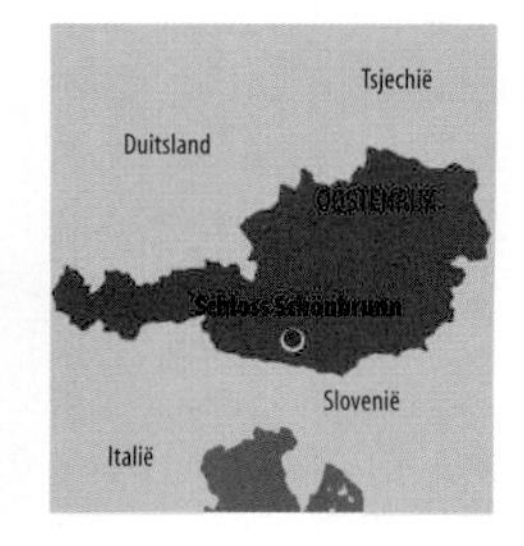

• **UNESCO Werelderfgoed**

Bereikbaarheid

Het paleis ligt midden in Wenen en de ondergrondse, tram en bus stoppen stuk voor stuk bij halte Schönbrunn.

Beste seizoen

Begin zomer is het weliswaar druk, maar zijn de tuinen zeer indrukwekkend.

Andere bezienswaardigheden

De indrukwekkende fresco's vullen de flamboyante rococovertrekken goed aan. Veel van de schitterende aanvullingen van Maria Theresa zijn door haar opvolgers, onder wie Franz Jozef I, bewaard gebleven.

Bij veel mensen roept de naam Schönbrunn beelden op van de overdadige 18e en 19e eeuw en van de beroemde Oostenrijkse keizerin, Maria Theresa. Maar de geschiedenis van Schönbrunn gaat al terug tot de middeleeuwen. In 1569 liet de Heilige Roomse keizer Maximiliaan II een groot gebied op de oevers van de Wein omheinen. De eerste honderd jaar van haar bestaan was Schönbrunn vooral een jachtgebied. Het kreeg pas in 1642 een naam, toen de eerste van vele opmerkelijke keizerinnen, Eleonora von Gonzaga, er een chateau de plaisance (woonverblijf) liet bouwen dat ze vernoemde naar de 'mooie bron' (Schöne Brunnen) in de buurt.

Schönbrunn werd in 1683 door de Turken ingenomen, maar de verwoesting zorgde op een bepaalde manier voor de toekomstige grootsheid. In het Duits wordt Schönbrunn wel aangeduid als een gesamtkunstwerk of een totaalkunstwerk. De gebouwen en bijgebouwen zijn weliswaar vaak herbouwd, maar er werd altijd rekening gehouden met een harmonieus geheel. Leopold I (1658–1705) gaf de befaamde architect Johann Bernhard Fischer von Erlach opdracht om het paleis en het omliggende terrein volledig te herinrichten. Erlach hield een barokke visie aan en het paleis werd rond een centrale as gebouwd. Er leidt een grote trap naar de voorgevel, met aan weerszijden een symmetrische vleugel. Erlachs ontwerp werd nooit voltooid en in 1728 kwam Schönbrunn in handen van keizer Karel VI (1711–1740), die het aan zijn dochter Maria Theresa schonk.

Visie van een keizerin

Na het overlijden van haar vader heerste Maria Theresa over het Habsburgse Rijk. Deze verbijsterende gebeurtenis lokte een oorlog uit, maar Maria Theresa bleek een rechtvaardige heerseres. Haar bijdragen aan de vorming van Schönbrunn kunnen niet genoeg worden benadrukt. Niet alleen liet ze het bestaande herenhuis aanzienlijk verbouwen, maar ze bracht het nieuwe paleis in het middelpunt van het hofleven. Door de keizerlijke residentie in rococostijl te verbouwen, werden de buitenste trappen verwijderd en werd er op de begane grond ruimte gemaakte voor een rijbaan voor een koets. Ze liet in de oostelijke en westelijke vleugel verdiepingen toevoegen voor haar uitbreidende familie, liet huisvesting voor het leger aan bedienden en personeel bouwen en voltooide de gevel.

Ook aan de interieurs besteedde Maria Theresa veel aandacht. De Kleine en Grote Galerij in het midden van het paleis werden in rococostijl heringericht: de gewelfplafonds werden versierd met fresco's en er werden gedetailleerd stucwerk aangebracht. Onder Maria Theresa werd Schönbrunn een meesterwerk, met vertrekken die versierd waren met golvende lijnen, sierlijk meubilair en een eenheid in esthetiek. Maria Theresa was ook verantwoordelijk voor het ontwerp van de indrukwekkende tuinen van Schönbrunn. Toen haar echtgenoot Franz Stephan in 1725 stierf, liet Maria Theresa een reeks herinneringskamers inrichten ter nagedachtenis aan de overleden keizer.

Van rococo naar imperiale stijl

De volgende belangrijke vorst van Schönbrunn was ook de laatste: Franz Jozef I (1848–1916). Franz Jozef werd in het paleis geboren en woonde er zijn hele leven. Hij liet de westelijke vleugel uitgebreid herinrichten voor zijn eigen gebruik, maar liet veel van het fraaie stucwerk van Maria Theresa intact. In 1873 vond in Wenen de Wereldtentoonstelling plaats en Schönbrunn werd weer aan de eisen van de moderne tijd aangepast. Het paleis kreeg de imperiale stijl, die vandaag de dag nog te zien is.

Fraaie groene ruimtes

Schönbrunns tuinen maken deel uit van het gesamtkunstwerk. De tuinen waren aangelegd volgens het idee dat natuur en architectuur elkaar moesten weerspiegelen en liggen net zoals het paleis symmetrisch geordend langs een centrale as. In de tuinen staan veel beelden en fonteinen en er is een Grote Parterre, een enorm bloembed, opgedeeld door onberispelijke gazons en omgeven door heggen. Diverse paden lopen heuvelopwaarts en komen bijeen bij de Gloriette, een indrukwekkend paviljoen dat Maria Theresa liet bouwen ter nagedachtenis aan 'Gerechtvaardigde Oorlog', een oorlog die tot vrede leidt. De tuinen vormen een integraal deel van het paleis als geheel. Schönbrunn is van oudsher een afspiegeling van de Habsburgers en blijft een herinnering aan de vruchten, en kosten, van een rijk.

De ontzagwekkende fresco's van Schönbrunn passen bij de flamboyante inrichting van de rococovertrekken. Veel van de schitterende aanvullingen van Maria Theresa zijn door haar opvolgers, onder wie Franz Jozef I, bewaard gebleven. De Gloriette is het middelpunt van de tuinen. Het bouwwerk deed in de 19e eeuw dienst als eetzaal; tegenwoordig is er een populair café gevestigd (linksonder). In de tuinen rond Schönbrunn staan fonteinen en beelden. Langs de Grote Parterre staan 32 beelden van Griekse goden.

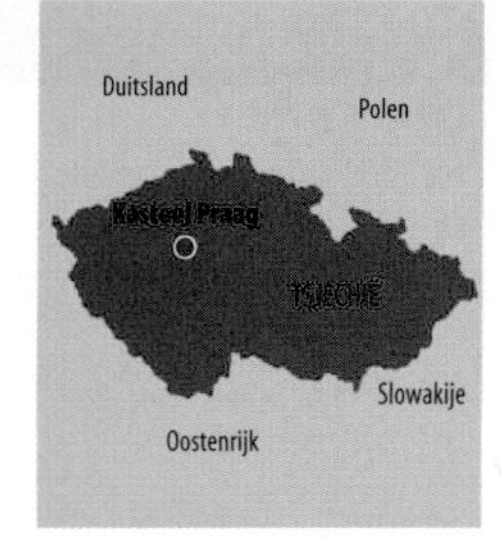

• **UNESCO Werelderfgoed**

Bereikbaarheid

Neem tram 22 naar Prazsky Hrad, Kralovsky Letohradek (Zomerpaleis), Brusnice (Nieuwe Wereld) of Pohorelec (bovenkasteel) of neem de Metrolijn A naar Malostranska, waarna u het kasteel via oude trappen bereikt.

Beste seizoen

Gehele jaar. In de zomer vindt in kasteel Praag het jaarlijkse Shakespearefestival plaats (juni-augustus); met kerst staat er in het kasteel een levensgrote kerststal en worden er in de hele oude stad kerstmarkten georganiseerd.

Kasteel met een record

*Het grootste kasteelcomplex ter wereld, **Kasteel Praag** is ook het belangrijkste symbool van Tsjechië.*

Kasteel Praag bestaat uit talloze paleizen en kerkgebouwen en wordt dan ook in het Guinness Book of World Records genoemd als het 'grootste kasteelcomplex' ter wereld. De 70.000 m^2 aan Romaanse, gotische, barokke en renaissancistische gebouwen en tuinen omvatten duizend jaar Europese geschiedenis. Het kasteel, een cultureel symbool van Tsjechië, staat op de linkeroever van de Vltava en is de geboorteplaats van de natie en het hoogtepunt van een van de grootste revoluties van de 20e eeuw.

Boheemse gouden eeuw

Kasteel Praag begon in 880 als houten fort uit de Premysldynastie. De eerste versterkingen werden in de 10e eeuw aangebracht. In 1135 werd er een Romaans paleis gebouwd, waarvan nog enkele resten te zien zijn in de kelder van het huidige koninklijke paleis. De echte gouden eeuw van Bohemen en van kasteel Praag vonden plaats onder Karel IV (1316–1378), koning van Bohemen en keizer van het heilige Roomse Rijk. Karel IV verhuisde de keizerlijke hoofdstad van Rome naar Praag en begon aan de bouw van de grootste, belangrijkste rooms-katholieke basiliek in Bohemen, de gotische St. Vituskathedraal.

Dit slanke stenen bouwwerk, dat werd gebouwd op een Romeinse ruïne en gewijd is aan de beschermheiligen van Tsjechië, was pas na zes eeuwen voltooid en bevat de Boheemse kroonjuwelen. Karel IV liet ook de fundamenten van het oude koninklijke paleis aanleggen, het oudste gebouw van kasteel Praag.

Rond het kasteel ontstond in deze voorspoedige tijd een levendige wijk, Hradcany. Ooit was hier een drukke markt, en nu staat er in deze straten een uniek kenmerk van

een periode van intens Tsjechisch nationalisme en een culturele wedergeboorte, onder leiding van president Tomas Masaryk. Kasteel Praag werd weer in gebruik genomen als ambtswoning. De Sloveense architect Jozef Plecnik moderniseerde het nieuwe koninklijke paleis en de tuinen.

Daarna zat het Tsjecho-Slowakije tegen. Tijdens de Tweede Wereldoorlog werd het door de nazi's bezet. Na de bevrijding heerste er een communistisch regime. In 1989 leidde de Tsjechische schrijver Vaclav Havel de Fluwelen Revolutie, waarin werd opgeroepen tot een einde aan het autoritaire regime. De strijdkreet van de demonstranten was 'Havel na Hrad' ('Havel naar het Kasteel'), die al snel bewaarheid werd toen Havel werd benoemd tot eerste president van Tsjechië. Sindsdien zijn er veel afgesloten vertrekken in het kasteel weer geopend voor het publiek, dat massaal dit symbool van de Tsjechische geschiedenis komt bekijken.

Kasteel Praag ligt op de linkeroever van de Vltava en is het grootste kasteelcomplex ter wereld. Met een oppervlak van 70.000 m2 is het een stad op zich, met een eigen postcode (boven). De renaissancistische Vladislavzaal was ooit de grootste zaal met gewelfplafond in Europa (onder). Voetgangers op de Karolybrug raken een reliëf aan van het martelaarschap van Sint Jan van Nepomuk. Het aanraken van de heilige, die van de kasteelmuren werd gegooid, brengt geluk (inzet).

Praag, waarvan het hoogtepunt wordt gevormd door het ongerepte Novy Svet (Nieuwe Wereld), een verzameling felgekleurde middeleeuwse huisjes.

Keizerrijk en verval

Tijdens de Jagiellonische dynastie (1471–1526) werd het oude koninklijke paleis verder uitgebreid, onder meer met de grote Vladislavzaal. De zaal was op dat moment de grootste seculiere vergaderzaal met gewelfplafond van Europa en had een brede trap, zodat ridders te paard konden binnenkomen. De Habsburgers (1526–1620) verbouwden kasteel Praag tot een renaissancistisch onderkomen. Ze legden de koninklijke tuin en het zomerpaleis aan, dat Ferdinand I liet bouwen voor zijn echtgenote, Anna van Bohemen en Hongarije. Eind 16e eeuw liet keizer Rudolf II (1575–1611), een gulle mecenas op het gebied van kunst, filosofie en astronomie, kasteel Praag verbouwen tot groot centrum van het Rijk. Hij liet een noordervleugel en een spiegelbeeld van de Spaanse Zaal in het koninklijke paleis bouwen. De daarop volgende vier eeuwen vonden hier belangrijke kroningen en staatsevenementen plaats. De charmante Zlata Ulice (Gouden Laan) van het kasteel kreeg zijn bijnaam in deze periode, want er werd beweerd dat alchemisten hier goud produceerden voor de keizer. Eeuwen later produceerde Franz Kafka hier op nummer 22 literatuur.

In de statige Ludwigvleugel van het oude koninklijke paleis vond in 1618 de Defenestratie plaats die aanleiding vormde tot de Dertigjarige Oorlog, waarna kasteel Praag er 80 jaar verlaten bij lag. De Oostenrijkse keizerin Maria Theresa (1740–1780) liet het in barokke stijl herbouwen. De grijsgroene afwerking die de Italiaanse architect Nicolo Picassi aan de oudere gebouwen gaf, kon echter niet op algemene goedkeuring rekenen. Toen de Oostenrijks-Hongaarse hoofdstad naar Wenen verhuisde, werd Praag een provincie binnen het rijk en raakte het kasteel in verval. Keizer Ferdinand V (1835–1848) betrok kasteel Praag en verbouwde de kapel en de tweede binnenplaats.

Eerste en Tweede Republiek

De Eerste Tsjechische Republiek duurde van 1918 tot 1938 en was

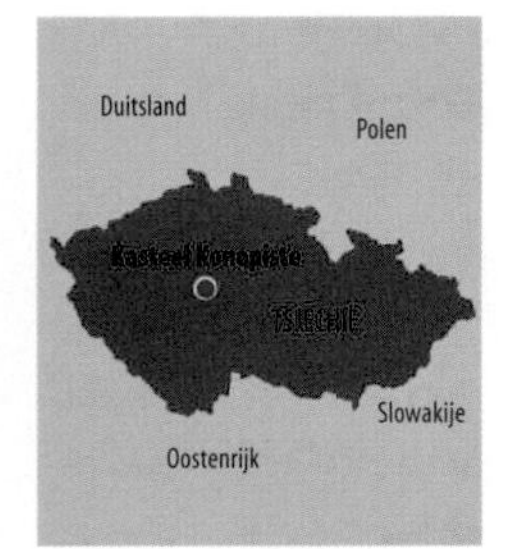

Bereikbaarheid

U kunt het beste de bus nemen, want de bushalte ligt op korte afstand van het kasteel, dat op ongeveer 1 uur van Praag ligt. Het kasteel is eventueel per trein te bereiken, maar het dichtstbijzijnde station, Benesov u Prahy, ligt op 1 kilometer van het kasteel.

Beste seizoen

Mei tot oktober.

Gastronomie

Het bier Sedm Kuli, of 'Zeven Kogels' dat bij Pivovar Ferdinand in Benesov van de tap verkrijgbaar is, is genoemd naar het aantal kogels waarmee de aartshertog werd omgebracht.

Habsburgs jachtslot

***Kasteel Konopiste** is een monument van het mooie en vaak tragische verleden van het land.*

Kasteel Konopiste ligt 50 kilometer buiten de Tsjechische hoofdstad Praag en werd eind 13e eeuw door bisschop Tobias van Benesov gebouwd als gotisch fort in de bosrijke vallei van de rivier Sazava. Het werd in de loop der eeuwen diverse malen verbouwd en vormt nu een goed voorbeeld van middeleeuwse architectuur op basis van het Franse concept van een kasteel. De architectonische grandeur past bij de boeiende geschiedenis: de beroemdste bewoner van Konopiste was de laatste, aartshertog Franz Ferdinand d'Este. Hij verbleef hier voordat hij in 1914 in Sarajevo werd vermoord, een daad die tot de Eerste Wereldoorlog leidde.

De muren van de middeleeuwse vesting uit begin 14e eeuw bevatten oorspronkelijk zeven torens. Net als de meeste middeleeuwse kastelen werd Konopiste omgeven door een slotgracht. De slotgracht is tegenwoordig droog gevallen, maar er wonen nu twee beren die rond het kasteel dwalen.

De middeleeuwse torens werden verwijderd toen Konopiste eind 18e eeuw in barokke stijl werd herbouwd. In 1887 kocht Franz Ferdinand d'Este het kasteel van het huis Lobkowicz, een adellijke Boheemse familie. Ferdinand veranderde Konopiste in een luxe paleis en woning en liet de vertrekken inrichten met prachtige museumstukken uit de nalatenschap van zijn oom, keizer Franz Jozef van Oostenrijk.

Ook het mooie landschap is aan de aartshertog te danken. De tuinen staan vol met beelden, kassen en rozentuinen en er lopen kwartels, fazanten en pauwen rond.

Geliefde jachtcollectie

Ferdinand verbleef liever in dit landhuis dan in Wenen en bracht zo veel mogelijk tijd door in Konopiste. Hij ging graag jagen en had een grote verzameling middeleeuwse jachtobjecten. In totaal waren er in Konopiste ruim 300.000 opgezette objecten te zien, waaronder hertengeweien, bizonkoppen, zwijnentanden en staartveren van korhoenderen, voorzien van datum en plaats van neerschieten. Het kasteel bevat ook een schietzaal met bewegende doelen. Tevens is er een grote collectie middeleeuws en renaissancistisch wapentuig te zien,

Het kasteel ligt tussen dichte wouden en enkele kleine meren (voorgaande bladzijde, boven). Veel vertrekken in het kasteel zijn al ruim een eeuw niet meer betreden, waaronder de studeerkamer van de Oostenrijkse kroonprins Franz Ferdinand (rechtsboven).

dat grotendeels afkomstig was van Ferdinands oom, Franziskus V, hertog van Modena.

Naast de jachtobjecten ziet u in het kasteel ook renaissancistische meubels, prachtige houtsnedes, wandkleden, schilderijen en kunstvoorwerpen. De privévertrekken van Ferdinand bieden een blik op zijn privéleven, compleet met familieportretten, foto's, serviesgoed en zelfs persoonlijke brieven. In Konopiste is ook zijn uitgebreide collectie 15e-eeuwse heiligenbeeldjes te zien, waaronder veel beeldjes van Sint Joris, de drakendoder en martelaar.

Wereldwijd gehoord schot

In juni 1914 nodigde Ferdinand de Duitse keizer Wilhelm II uit voor een bezoek aan zijn fraaie rozentuin in Konopiste. Op het onderwerp van hun gesprek zijn altijd talloze complottheorieën losgelaten. Misschien wilden de aartshertog en de Keizer een aanval op Servië plannen of het Oostenrijks-Hongaarse Rijk ten val brengen. De waarheid blijft echter een raadsel, want de aartshertog werd een maand later samen met zijn vrouw Sofie in Sarajevo vermoord.

Hun kinderen verbleven op dat moment in Konopiste en werden snel teruggebracht naar Wenen. Na het verdrag van Saint-Germain-en-Laye in 1919 werd Konopiste van de familie afgenomen en werd het oude Habsburgse Rijk heringedeeld. Het kasteel is nu met negentig andere landgoederen bezit van de Tsjechische staat.

De huidige prinses Sofie von Hohenberg, afstammeling van Franz Ferdinand, voert momenteel een rechtszaak tegen de Tsjechische staat om Konopiste weer in handen te krijgen. In december 2000 begon ze een rechtszaak in Benesov, om het kasteel en bijbehorende bezittingen, waaronder ruim 6000 hectare bosgrond en een brouwerij. Ze beweert dat haar familie geen lid was van het Habsburgse Huis en dat daarom de verdragen die hen het kasteel ontnamen, niet op hen van toepassing zijn.

Rond het park liggen diverse parken die een vredige uitstraling hebben.

Zuid-Boheemse rapsodie

Dit betoverende middeleeuwse Tsjechische dorp lijkt bijna te klein voor een van de grootste culturele schatten van Europa, ***kasteel Cesky Krumlov****.*

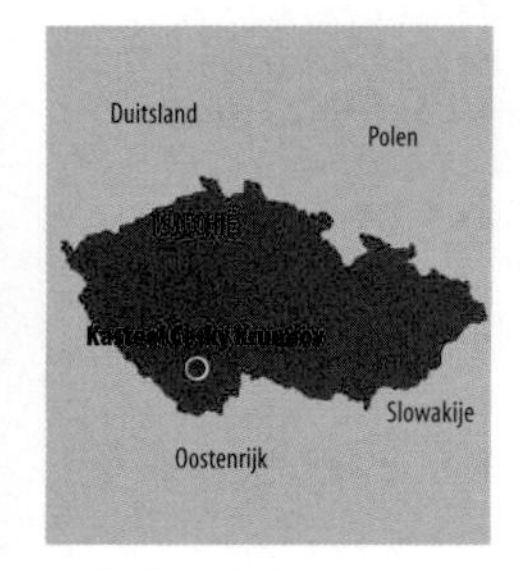

• **UNESCO Werelderfgoed**

Bereikbaarheid
Cesky Krumlov is het best per trein te bereiken vanuit het centraal station van Praag. Het ligt op 180 kilometer afstand van de hoofdstad.

Beste seizoen
Het toeristisch hoogseizoen begint in mei; daardoor is de late herfst de ideale tijd om van de minder drukke stad te genieten. Van 1 april tot 30 november worden er rondleidingen door het kasteel gegeven.

Weetje
De Oostenrijkse schilder Egon Schiele (1890–1918), wiens moeder in Cesky Krumlov werd geboren, had hier een studio en schetste de unieke topografie van de stad – en de plaatselijke schonen. In het museum dat naar hem is vernoemd, worden nu werken van hedendaagse kunstenaars getoond, naast een permanente collectie van Schiele.

Gastronomie
Cesky Krumlov is de perfecte plek om te genieten in een krcma of middeleeuwse Tsjechische herberg, waar wild aan het spit en warme honingmede op het menu staan.

Het plaatsje Cesky Krumlov in Bohemen, een zuidelijke streek in Tsjechië, ligt op 30 kilometer afstand van de Oostenrijkse grens. Hier bevindt zich een van de belangrijkste culturele locaties van het land, staatskasteel en chateau Cesky Krumlov. Dit complex van veertig fraaie renaissancistische en barokke gebouwen en paleizen ligt rond vijf binnenplaatsen en torent al 800 jaar boven het stadje met zijn rode dakpannen uit. Dankzij de barokke kasteeltuin van 10 hectare en interieurs uit de 17e, 18e en 19e eeuw, waaronder een mooi bewaard gebleven barok theater, is dit een monument van Tsjechië en een typisch voorbeeld van de centraal-Europese geschiedenis.

Rivaal van Praag

Het oorspronkelijke gotische kasteel werd rond 1250 gebouwd, hoewel er uit sporen van koperen gereedschappen blijkt dat deze streek al in de bronstijd werd bewoond. Aanvankelijk stond er alleen een klein kasteel van één verdieping, dat werd bewoond door de Heren van Krumlov, een familie van Boheemse edelen waarvan de naam afstamt van het oud-Duitse 'Crumbenow', of 'kromme weide'. Het kasteel heeft nu een opvallende gevel uit de renaissance, maar de kern van het oudste gebouw is toch gotisch. Ook de ronde klokkentoren van zes verdiepingen (54 m) werd in de 13e eeuw gebouwd. Door latere uitbreidingen verkreeg de toren de galerij en gevel die nu zo kenmerkend zijn voor het bouwwerk. De familie Krumlov ging in 1302 over in de familie Rosenberg; de daarop volgende drie eeuwen was de naam Rosenberg synoniem aan de ontwikkeling van zowel het kasteel als de stad, die in deze periode zijn grootste welvaart, economische vooruitgang, bouw van nieuwe gebouwen en uitbreiding van de handel doormaakte. In een poging om van het Krumlovdomein een culturele hoofdstad te maken die op gelijke hoogte stond met Praag, liet Petr I von Rosenberg, provinciaal bestuurder van Bohemen, op het kasteelterrein de kapel van St Joris en St Catherina bouwen, die in 1334 werd ingewijd. De Rosenbergs vergrootten het Kleine Kasteel en begonnen aan de bouw van het Grote Kasteel, bestaande uit twee paleizen en twee grote vierkante torens.

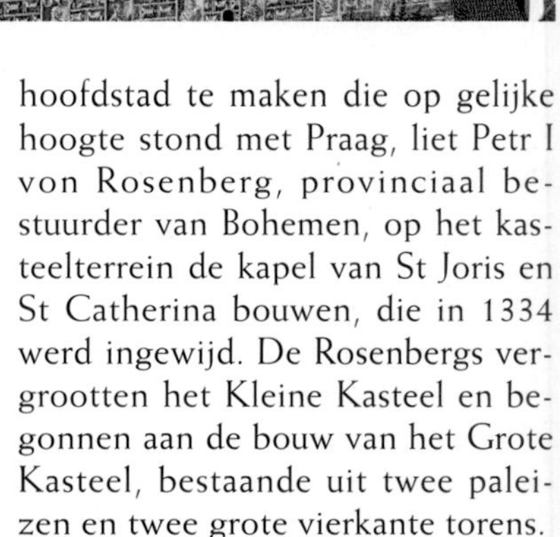

Italiaanse motieven

De zestiende-eeuwse bouwmagnaat Wilhelm von Rosenberg (1535-1592) veranderde het kasteel in een groots en verfijnd renaissancistisch woonpaleis. Geïnspireerd door zijn reizen in Italië begon Wilhelm aan uitgebreide renovatieprojecten van het oude familiekasteel, op basis van ontwerpen door Italiaanse bouwmeesters. Door de uitbreiding van het Grote Kasteel, wijzigingen aan de derde en vierde binnenplaats, het schilderen van het Kleine Kasteel en de toren en de bouw van een

De fraai versierde klokkentoren en paleisgebouwen zijn het visitekaartje van Cesky Krumlov, waaraan de stad zijn bijnaam 'de parel van Zuid-Bohemen' te danken heeft (boven). De overdadige Masqueradezaal is versierd met gespeelde theaterscènes van de Oostenrijkse schilder Josef Lederer.

netwerk van overdekte gangen werd het kasteel een monumentaal woonpaleis en het culturele, sociale en economische middelpunt. Ook werden er werkzaamheden uitgevoerd aan het kasteelpark en werd er een nieuw wildpark aangelegd. Tot slot liet Wilhelm in 1588 de muren tot één geheel maken, ramen vergroten, nieuwe schoorstenen bouwen, trappen en deuren aanpassen en de binnenplaatsen versieren met fraaie schilderijen.

De zeventiende-eeuwse Plastovybrug is een overdekte verbinding van diverse verdiepingen die het kasteel met de tuinen verbindt. Vanaf de brug hebt u fraai uitzicht op de middeleeuwse stad (links). De barokke kasteeltuin op een helling naast het kasteel is een lust voor het oog met zijn prachtige fonteinen en mozaïeken van kleurrijke bloembedden (onder).

Zeer uniek barok theater

De heerschappij van de Habsburgers werd bepaald door de Dertigjarige Oorlog en een stagnatie van de bouw. De Oostenrijkse Eggenbergdynastie nam rond 1680 de leiding over het kasteel over, toen Johann Christian I von Eggenberg het Cesky Krumlov tot een barok paleis verbouwde. Er kwamen barokke trappen en barokke tuinen en er werd een nieuw barok theater gebouwd. De Eggenburgs werden opgevolgd door de Schwarzenbergs, die de bouw voortzetten. In 1719 liet Jozef Adam von Schwarzenberg de Spiegelzaal en de Maskerzaal renoveren, waarbij hij de Weense schilder Jozef Lederer opdracht gaf tot enkele schilderijen in rijke rococostijl. Het theater werd verbouwd en is vandaag de dag nog te bezichtigen. Het is een van de best bewaarde theatergebouwen in heel Europa. Dankzij de waardevolle collectie oorspronkelijke decors, kostuums en rekwisieten en de orkestbak is het een uniek theater.

Revolutie en onafhankelijkheid

Tegen het einde van de 18e eeuw kwam de economische en culturele ontwikkeling tot stilstand en halverwege de 19e eeuw was kasteel Cesky Krumlov niet meer het hoofdverblijf van de familie Schwarzenberg. Sindsdien staat het leeg en wordt het alleen bewoond door de befaamde beren in de droge slotgracht; het houden van beren stamt nog uit de tijd van de Rosenbergs. De Eerste en Tweede Wereldoorlog verergerden de economische achteruitgang, hoewel Cesky Krumlov weinig schade opliep. Na de Tsjechische onafhankelijkheid van 1989 ontstond er een hernieuwde interesse in het gebied; het kasteel is nu met 340.000 bezoekers per jaar een van de topattracties van Tsjechië.

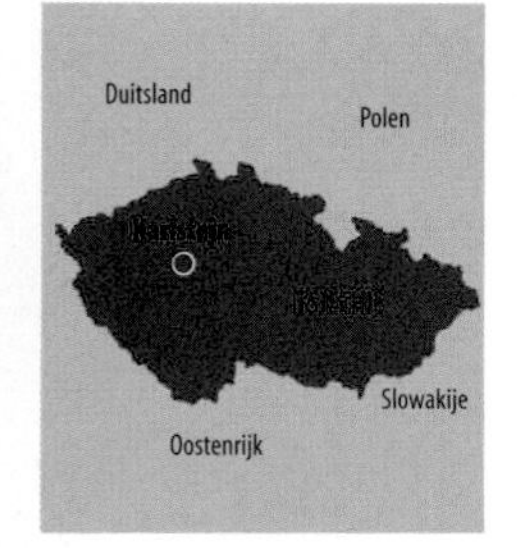

BEREIKBAARHEID

Vanuit het hoofdstation van Praag vertrekt er elk uur een trein naar Karlstejn. De reis duurt drie kwartier.

BESTE SEIZOEN

Het gehele jaar, behalve in februari want dan is het kasteel gesloten; in juni vindt er een feestelijke opvoering plaats van de processie van de kroonjuwelen van Praag naar Karlstejn.

Gotische schatkamer

***Karlstejn** is een robuust bastion, bekend om zijn unieke architectuur en koninklijke bewoners, en is een opvallende verschijning onder vele Tsjechische kastelen.*

Een van de belangrijkste architectonische monumenten van de Boheemse school is kasteel Karlstejn, dat op 27 kilometer ten zuidwesten van de hoofdstad boven een dik woud uitsteekt. Het kasteel werd in de 14e eeuw gebouwd door koning Karel IV, de beroemde vorst tijdens de Boheemse Gouden Eeuw. De voornaamste functie was een veilig onderkomen voor de kroonjuwelen en andere schatten, waardoor het belang en de reputatie van het kasteel in heel Europa bekend was.

Bouwgeschiedenis

De bouw van Karlstejn begon in 1348; volgens de kronieken verbleef koning Karel er voor het eerst in 1355. De koning had persoonlijk de leiding over het bouwwerk en de inrichting van de kapel. De bouw werd in 1365 voltooid met de inwijding van de kapel van het Heilige Kruis. De koninklijke relieken werden bij het begin van de Hussietenoorlog overgebracht naar Nürnberg, toen aanvallers met een katapult lijken op het kasteel afvuurden. Na afloop keerden de Tsjechische kroonjuwelen terug naar Karlstejn waar ze bleven tot 1619, toen ze wegens de Dertigjarige Oorlog naar Praag moesten worden overgebracht.

De eerste verbouwing van Karlstejn vond in 1480 plaats in laatgotische stijl, terwijl het kasteel eind 16e eeuw een renaissancistische metamorfose onderging. In 1648 was Karlstejn kort in handen van de Zweden; in de 18e eeuw voerden de Habsburgers, die het grote historische belang van het kasteel inzagen, reparaties uit. De laatste verbouwing vond eind 19e eeuw plaats in pure neogotische stijl on-

der leiding van de Tsjechische architect Josef Mocker, waarbij de huidige imposante gevel werd aangebracht. Door vandalisme moest men veel fraaie vertrekken sluiten en de schoonheid van Karlstejn zit op dit moment vooral aan de buitenkant.

Vanuit de verte

Het kasteelcomplex is vanuit de verte een imposant gezicht en van ver valt de gefaseerde opzet van het kasteel het beste op. Elk bouwwerk ligt op een andere hoogte op een van de drie rotsachtige terrassen, op volgorde van belang. Het laagste terras vormt de basis van het Keizerlijk Paleis van vijf verdiepingen, erboven ligt de Mariatoren (met de kerk van de H. Maagd) en tot slot wordt het landschap overheerst door de enorme, 60 meter hoge, aparte en versterkte Grote Toren. De muur van de Grote Toren is gemiddeld 4 meter dik.

Het rechthoekige Keizerlijke Paleis staat met zijn halfronde bastion achter de binnenmuur. De keizer woonde op de tweede verdieping van het paleis, terwijl de derde verdieping vanaf de 16e eeuw het domein van de keizerin was. Opvallend is vooral de Voorouderzaal, waar portretten van Tsjechische koningen de wanden sieren. Boven het paleis steekt de Mariatoren uit, waarvan de Grote Zaal de toegang bevat tot de privékapel van de keizer, de St Catharinakapel. Zowel deze kapel als de Kerk van de H. Maagd zijn een voorbeeld van de Praagse hofarchitectuur en -schilderkunst. De muur is versierd met gepolijste edelstenen die als reliëf in het stucwerk zijn gestoken; daarnaast zijn er zeer kunstzinnige, veertiende-eeuwse fresco's.

Kapel van het H. kruis

Op de tweede verdieping van de toren is de kapel van het H. Kruis gevestigd. Hier werden de resten van de heiligen en keizerlijke en Boheemse kroonjuwelen bewaard, waardoor de kapel het belangrijkste deel van het complex was. Door het unieke interieur is deze heilige plek het middelpunt van Karlstejn. De kapel bestaat uit een schip en een presbyterium, die van elkaar worden gescheiden door een verguld scherm met edelstenen. Ook de gewelven zijn verguld en bedekt met kleine stukjes glas, zodat het beeld van een sterrenhemel ontstaat. Aan de wanden van de kapel hangen 129 paneelschilderingen door Theoderic, hofschilder van koning Karel. Ze vertegenwoordigen het 'leger van de hemel' en bestaan uit portretten van heiligen, pauzen, bisschoppen en andere heilige heersers. Hun aanwezigheid zou de veiligheid van het kasteel verzekeren.

De enorme gotische vesting werd in de 14e eeuw door koning Karel gebouwd om de kroonjuwelen in onder te brengen. Voor toegang tot de kapel van het H. Kruis, waarin een replica van de kroon van koning Wencesvlav wordt tentoongesteld, moet u reserveren (links). Beeld van de overkant van de rivier Berounka op het kasteel en het dorp Karlstejn in de Bohemen in Tsjechië (rechts).

De parel van Bohemen

*Dankzij de uiteenlopende maar smaakvolle stijlen is **Hluboka nad Vltavou** een uniek kasteel in Tsjechië.*

BEREIKBAARHEID
Er gaat diverse keren per dag een trein van Praag naar het nabijgelegen Hluboka. Het snelste vervoersmiddel vanuit Praag is de bus. Er rijden diverse busmaatschappijen naar Hluboka via Ceske Budejovice. De reis duurt ongeveer drie uur.

BESTE SEIZOEN
Maart tot oktober.

GASTRONOMIE
In diverse restaurants in de stad kunt u terecht voor alle traditionele Tsjechische gerechten, waarvan de meeste varkensvlees, ree en kool bevatten. Een bekend gerecht is de svickova, rundvlees in roomsaus, en de traditionele goulash.

Het kasteel bij Hluboka nad Vltavou is ruim 700 jaar oud en werd oorspronkelijk gebouwd als waakpost, maar ontwikkelde zich tot overdadig woonpaleis. Het kasteel ligt hoog boven de oever van de Vltava, op slechts 10 kilometer van Ceske Budejovice en is een van de mooiste en meest bezochte kastelen in Tsjechië.

Historische transformatie

Het kasteel en het nabijgelegen plaatsje Ceske Budejovice werden in de 13e eeuw gebouwd door koning Premysl Otakar II, die het als vesting wilde gebruiken. Het kasteel is echter eigendom geweest van diverse aristocratische eigenaren, die het vaak lieten verbouwen. De Heren van Pernstejn woonden er tot 1561, waarna ze het verkochten aan de Heren van Hradec. Twee jaar later werd het gotische kasteel verbouwd tot een renaissancistisch chateau, waarna er niet veel van de oude vesting bewaard bleef.

Eind 16e eeuw werd het kasteel gekocht door Malovec van Malovice, maar vier jaar later werd het door keizer Ferdinand II van Habsburg geconfisqueerd, die het later weer aan de Spaanse generaal Don Balthasar de Marradas schonk. In 1661 kwam het kasteel in handen van de Schwarzenbergs, de laatste familie die het kasteel in bezit had. Zij lieten het in barokke stijl herbouwen. Het gebouw en de omliggende tuinen werden tussen 1840 en 1871 nogmaals uitgebreid gerenoveerd, toen Eleonora Schwarzenberg, die te gast was geweest bij de kroning van de Engelse koningin Victoria, haar echtgenoot overhaalde om van Hluboka haar eigen Windsor Castle te maken.

De Weense architect Franz Beer begon met het project en na zijn dood zette Damasius Deworetzky het voort, waarbij hij zich vooral op de interieurs richtte. Elenora was persoonlijk bij het werk betrokken en koos bepaalde architectonische elementen uit en richtte de vertrekken zelf in. Driehonderd arbeiders sloopten het oude kasteel en bouwden een romantisch, neogotisch chateau, omgeven door een grote Engelse landschapstuin van twee vierkante kilometer. De Schwarzenbergs hielden Hluboka tot eind 1939, toen de laatste eigenaar emigreerde om aan de nazi's te ontkomen. Ze verloren hun bezit definitief in 1947, toen het door de Tsjechoslowaakse staat werd teruggevorderd.

Opvallende interieurs

Kasteel Hluboka werd ook wel de 'parel van Bohemen' genoemd en

De witte buitenkant van het kasteel met imposante zolderkamers en torens is duidelijk herkenbaar (boven). Het interieur van het kasteel is grotendeels versierd met gedetailleerd ijzerwerk, zoals deze deurkruk (onder).

telt elf torens, waarvan de hoogste 60 meter hoog is. Nog indrukwekkender zijn de 140 vertrekken, waaronder een theater, kapel, grote eetzalen, talloze appartementen en een bibliotheek met ruim 12.000 boeken.

De vloeren en wanden zijn afgewerkt met ingewikkelde parketpatronen in diverse houtsoorten. De vulling van de vlakke plafonds is gemaakt van verguld leer; in de Grote Ochtendsalon is dat verguld linnen. De beroemde Weense schilder Glässer ontwierp het bloempatroon op de vergulde vulling.

De Grote Eetzaal werd ingericht in neo-renaissancistische stijl en bevat zeventiende-eeuwse Vlaamse wandkleden en het unieke zestiende-eeuwse oosterse tapijt dat rijkelijk is versierd met boeddhistische symbolen.

De Grote Marmerzaal, die halverwege de 19e eeuw in neo-rococostijl is gebouwd, is duidelijk anders dan de andere vertrekken. Het plafond is afgewerkt met stucwerk en de wanden met kunstmarmer. In de kamer staan twee sledes uit de rococo en er hangen wandkleden uit de 17e eeuw met afbeeldingen van de Spaanse Rijschool. De keukenvertrekken zijn nauwkeurig nagebouwd naar Engels voorbeeld, waarbij het kookgedeelte is gescheiden van de uitgebreide

banketkeuken. Beide delen zijn uitgerust met de nieuwste voorzieningen uit die tijd, zoals raamventilatoren, twee maaltijdliften en stromend water.

Prachtige tuinen

De terreinen en tuinen rond het kasteel zijn rijkelijk versierd en zeer groot. Het chateau wordt aan drie kanten omgeven door de Lage Tuin, die een vijver en een fontein bevat met eromheen een grote hoeveelheid exotische en inheemse boomsoorten. Ook is er een wintertuin en een ruiterzaal, waar sinds 1956 de exposities van de Zuid-Boheemse galerie plaatsvinden. Ten noorden van het chateau gaat het park over in het landschap, met een netwerk van slingerende paden en prachtige vergezichten over het omliggende platteland.

Poolse gotische glorie

*Het kasteel bij **Malbork** is een hoogtepunt uit de Poolse gotische architectuur.*

Kasteel Malbork was in de 14e en 15e eeuw het grootste kasteel ter wereld en is nog altijd het grootste bakstenen gotische kasteel ter wereld en een van de belangrijkste culturele en historische plekken in Polen. Toch begint de geschiedenis van kasteel Malbork niet in Polen, maar in het Heilige Land, met de kruisvaart van Teutoonse ridders. De Orde van de Teutoonse ridders werd tijdens de Derde Kruisvaart (1189–1192) in Palestina opgericht en was actief in het Midden-Oosten totdat het christelijke bolwerk Acra in 1191 door de moslims werd ingenomen. De Teutoonse ridders moesten dan ook op zoek naar een nieuwe kruistocht, en vonden die in Oost-Europa. De Poolse prins Konrad vroeg de Orde om hulp bij het bekeren van de Pruisische heidenen, dus trokken ze naar Pruisen.

Bekeringen en kastelen

Het land van de Pruisen lag vlak ten noorden van het Poolse territorium. De Polen waren al sinds de 10e eeuw christenen, maar hun noorderburen hadden die overgang nog niet gemaakt en hielden zich nog vast aan hun heidense overtuigingen, tot grote consternatie van de Poolse heersers en de roomskatholieke kerk. De Teutoonse ridders, die te hulp waren geroepen voor een gedwongen bekering, vestigden zich in 1230 aan de grens van het Poolse territorium en begonnen aan de bouw van hun hoofdkwartier.

Het kasteel en het stadje eromheen heetten oorspronkelijk Marienburg, Duits voor Maria's kasteel, maar in 1945 veranderde dat in Malbork. De bescheiden oorspronkelijke constructie, aan de oever van de Nogat, vlakbij de Oostzee, bestond uit een rechthoekig gebouw met een slaapzaal, kapel, kapittelzaal en een binnenplaats, omgeven door een buitenmuur. In 1309 benoemde Grootmeester Hermann von Salza kasteel Malbork tot hoofdkwartier van de Orde, waarna de plaats groeide en de latere koninklijke constructie duidde op het prestige van het kasteel.

Kasteel van epische omvang

In de daarop volgende veertig jaar vonden er renovaties plaats, waarna er een goed doordachte verdedigingsstructuur stond. Het kasteel was compleet met kerkers, slotgrachten, ophaalbruggen, torens en verdedigingsmuren en had zich uitgebreid tot een complex van drie delen, het Hoge Kasteel, het Middenkasteel en de Buitenste Poort, waarin het wapentuig en andere diensten waren ondergebracht. Door het gebrek aan steen in deze streek was het kasteel volledig in baksteen opgetrokken. Het diende als model voor diverse Teutoonse kastelen in heel Noordoost-Europa en wordt nog altijd beschouwd als een van de belangrijkste voorbeelden van bakstenen gotische architectuur in Europa.

Het klooster uit het oorspronkelijke bouwwerk was het Hoge Kasteel geworden, dat in vierkante formatie rond een elegante binnenplaats was gebouwd, met fraaie bogen eromheen. Naast het Hoge Kasteel staat de Kerk van de Heilige Maagd, die wordt betreden via een fraaie gotische deur, de Gouden Poort genoemd.

Het Middenkasteel is gebouwd in de vorm van een grote U en ligt nabij de hoofdpoort. Hier bevindt zich de mooiste zaal van het hele complex, de Grote Refter. De refter wordt ondersteund door drie zuilen en heeft geribbelde waaierplafonds, die de ruimte een architectonisch uiterlijk geeft dat zo kenmerkend is voor de gotische stijl. De Grote Refter was een van de grootste eetzalen in Europa en was maar liefst 30 meter lang en 15 meter breed.

In het Middenkasteel, richting de rivier, staat het Grootmeesterpaleis, waar zich de woonvertrekken bevonden. Op de bovenste verdieping van het paleis ligt de fraaie Zomerrefter, die dienst deed als eetzaal. De hele zaal is dubbel zo hoog als andere verdiepingen en wordt ondersteund door een enkele zuil. Door de grote lichtinval en de slanke gewelven heeft het paleis een hemels aura van licht en ruimte, uniek in de middeleeuwse architectuur. Rond het gehele gebouw liggen drie ringen van verdedigingsmuren. Het gebouw staat op 21 hectare grond en is daarmee de grootste vesting uit de middeleeuwen.

Verwoesten en herbouwen

De Poolse kroon nam kasteel Malbork in 1457 in tijdens de Dertienjarige Oorlog (1454–1466), waarna het 300 jaar Pools bezit bleef. Het kasteel liep in diverse oorlogen weliswaar enige schade op, maar bleef grotendeels intact totdat de Pruisen in 1772 aan de macht kwamen. Het Pruisische leger verbouwde het kasteel tot kazernes en richtte in de daarop volgende decennia veel schade aan.

Gelukkig ontstond er begin 19e eeuw onder historici en monumentenbeschermers interesse in het kasteel, dat in 1804 tot historisch monument werd uitgeroepen. De renovatie duurde van 1815 tot 1939 en werd met grote achting voor het oorspronkelijke ontwerp uitgevoerd. Het kasteel raakte tijdens de Tweede Wereldoorlog beschadigd, maar wederom werd er veel moeite gedaan om het in oude glorie te herstellen.

• **UNESCO Werelderfgoed**

Bereikbaarheid

Per trein bent u vanuit Gdansk in 40 minuten bij kasteel Malbork. Vervolgens is het 10 minuten lopen naar het kasteel.

Beste seizoen

Elk jaar vindt er in kasteel Malbork een openluchtfestival plaats, 'Het beleg van Malbork', een middeleeuws feest van een week waarop het beleg van het kasteel door het Pools-Litouwse leger in 1410 wordt herdacht.

Tip

Onder de westelijke muur van het kasteel staat een leuk restaurant waar heerlijke plaatselijke gerechten worden geserveerd.

Weetje

Kasteel Malbork is het grootste gotische bakstenen kasteel in Europa.

Het unieke kasteel Malbork staat op de oever van de rivier Nogat en is volledig uit rode baksteen opgetrokken (voorgaande bladzijde). Kasteel Malbork was van 1309-1457 het hoofdkwartier van Teutoonse ridders.

Huis van Frederikaanse rococo

*Frederik de Grote noemde zijn zomerpaleis **Sanssouci**, een plek waar hij 'zonder zorgen' aan de eisen van het koningschap kon ontkomen.*

• **UNESCO Werelderfgoed**

Bereikbaarheid

Potsdam is per trein in 25 minuten vanuit Berlijn te bereiken; de busrit naar Sanssouci duurt een kwartier.

Beste seizoen

De tuinen liggen er in begin zomer het mooist bij, maar in de herfst is het minder druk.

Tip

Toegangskaartjes zijn alleen bij het kasteel zelf te koop. Probeer voor 12 uur een kaartje te kopen, anders zijn ze uitverkocht.

Een van de grote tactische genieën aller tijden, Frederik de Grote (1740–1786) was als koning van Pruisen voornamelijk in oorlogen verwikkeld. Hij moest strijden om zijn territoria bijeen te houden en wilde bovendien Silezië inlijven en delen van Polen opdelen. Frederik, die erom bekend stond dat hij zijn troepen zelf aanvoerde, was tevens een verlichte vorst met respect voor religieuze vrijheid en een belangrijk mecenas. Sanssouci, zijn rococopaleis nabij Potsdam, werd gebouwd om deze twee facetten van de beroemdste Pruisische koning met elkaar te verenigen: het was bedoeld als toevluchtsoord van zijn rol als krijgsheer en als plek waar hij zich kon overgeven aan zijn zachtere kant.

Uniek intiem paleis

Sanssouci telt slechts één verdieping en is een reeks van tien omsloten vertrekken. Het paleis is een ontwerp van Frederik zelf en de unieke indeling benadrukt de directe, intieme toegang. Er zijn geen trappen en ook geen apart bediendenverblijf, waardoor Sanssouci een opmerkelijke hechtheid vertoonde. Sanssouci is gebouwd in een frivole rococostijl en is een lang gebouw, geflankeerd door twee vleugels en tot slot een elegante koepel. De ramen aan de kant van de wijngaarden en tuinen aan de zuidkant worden ondersteund door kariatiden en Atlasbeelden, terwijl de noordkant een starre gevel heeft gekregen. Korinthische zuilen vormen een halfcirkelvormige cour d'honneur met daarboven de indrukwekkende balustrade die is versierd met vazen.

Het interieur van Sanssouci is tevens een afspiegeling van Frederiks intieme ideaal. Elke kamer bestond uit een reeks apartements doubles, met een hoofdkamer die via een deur met de bediendenkamer was

verbonden. Frederik was nauw betrokken bij de inrichting van deze vertrekken en paste zijn eigen voorkeuren toe. Uit deze persoonlijke experimenten stamt de term 'Frederikaans rococo'. De slaapvertrekken strekken zich aan weerszijden van de hoofdingang uit. De Toegangszaal en de Marmerzaal vormen het hart van Sanssouci, maar in Frederiks tijd bevatte het paleis een indrukwekkende bibliotheek van ruim 2100 boeken. Voltaire was een goede vriend van Frederik en bezocht hem vaak, want op Sanssouci had men zowel kennis als elegantie hoog in het vaandel staan.

De kunst van de natuur

Sanssouci werd gebouwd tussen 1745 en 1747 en weerspiegelt Frederiks inzichten over de relatie tussen mens en natuur. Het paleis en de tuinen liggen boven aan een in terrasvorm aangelegde wijngaard en moeten de verbondenheid tussen mens en natuur aantonen. Het paleis biedt een weids uitzicht op de wijngaarden en de barokke tuin. De parterre van de tuin en de vele beelden en fonteinen zijn verwijzingen naar de grote tuinen van Versailles. De tuin is praktisch en ornamenteel en weerspiegelt Frederiks idee dat kunst en natuur moeten worden verenigd.

Het grote park ligt vlak achter de barokke tuin en ook hier worden nut en schoonheid gecombineerd. Er zijn ruim 3000 fruitbomen en de moestuinen hebben in het park de plaats van de decoratieve bloembedden ingenomen. Verspreid in het park staan grotten en bouwwerkjes, inclusief een portretgalerij. Net als het paleis is deze galerij lang en laag, met een koepel erop. Het is een van de oudste oorspronkelijke kunstmusea in Duitsland.

Terugkeer van de koning

Na de dood van Frederik verdween ook de geest waarmee hij zijn persoonlijke paleis had doortrokken. Latere vorsten hadden een andere benadering. Frederiks opvolger, Frederik Wilhelm II (1786–1797) liet de interieurs in neo-classicistische stijl herinrichten. Al snel vervingen strakke lijnen de golvende krullen van de door Frederik zo geliefde rococo. Sanssouci bleef gelukkig tijdens de Tweede Wereldoorlog gespaard en werd daarna een belangrijke toeristische trekpleister in Oost-Duitsland.

Na de Duitse hereniging ging het paleis open voor de rest van Duitsland en de wereld. Na 200 jaar ging de wens die Frederik de Grote op zijn sterfbed had geuit, in vervulling: zijn lichaam werd in 1990 bij zijn geliefde paleis begraven, in een tombe met uitzicht op de mooie tuinen die hij zo liefdevol had aangelegd.

De enkele verdieping van Sanssouci strekt zich elegant boven de wijngaarden van Frederik de Grote uit. Ze waren het middelpunt van het landgoed en Frederik noemde zijn paleis vaak Mein Weinburghauschen (mijn wijngaardje); hij vermengde met opzet functionaliteit en versiering (boven). Frederik had grote belangstelling voor het toepassen van kunst en architectuur uit de rococo in Sanssouci, hetgeen de naam 'Frederikaanse rococo' opleverde; de schilderijengalerij werd in dezelfde elegante stijl gebouwd en versierd (inzet). Het Chinese huis, een sierbouwwerk in het grote park rond Sanssouci. Het paviljoen is een voorbeeld van de Chinese stijl, een mengsel van oriëntaalse en rococo-achtige elementen (onder).

Spirituele hart van Duitsland

***Kasteel Wartburg** is de woonplaats van een heilige.*

• **UNESCO Werelderfgoed**

Bereikbaarheid

Vanuit Frankfurt duurt de reis naar Wartburg 2 uur; het kasteel ligt op een heuvel vlak buiten Eisenach. Via een korte busrit of een wandeling van 30 minuten bereikt u het kasteel.

Beste seizoen

Gehele jaar. Wartburg is in alle seizoenen mooi en de plechtstatigheid is voelbaar, ongeacht warmte, kou of drukte.

Andere bezienswaardigheden

Eisenach is nauw verbonden met Maarten Luther en is een belangrijke historische plaats, die de moeite van het verkennen waard is.

Vanaf zijn hoge plek in Thüringen lijkt kasteel Wartburg de gehele Duitse geschiedenis in zich op te nemen. Wartburg is een van de belangrijkste kastelen van het land en werd in 1067 door Ludwig der Springer gebouwd.

Het oudste gedeelte, het Palast (Grote Zaal) draagt nog altijd de onmiskenbare Romaanse architectuur die in de jaren van zijn bouw overheerste. Als zetel van de Thüringse landgraven (graven in het Heilige Roomse Rijk) was het middeleeuwse Wartburg een belangrijk centrum van politieke macht in de streek. Het werd echter al snel een cultureel en religieus centrum, dankzij enkele bekende en mythische Duitse personages.

Zangers en heiligen

In 1207 vond in Wartburg de Sängerkrieg of minstreelwedstrijd plaats. Hoewel er over de historische juistheid wordt gediscussieerd, bracht deze wedstrijd blijkbaar enkele grote minstreels bijeen voor een talentenjacht. Poëtische verslagen van de wedstrijd vormen een belangrijk onderdeel van de Middelhoogduitse literatuur. De wedstrijd vormde bovendien de basis voor de opera Tannhäuser van Richard Wagner.

Dit portret van Maarten Luther, vermomd als landsheer Junker Jörg, is door Lucas Cranach geschilderd en hangt nu in de Lutherstube in Wartburg.

Vlak na de veronderstelde Sängerkrieg kwam een van de beroemdste bezoekers aan in Wartburg. In 1211 werd de vierjarige heilige Elisabeth van Hongarije naar Wartburg gestuurd als toekomstige bruid van Ludwig IV, landgraaf van Thüringen (1217–1227). Elisabeth was op haar veertiende getrouwd, op haar 20e weduwe en op haar 24e overleden. Haar korte leven wijdde ze aan de leer van Franciscus van Assisi. Ze leidde een leven van liefdadigheid en aalmoezen uitdelen en liet bovendien een ziekenhuis bouwen, dat ze dagelijks bezocht. Na haar vroege dood werden er wonderbaarlijke genezingen gemeld bij haar graf. Ze wordt echter vooral geassocieerd met Wartburg en het kasteel is een bedevaartsoord.

Onderdak aan een ketter

In de lente van 1521 was de uit de katholieke kerk gezette en gevluchte Maarten Luther wanhopig op zoek naar een toevluchtsoord. Onder de naam Junker Jörg (ridder Joris) vond Luther een onderdak binnen de dikke muren van Wartburg. Tijdens zijn verblijf van een jaar voltooide Luther een van zijn belangrijkste levenswerken: hij vertaalde de bijbel uit het Grieks naar het Duits, de eerste moderne vertaling van het boek. Dit monumentale werk werd in een kamertje in de baljuwloge voltooid.

In de eenvoudige kamer stonden alleen een schrijftafel en een stoofje. De kamer is geopend voor het publiek en is ingericht als de oorspronkelijke Lutherstube (Lutherkamer), want de oorspronkelijke meubels zijn niet bewaard gebleven. Het opvallendst is het grote gat in een van de muren. Volgens de overlevering zat daar ooit een grote inktvlek, een overblijfsel van Luthers gevecht met de duivel. Souvenirjagers hebben de oorspronkelijk inkt afgekrabd.

Eclectische architectuur

De lange geschiedenis van Wartenburg is aan het gebouw zelf af te lezen. Het kasteel is herhaaldelijk gerenoveerd en heringericht en bevat nu elementen uit alle belangrijke Duitse architectuurstijlen. De smalle toegang tot het kasteel strekt zich uit langs een heuveltop en leidt tot een grotere binnenplaats. De kasteelpoort is het oudste deel van het complex en is door de eeuwen heen onveranderd gebleven.

De kolossale eikenhouten deur bevat het 'oog van de naald', een kleinere poort die de bron zou zijn van Luthers beroemde citaat. Het gebouw in het midden van het kasteel is het Palast, waar de landgraven aangenaam en stijlvol leefden. Het Palast, uit de 12e eeuw, bevat de Sängersaal (Zangerzaal) en Fest-

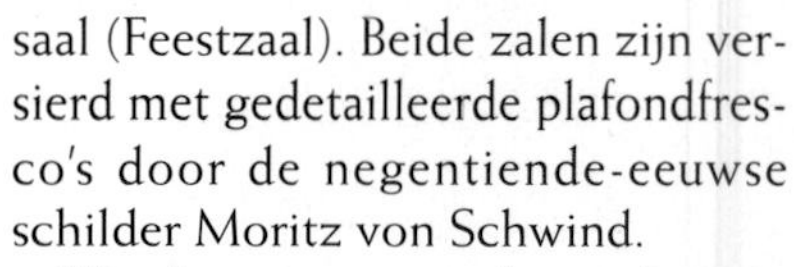

saal (Feestzaal). Beide zalen zijn versierd met gedetailleerde plafondfresco's door de negentiende-eeuwse schilder Moritz von Schwind.

Wartburgs structurele evolutie is duidelijk te zien aan de bouw van de twee torens. De Zuidtoren ligt aan de achterkant van het complex en is de oudste toren, gebouwd in 1318. Ooit bevond zich daar de kerker. De donjon, de hoogste toren van Wartburg, werd echter pas in 1859 voltooid, boven op een middeleeuwse voorganger; er bovenop staat een 4 meter hoog Latijns kruis.

Het feit dat er nog tot in de 19e eeuw bouwwerken werden toegevoegd, laat zien hoe belangrijk het kasteel altijd was. In 1817 vond hier het eerste Wartburg Festival plaats. Dit belangrijke evenement stuwde de roep om Duitse eenwording. Als symbool van de Duitse geschiedenis is Wartburg ongeëvenaard; als bouwwerk draagt het kasteel de tekenen van de voorbije eeuwen. De echo's van Wartburgs heuglijke verleden zitten vast in de stenen.

Wartburg is verbluffend goed bewaard gebleven en bevat elementen uit alle belangrijke Duitse architectuurstijlen: romaans, gotisch, renaissancistisch en zelfs negentiende-eeuws historicisme (boven). De Lutherstube in de baljuwloge in Wartburg. In nog geen tien maanden tijd vertaalde Luther de bijbel uit het Oudgrieks naar het Duits. Het blootgelegde metselwerk naast de schrijftafel geeft de plek aan waar Luther zijn inktpot naar de duivel zou hebben gegooid; souvenirjagers hebben sindsdien het pleisterwerk afgekrabd.

Bereikbaarheid

De treinreis van Trier naar Cochem duurt een uur. Om van Cochem naar het kasteel Eltz te komen, is een auto aan te bevelen, hoewel er ook meerdere wandelpaden door de bossen van Eltz naar het kasteel voeren.

Beste seizoen

Voorjaar, zomer of najaar; het kasteel is gesloten van november tot maart.

Imposant erfstuk

*Het voortreffelijk onderhouden **Kasteel Eltz** dankt zijn staat aan de familie die het nog steeds als haar thuis beschouwt.*

Zelfs zonder kennis over zijn verbazingwekkende geschiedenis is Kasteel Eltz indrukwekkend. De torens van het op een 70 meter hoge rotsuitloper gebouwde kasteel torenen uit boven de boomtoppen van de Moezelvallei. Het wordt aan drie zijden omgeven door de rivier de Elzbach, een zijtak van de grotere Moezel, en was dan ook een onmisbare halte op de handelsroute die al in de Romeinse tijd belangrijk was. De familie Eltz, de eigenaren, worden voor het eerst genoemd in een document dat dateert uit 1157 waarin een schenking aan keizer Frederik I van Barbarossa (1155-1190) wordt gemeld. Rudolf zu Eltz was een van de ondertekenaars van de akte. Rudolfs bescheiden huis aan de Elzbach vormde het fundament voor een grootse burg (kasteel) die, ongelooflijk maar waar, maar liefst drieëndertig generaties lang in zijn familie bleef.

Een middeleeuws condominium

In weerwil van onze moderne fantasieën, waren middeleeuwse kastelen niet betoverend. De middeleeuwse wereld was hard, vies en gevaarlijk en dwong mensen die buiten de stad woonden de nodige voorzorgsmaatregelen te treffen tegen aanvallers, invallende legers en de elementen. De burg van Rudolf zu Eltz, ook wel bekend als Platt-Eltz, was zo'n bouwwerk. Platt-Eltz, een laatromaanse donjon, wordt gekenmerkt door dikke muren en een symmetrisch ontwerp. Tegenwoordig vormt het maar een klein deel van het kasteel. In 1268, drie generaties na Rudolf, verdeelden de drie Eltz-broeders het kasteel en het domein om een Ganerbenburg te vormen (een kasteel van mede-erfgenamen). Het was een oplossing voor een probleem dat vaker voorkwam in het middeleeuwse Duitsland.

Vanwege het landverdelingbeleid kregen edelen schrale stukken land of afzonderlijke dorpen en waren daarom niet rijk genoeg om zich een eigen kasteel te veroorloven. De gebroeders Eltz legden hun kapitaal bij elkaar en slaagden er zo in om de rijkdom in de familie te houden en een indrukwekkend machtsvertoon aan de buitenwereld af te geven.

De drie broers bouwden ieder een aparte vleugel om hun gezin en personeel te herbergen, maar de zakelijke aspecten van het landgoed vormden een gezamenlijke verantwoordelijkheid. De resulterende Ganerbengemeinschaft (vereniging van mede-erfgenamen) vertoont een zekere gelijkenis met het moderne leven in een condominium of flat met appartementen; een waterbron was voor gemeenschappelijk gebruik, en besluiten over het onderhoud van het complex werden gezamenlijk genomen.

Drie gezinnen, drie daken

De woningen van de drie gezinnen lagen om een centrale binnenplaats en vorderden langzaam. De eerste woning, het Rübenach Huis, werd in 1472 voltooid. Het is gebouwd in gotische stijl en bevat een schitterende Beneden Hal, rijk versierde slaapvertrekken en een kapel op de begane grond. Een erker laat zonlicht binnen in de kapel, een van de hoogtepunten van het kasteel. De bouw van het Rodendorf Huis duurde van 1490 tot 1540. De gevel onderscheidt zich door een gewelfd portiek ondersteund door zuilen.

De laatste woning in het kasteel bestaat uit een reeks gebouwen die bekendstaan als de Kempenich huizen. Evenals de andere gebouwen in het complex, worden de Kempenich huizen gekenmerkt door houten raamwerken. De bouw van deze gebouwen duurde ook weer vijftig jaar (1604-1661). Er zijn gotische en barokke elementen in terug te vinden, zoals decoratieve familiewapens van gele zandsteen.

In totaal is de bouw van Eltz verspreid over 500 jaar, en het bouwwerk vertoont dan ook veel elementen van de belangrijkste architectonische en artistieke bewegingen. Het kasteel vormde met de honderd leden van de familie Eltz en hun bedienden een van de meest bruisende familiewoningen ooit. Het was ook een van de meeste innovatieve: de meeste kamers waren verwarmd, en vele waren voorzien van een toilet dat beschikte over een ware noviteit, een automatisch doorspoelsysteem.

De charmes van een vallei

Kasteel Eltz vormt een van de hoogtepunten in een gebied vol verborgen verrukkingen. De Moezelvallei heeft naam om zijn bijzondere middeleeuwse dorpen, loofboombossen en idyllische kastelen. De belangrijkste stad in de vallei, Cochem, staat bekend om zijn wijngaarden, wijnfestivals en charme.

De stad, die aan de voet ligt van zijn eigen kasteel op de heuvel, is de beste plaats om een bezoek aan de vallei te beginnen. Hoewel het kasteel van Cochem er op het eerste gezicht indrukwekkend uitziet, verbleekt het van dichtbij in vergelijking tot kasteel Eltz.

Veel Duitse kastelen werden door de Fransen verwoest tijdens de verwoestende Dertigjarige Oorlog (1618-1648), maar dankzij handige diplomatie, bleef kasteel Eltz ongeschonden. Het resultaat is een van de mooist bewaarde middeleeuwse kastelen in Duitsland. Het wordt nog steeds bewoond door een telg uit de familie, gravin Eltz, en ligt in een van de meeste geliefde streken van Duitsland. Het kasteel Eltz is een monument van de levende geschiedenis dat een bezoek meer dan waard is.

Het Kasteel Eltz werd gedurende eeuwen gebouwd. Het unieke ontwerp dankt het aan zijn bewoning door meerdere gezinnen, een zogenaamde Ganerbenburg. Het is permanent, al 800 jaar, bewoond gebleven door dezelfde familie en is daardoor een voortreffelijk bewaard gebleven voorbeeld van romaanse en gotische architectuur (voorgaande bladzijde). De stad Cochem vormt een perfecte toegangspoort tot de wonderen van de Moezelvallei. De stad strekt zich uit langs de Moezel en heeft een breed scala aan restaurants, bed & breakfasts en wijnhuizen te bieden. Het kasteel ligt weliswaar prachtig, maar is niet te vergelijken met het indrukwekkende Kasteel Eltz dat op een halve dag reizen ligt (onder).

Kunstzinnig hart van Dresden

*Het **Zwinger Paleis** is een barok wonder.*

Bereikbaarheid

De afstand tussen Dresden en Berlijn is 194 kilometer. Alle treinen van de Deutsche Bahn rijden ernaartoe. Het Zwinger Paleis is goed bereikbaar te voet.

Beste seizoen

Late voorjaar of vroege zomer.

Aanrader

De kerk van Onze-Lieve-Vrouwe in Dresden is een van de belangrijkste barokkerken van Europa. Net als een groot gedeelte van Dresden, werd hij nagenoeg volledig verwoest in de Tweede Wereldoorlog, maar is sindsdien prachtig herbouwd.

In de 17e eeuw werd het Paleis van Versailles benijd door de Europese vorsten en werden er veel pogingen ondernomen het te overtreffen. Over het hele continent gelastten koningen en keizers de bouw van paleizen die het spectaculaire bolwerk van Lodewijk XIV naar de kroon moesten steken. Ondanks zijn liefde voor brute kracht- hij had de reputatie met zijn blote handen hoefijzers te breken- was August de Sterke (1694-1733), de keurvorst van Saksen en de uiteindelijke koning van Polen, ook een liefhebber van de kunsten- en een jaloerse bewonderaar van Versailles. Na terugkeer van een rondreis door Frankrijk en Italië, besloot August zijn eigen versie van Versailles te bouwen in Dresden, een stad die hij had ontwikkeld tot een groot centrum van cultuur en kunst.

Oude vesting nieuw paleis

August liet zijn meesterwerk bouwen op de ruïne van een oudere vesting en hield de buitenmuur van het oorspronkelijke bouwwerk in stand. De naam van het paleis, Zwinger, komt van een Duits woord dat de buitenmuur van een samengesteld kasteel betekent. Het oorspronkelijke bouwplan van August werd tussen 1710 en 1728 ontwikkeld en uitgevoerd door de architect Matthäeus Pöpplemann. Het paleis bestond uit een reeks grote paviljoenen die met elkaar verbonden waren door zuilengalerijen. Het werd verfraaid met elegante beelden van Balthasar Permoser die het beroemde Wallpavillion versierde met levensechte standbeelden van Griekse goden en godinnen en de beroemde Nymhaeum fontein vulde met subtiele visioenen van dolfijnen en nimfen. Hoewel Pöppleman oorspronkelijk van plan was het complex uit te breiden tot aan de Elbe, lag een zijde van het kasteel open, toen het in 1728 werd opengesteld voor het publiek. In tegenstelling tot Versailles was het paleis Zwinger nooit bedoeld als residentie voor de koninklijke familie of voor hoffunctionarissen. August had het altijd bedoeld als een centrum voor kunst en onderwijs, als een deel van zijn culturele programma. De schitterende barokke zuilengalerijen waren bestemd om er beeldende kunst, porselein en boeken in onder te brengen.

De creatie van een museum

De werkzaamheden aan het Zwinger eindigden met het overlijden van August in 1733; het paleis lag er bijna honderd jaar gedeeltelijk voltooid bij. In 1847 werd de bouw hervat onder leiding van de wereldberoemde architect Gottfried Semper. Hij bouwde een van de belangrijkste paviljoenen van het complex, de Semper Galerij, waarmee de binnenplaats werd afgesloten. De zuilengalerij die zich uitstrekt aan een zijde van de binnenplaats, verrees in neoclassicistische stijl; er prijken standbeelden die zijn geïnspireerd op zowel Grieks-Romeinse als op christelijke thema's. De kunstcollectie van dit paviljoen is een van de belangrijkste in het hele complex.

Overleving in de 20e eeuw

Het huidige Zwinger, een van 's werelds grootste barokke gebouwen, is niet het oorspronkelijke bouwwerk, maar een zorgvuldige reconstructie. In februari 1945 werden er twee dagen lang bomtapijten uitgeworpen over Dresden, en het Zwinger was nagenoeg volledig verwoest. Hoewel de kunstwerken waren verwijderd, was het verlies van zo'n monumentaal voorbeeld van de barokarchitectuur een zware slag voor Dresden. Gelukkig werd het paleis niet met de grond gelijk gemaakt om het weer op te bouwen in de sociaal-realistische stijl die in naoorlogs Oost-Duitsland zo in zwang was. Vandaag is het Zwinger Paleis een schitterende getuigenis van de veerkracht van een stad en een van de indrukwekkendste paleizen in Duitsland.

Het indrukwekkende binnenhof van het Zwinger Paleis werd ooit gebruikt voor toernooien en andere festiviteiten aan het hof, waaronder de bruiloft van August, zoon van Augustus Frederik, met Maria Josepha in 1719.

Een van de indrukwekkendste paviljoenen van het Zwinger Paleis is het Wallpavillion waarop een standbeeld van Hercules prijkt en dat is verfraaid met een reeks standbeelden door de Duitse beeldhouwer en belangrijke medewerker aan het paleis, Balthasar Permoser (boven). Het Glockenspiel Pavillion, ook bekend onder de naam Klokkenpaviljoen, beschikt over een carillon gemaakt van porseleinen klokken uit Meissen.

• **UNESCO Werelderfgoed**

Bereikbaarheid

Van Keulen en Bonn rijden treinen naar het station van Brühl. Het paleis ligt op loopafstand van het station.

Beste seizoen

De tuin is op zijn best in de vroege zomer.

Aanrader

De Dom van Keulen, 18 kilometer ten noorden van Brühl. De bouw van het meesterwerk duurde 500 jaar.

Verblijf voor de aartsbisschop

*Het slot **Augustusburg en het slot Falkenlust** tonen de pracht en praal die beschikbaar waren voor goedbedeelde lieden.*

Clemens August was geen gewone aartsbisschop. Van 1723 tot aan zijn dood in 1761 was de Duitse adelman ook keurvorst; als lid van het prestigieuze college van het Heilige Romeinse Rijk, was hij gemachtigd de keizers te kiezen. Tijdens zijn leven was August de machtigste man na de koning of de keizer zelf. Omdat hij een zeer invloedrijke man was, moesten zijn verblijfplaatsen zowel zijn enorme rijkdom als zijn macht uitstralen.

Met dat doel voor ogen gelastte Clemens August in 1725 de bouw van zijn magnifieke rococopaleis Augustusburg in Brühl, de historische woonplaats van de aartsbisschoppen van Keulen. Het hoofdgebouw werd in drie jaar tijd voltooid en verrees op de ruïne van een ouder kasteel. De snelheid van de beginwerkzaamheden betekende niet dat Augustusburg klaar kwam. De broer van August, Karl Albrecht, die ook keurvorst was, besloot dat hij een zomerresidentie wilde, niet een simpel landkasteel.

De oorspronkelijke architect werd ontslagen en de meesterbouwer François Cuvilliés nam het over. Het nieuwe en verbeterde slot Augustusburg, compleet met uitgestrekte Franse baroktuinen, werd veertig jaar later onthuld.

Na de komst van Cuvilliés groeide slot Augustusburg zowel in grootte als in pracht. Drie vleugels vormen de grens van een indrukwekkend cour d'honneur (driezijdig binnenhof). Cuvilliés ontwierp zowel het sierlijke exterieur als de weelderige interieurs van het slot in de vroege-rococostijl. Krullende lijnen en verfijnde patronen domineren in de stucversieringen en het meubilair.

Het hoogtepunt van het interieur is het trappenhuis, van 1740 tot 1746 ontworpen door Balthasar Neumann. Het trappenhuis wordt beschouwd als het pronkstuk van de Duitse barok. De fantastische staatsietrap met gietijzeren trapleuningen leidt als een elegant opgestoken kapsel naar een overloop. Erboven dartelt een overvloed aan pastelkleurige engelen in de fresco's van Carlo Carlone.

Een intiem jachtslot

August was een hartstochtelijke jager en baseerde de keus voor de locatie van Augustusburg op de uitstekende jachtgronden. Toen het hoofdpaleis groter werd, gaf Clemens opnieuw Cuvilliés opdracht tot de bouw van een intiemer slot vanwaar Clemens en zijn gasten hun valken konden zien duiken en jagen. Op de twee verdiepingen bevinden zich slaapvertrekken, salons en antichambres in een menselijker maat dan in dat van zijn ontzagwekkende broederslot Augustusburg. Falkenlust was niet alleen een jachtslot, maar ook het toneel van talloze politieke discussies op hoog niveau, een rol die het behield in de 20e eeuw.

Baroktuin vol verrukkingen

Net als veel achttiende-eeuwse landgoederen, werd Augustusburg ontworpen als geheel. De wisselwerking tussen het paleis en de tuinen werd beschouwd als voornaam, en er werden kosten noch moeite gespaard om een landschap te creëren dat het grootse paleis nog beter deed uitkomen. De tuinen van Augustusburg zijn noemenswaard om hun precisie en sierlijkheid. Ze zijn ontworpen door Dominique Girard, een leerling van de beroemde André le Nôtre. Een brede centrale as loopt van de uitgebreide parterre de broderie over de grens van het domein naar het omliggende land. Langs de lanen staan lindebomen, en een vijver bakent het einde van de parterre af.

De tuin en de bossen werden in de 19e eeuw gerenoveerd door Peter Joseph Lenné die een Engels landschappark creëerde in de bossen dat naar Falkenlust leidde. De tuin en het domein bieden de bezoekers net zo veel rust en ontspanning als in de rijke en machtige tijd van Clemens. Evenals veel kastelen in Duitsland, werd Augustusburg in de Tweede Wereldoorlog hevig beschadigd. Er werden snel uitgebreide restauraties ondernomen en tot in 1994 deed het paleis dienst in een hoedanigheid die Clemens zelf zou hebben erkend: als receptiehal voor belangrijke staatsgasten. Het paleis is nu opengesteld voor het publiek en behoudt zijn waardige uitstraling van rustige macht.

De hoofdgevel van Augustusburg is een illustratie van de Duitse rococostijl. Het slot en het domein, statig en sereen, worden beschouwd als een van de mooiste voorbeelden van een 'gesamtkunstwerk' (boven).
De bovenkant van het befaamde trappenhuis van Balthasar Neumann. De treden, die twee verdiepingen omhoog voeren, lijken te leiden naar de schitterende fresco's op het plafond (voorgaande bladzijde, inzet).
Falkenlust, bedoeld als jachtslot, heeft in de loop der jaren veel belangrijke gasten mogen ontvangen, onder wie de jonge Mozart die tijdens een bezoek in 1763 de goed ingerichte kabinetten bewonderde.

Ambachtelijk paradijs in München

***Slot Nymphenburg** heeft in de loop van drie eeuwen veel kunstenaars aangetrokken.*

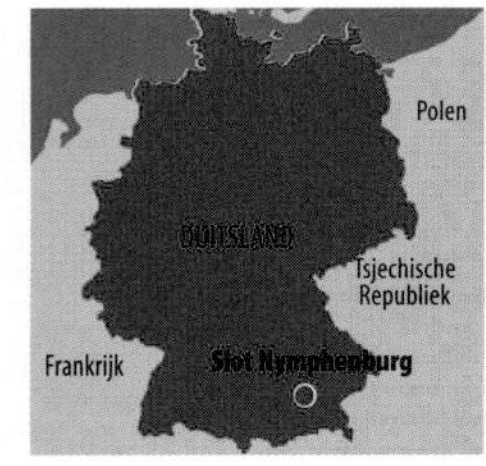

Bereikbaarheid

Slot Nymphenburg ligt iets ten westen van München en is goed bereikbaar met de tram of de bus.

Beste seizoen

Late voorjaar of vroege zomer om het uitgestrekte domein in al zijn schoonheid te kunnen zien.

Aanrader

Het ruime park rondom het slot biedt plaats aan een aantal wereldvreemde en verrukkelijke paviljoenen naast Amalienburg.

Het gezegde 'met een zilveren lepel in de mond geboren zijn' wordt naar een geheel nieuw niveau getild door slot Nymphenburg, een van de indrukwekkendste kastelen in Duitsland. Het slot werd in 1664 gebouwd door de prins-keurvorst Ferdinand Maria (1651-1679) en zijn echtgenote Henrietta Adelaide om de geboorte te vieren van hun langverwachte erfgenaam, Maximiliaan II Emanuel. Slot Nymphenburg is een van de indrukwekkendste geboortegeschenken uit de geschiedenis. De eerste residentie werd voltooid in 1679. Het oorspronkelijke paviljoen, een elegant simpel bouwwerk, werd omgeven door een kerk, meerdere gebouwen en een kleine geometrische tuin. Het oorspronkelijke slot was indrukwekkend maar bescheiden en lag aan de rand van het zeventiende-eeuwse München. Vandaag zien bezoekers een heel ander paleis. Het enorme gebouw met drie vleugels had een barokke gevel van 700 meter en was ingericht met een ongelooflijk rijke verscheidenheid aan fresco's en stucornamenten. Het ontzagwekkende slot lag te midden van een enorm park (200 hectare) en overweldigt alle bezoekers. Het huidige paleis is een veel opzichtigere aangelegenheid en daarvoor was de prins verantwoordelijk voor wie het was gebouwd: Maximiliaan Emanuel (1679-1726).

Toonaangevende kunstenaars

Maximiliaan Emanuel begon in 1701 zijn geboortegeschenk op te knappen. Hij breidde het kasteel uit met twee paviljoenen die door zuilengalerijen met het oorspronkelijke slot waren verbonden, maar moest zijn bouwproject onderbreken om oorlog te voeren met Spanje. Bij zijn terugkeer naar slot Nymphenburg in 1715, bracht hij een schare Franse en in Frankrijk opgeleide kunstenaars en ambachtslieden mee naar zijn paleis. De beroemde schilder en pleisteraar Johann Zimmermann, landschapsarchitect Dominique Girard, interieurontwerper en architect François de Cuevilliés en architect Joseph Effner droegen allemaal met hun talenten bij aan het nieuwe ontwerp van Nymphenburg. In 1715 maakten Effner en Girard een nieuw plan voor Nymphenburg, waardoor het paviljoen het middelpunt werd van het grote complex.

bloembedden, wandelpaden en heggen.

Een familieaangelegenheid

De zoon van Maximiliaan Emanuel, Karl Albrecht, de latere keizer Karel VII (1742-1745), trad in de voetsporen van zijn vader. Hij was verantwoordelijk voor veel belangrijke uitbreidingen in Nymphenburg. Eerst creëerde hij de grote halve maan van het paleis; hij stelde zich het paleis en de halve maan voor als het middelpunt van Carlstadt (Karelstad), een stad die hij wilde creëren. Karel hield veel van de favoriete kunstenaars van zijn vader aan, onder wie François de Cuvilliés die een aantal paviljoenen in de paleistuinen bouwde.

Porseleinfabriek

Latere vorsten drukten hun eigen stempel op het slot. Maximiliaan III Joseph (1745-1777) breidde de Grote Zaal en de tuinen verder uit en legde de Grande Parterre anders aan. Maar voor zijn dood bracht Joseph een verandering aan die het slot nog unieker maakte dan het al was: hij vestigde de Nymphenburg porseleinfabriek in het complex. De fabriek, die nog steeds in het slot gevestigd is, produceert een van het meest verfijnde porselein ter wereld. Nymphenburg, dat heel lang onderdak bood aan toonaangevende kunstenaars en ambachtslieden, blijft een grote inspiratiebron.

Het park onderging vergelijkbare veranderingen; het werd uitgebreid tot de huidige omvang en aangelegd volgens de Franse esthetiek. De symmetrie werd benadrukt aan de hand van parterres en een grote centrale as; de tuin werd een levendig geheel van verhoogde

Slot Nymphenburg is in elk seizoen elegant en is een van de culturele hoogtepunten en het grootste groene gebied van München (boven). Het Amalienburg Paviljoen dat op het domein van Nymphenburg ligt, heeft een aantal schitterende rococovertrekken, zoals de Spiegelzaal, ontworpen door beroemde kunstenaars als Johann Baptist Zimmermann en Joachim Dietrich.

Sprookjeskastelen van een koning

***Ludwig II**, koning van Beieren, ging failliet door de bouw van zijn karakteristieke paleizen, visioenen uit een sprookje ontsproten aan een onbegrepen fantasievol brein.*

Bereikbaarheid

Neuschwanstein ligt 127 kilometer van München. Neem vanuit München de trein naar Fussen. Van het station rijdt een bus naar Hohenschwangau. Slot Linderhof ligt 98 kilometer van München, neem eerst de trein en daarna een bus; naar Herrenchiemsee duurt de treinreis vanuit München een uur, waarna u een bus neemt of 30 minuten loopt naar het slot.

Beste seizoen

Het vroege voorjaar en het najaar worden aanbevolen; maar slot Neuschwanstein is ook mooi onder een laagje sneeuw.

Tip

Met de speciale 'Königschlösser'-kaartjes, die zes maanden geldig zijn, kunt u op uw gemak de drie de kastelen bezichtigen.

Paleis Linderhof, is het enige kasteel van Ludwig dat voor zijn vroegtijdige dood klaar was. Hij liet een speciaal mechanisme in de eetzaal installeren waarmee de tafel omlaag en omhoog kon worden getakeld vanuit de keuken die er onder lag, gedekt en al, klaar voor de maaltijd (inzet). Hohenschwangau, waar Ludwig zijn jeugd doorbracht, haalt het niet bij Neuschwanstein. Er wordt beweerd dat een van de redenen voor Ludwigs obsessie voor kastelen, schuilt in zijn afkeer voor het slot waarin hij in zijn jeugd woonde (uiterst links). Het majestueuze slot Neuschwanstein is het toppunt van Ludwigs buitensporige kastelenproject. Het huidige Neuschwanstein, dat velen kennen als het model voor het Walt Disney-kasteel van Doornroosje, is een eigenaardige combinatie van anachronistische en negentiende-eeuwse materiële genietingen (volgende bladzijde).

De excentrieke, maar geliefde koning Ludwig II- Lodewijk II, koning van Beieren- (1864-1886) is een van de meest intrigerende figuren uit de geschiedenis. De beruchtste vorst van Beieren, die veel bijnamen had- Zwanenkoning, Sprookjeskoning en Gekke Koning Ludwig- leidde een teruggetrokken leven, maar bouwde niettemin de grootste en duurzaamste iconen van het land. Ludwig bracht een groot deel van zijn jeugd door in het extravagante slot dat zijn vader Maximiliaan had gebouwd: Hohenschwangau aan de oevers van de Schwansee (Zwanenmeer). Hij had belangstelling voor poëzie, muziek en beeldende kunst, maar werd al op zijn achttiende op de troon gezet. Ludwig was heel gevoelig en keerde zich af van de politiek. Hij wijdde zich aan een cultureel programma dat zijn gelijke niet kende in Beieren. Zijn heftige vriendschap met de componist Richard Wagner wordt vaak gezien als een van de beweegredenen achter zijn grote bouwprojecten. Hij ontbood Wagner aan het hof, werd de beschermheer van de opvliegende componist en gaf opdracht tot veel van zijn bekendste muziekstukken, zoals Tristan en Isolde. Het levendige voorstellingsvermogen van Ludwig vond een plek in de heroïsche en fantastische opera's van Wagner. Maar het belangrijkste dat Ludwig naliet aan de wereld is de reeks kastelen die hij liet bouwen op het hoogtepunt van zijn tragisch korte bewind.

Een bombastische bouwoperatie

In 1868 had Ludwig de bouwplannen voor twee van zijn drie kastelen in handen. Zijn eerste project was de renovatie van de koninklijke vertrekken van het Residentiepaleis in München. Al snel sierde een wonderbaarlijke wintertuin compleet met een kunstmatig meer het dak van het paleis, een voorproefje van de buitensporigheid die zou volgen. Het Linderhof Paleis, het

kleinste project van Ludwig, werd voltooid in 1878. Het paleis met zijn eigen miniatuur Spiegelzaal, overvloed aan afbeeldingen van de zon en een enorme slaapkamer, weerspiegelt duidelijk de permanente belangstelling die hij aan de dag legde voor de absolute Franse heerser Lodewijk XIV. Maar Linderhof werd ook gebouwd met Wagner in gedachten. De hut van Hunding, een hut die om een kunstmatige boom was gecreëerd is een directe verwijzing naar Wagners meesterwerk, de Niebelungen.

Uiterst modern sprookjespaleis

Er is geen twijfel over mogelijk: Neuschwanstein is Ludwigs bekendste slot. Ludwig stelde het zich voor als een toevluchtsoord en een prachtig podium voor de opera's van Wagner. De bouw begon in 1869. Het verrees in de romaanse stijl van de 13e eeuw hoog op een heuvel vlak bij de Pollatkloof. Neuschwanstein was bedoeld om beelden van oude Duitse kastelen op te roepen. Om de indrukwekkende funderingen en subtiele torenspitsen te bouwen, werden de nieuwste technieken toegepast; stromend water, door te spoelen toiletten en een centraal verwarmingssysteem maakten het kasteel uniek. Weliswaar was het slot niet af tijdens Ludwigs leven, maar het weerspiegelde wel zijn eclectische smaak. De troonkamer is ingericht in verfijnde Byzantijnse stijl en was geïnspireerd op de Hagia Sophia in Konstantinopel; op de derde verdieping zijn muurschilderingen te zien met illustraties die rechtstreeks uit de opera's van Wagner komen; de gehele vierde verdieping is gewijd aan de Zangerszaal, een replica van de Minstrelen Zaal in Kasteel Wartburg. Ludwig bracht maar enkele nachten in zijn droompaleis door, maar de kracht ervan als symbool van dromen en sprookjes ontstijgt alles wat de eigenaardige koning van Beieren had kunnen verzinnen: het kasteel stond model voor het kasteel van Doornroosje van Walt Disney.

Het einde van Ludwig en het begin van het kasteel

Hoewel Ludwig ervan wordt beschuldigd Beieren failliet te hebben doen gaan, betaalde hij de kastelen uit eigen zak. In 1886 werd Ludwig krankzinnig verklaard; hij werd gearresteerd in zijn geliefde Neuschwanstein. Enkele dagen later overleed hij onder mysterieuze omstandigheden. Ironisch genoeg zijn de kastelen die ooit de staat zouden hebben verarmd, nu de grootste attracties; jaarlijks lokken ze duizenden toeristen naar de regio. Hoewel Ludwig geen tijd van leven had om de voltooiing van zijn grote projecten mee te maken, wordt zijn erfenis door miljoenen mensen gewaardeerd.

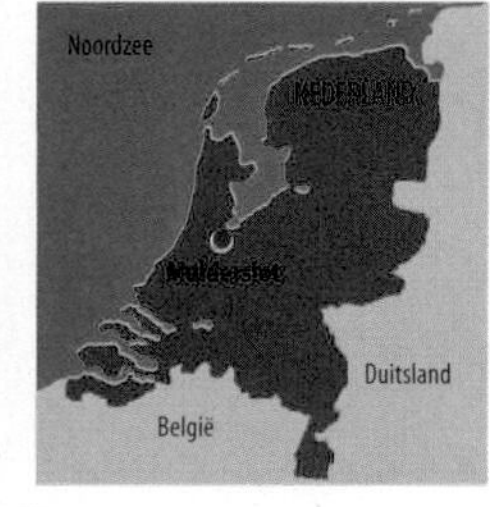

Toevluchtsoord van de dichter

*Het **Muiderslot** is een cultureel juweeltje gelegen in de waterrijke omgeving van de nabijgelegen Vecht.*

Bereikbaarheid

Het dorp Muiden ligt slechts 15 kilometer van het centrum van Amsterdam en is per bus vanaf het Amstel Station in vijftien minuten te bereiken. U kunt ook naar het kasteel fietsen.

Beste seizoen

De groentetuin van het Muiderslot, de Warmoeshof, is echt een aanrader. Er groeien volop zeventiende-eeuwse groenten, zoals de Nijmeegse koolraap. De tuin is op zijn best vroeg en midden in de zomer.

Tip

Het Muiderslot biedt interessante interactieve rondleidingen aan voor kinderen.

Het Muiderslot ligt aan de monding (Muiden) van de rivier de Vecht. In de 19e en de vroeg-twintigste eeuw speelde het slot een rol in de verdedigingslinie van Amsterdam, 's werelds enige versterkingsstelsel gebaseerd op de regulatie van het waterpeil. Het kasteel, dat nagenoeg een perfect vierkant vormt, is klein, maar heel goed bewaard gebleven. Het is 32 x 35 meter, de hoogste van de vier kasteeltorens is 25 meter hoog en beschikt over een indrukwekkende wenteltrap. De wenteltrap, die opzettelijk met ongelijke treden en een draaiing met de wijzers van de klok mee is gebouwd, is ontworpen om rechtshandige aanvallers te hinderen.

De gevangen graaf raakt kasteel kwijt

Het Muiderslot is in 1280 gebouwd door graaf Floris V en lag strategisch aan de handelsroute van het nabijgelegen Utrecht. Floris gebruikte het kasteel als tolhuis, maar nadat hij ten onrechte de broer van een rivaal tot de dood had veroordeeld, werd Floris zelf in zijn eigen kasteel gevangengezet. De verhalen over wat er daarna gebeurde, verschillen. Sommige historici beweren dat boze boeren dreigden het kasteel te bestormen als Floris niet werd vrijgelaten; anderen menen dat Floris zijn eigen ontsnapping op touw zette. In beide gevallen wordt verondersteld dat Floris werd gedood tijdens zijn ontsnappingspoging. Door zijn dood werd het lot van het Muiderslot onzeker.

Toen het kasteel in handen kwam van graaf Albrecht van Beieren, was het waarschijnlijk aan een grondige restauratie toe. Albrecht liet het kasteel in 1370 weer opbouwen volgens het oorspronkelijke plan van Floris. In de daaropvolgende 200 jaar werd het afwisselend bewoond en weer verlaten.

Een origineel toevluchtsoord voor de schrijver

Tegen de 17e eeuw was het Muiderslot het verblijf geworden van de drost van de regio. In 1609 viel die taak toe aan een jonge dichter, toneelschrijver en historicus genaamd

Het solide gebouwde Muiderslot ligt aan de monding van de Vecht en heeft dienst gedaan als tolhuis, gevangenis, kazerne en munitieopslag-plaats. Het is nooit alleen maar een burcht geweest, maar ook een van de centra van de Nederlandse renaissance en het thuis van de grote Nederlandse historicus en dichter P.C.Hooft (grote foto).

Pieter Corneliszoon Hooft. De vader van Hooft was burgemeester van Amsterdam, maar Hooft zelf was naar ieders mening meer geïnteresseerd in kunst en cultuur dan in staatkunde. Hij gebruikte het Muiderslot als zomerverblijf en ontving er een reeks personen die een belangrijke culturele rol hebben gespeeld in de Nederlandse Gouden Eeuw. In de loop van zijn carrière, die meer dan veertig jaar besloeg, verzamelde hij enkele van de leidende figuren van de Nederlandse wetenschap en kunst, en geleerden om zich heen, onder wie de dichters Gerbrand Bredero en Maria Tesselschade Visscher. De groep die rondom Hooft en zijn kasteel werd gevormd, is bekend onder de naam Muiderkring.

Naast het organiseren van partijen en het schrijven van gedichten, werkte Hooft ook aan zijn kasteel. Hij is verantwoordelijk voor enkele belangrijke toevoegingen aan het Muiderslot, waaronder de uitbreiding van de tuinen en de pruimenboomgaard. Hooft was niet alleen maar kunstenaar: hij verbeterde het verdedigingssysteem met de aanleg van een reeks verdedigingswallen.

Tussenkomst van de koning

Na de dood van Hooft kreeg het Muiderslot weer te maken met verwaarlozing en verval. Tegen 1825 verkeerde het kasteel in zo'n slechte staat dat de Nederlandse regering overwoog het te koop te zetten, zodat het materiaal kon worden hergebruikt. Door de tussenkomst van koning Willem I (1815-1840) werd het Muiderslot gered. Hoewel het nog zeventig jaar duurde voor het kasteel in zijn oude glorie was hersteld, was het grootste gedeelte van de restauratiewerkzaamheden voltooid in 1895. In de 20e eeuw werd ontdekt dat de vorige restauratie niet overeenstemde met de staat van het kasteel in de 17e eeuw en startte een nieuw restauratieproject. Nu is het Muiderslot een goed bewaard stukje van de Nederlandse geschiedenis.

Het Muiderslot is tegenwoordig een Rijksmuseum. De vertrekken zijn zorgvuldig gerestaureerd volgens de weelderige stijl van de 17e eeuw. Het museum biedt ook onderdak aan een goede wapencollectie.

Nederlands paleis in het bos

Het park van ***Paleis Het Loo*** *in Apeldoorn is ontworpen door hoveniers die flora en bestrating op een sierlijke wijze hebben gecombineerd.*

BEREIKBAARHEID

Apeldoorn ligt 80 kilometer van Amsterdam en is goed bereikbaar met de trein. Vanaf het station gaat er een bus naar Het Loo.

BESTE SEIZOEN

De tuinen van Het Loo zijn aangelegd om zowel in het voorjaar, de zomer en het najaar te bloeien, maar het drukst is het midden in de zomer.

AANRADERS

Het Loo biedt ook onderdak aan het Museum van de Kanselarij der Nederlandse Orden, 's werelds grootste verzameling ordetekenen, onderscheidingen en oorkonden.

Paleis Het Loo ligt in de buurt van het rustige stadje Apeldoorn in het midden van Nederland. Het werd oorspronkelijk als lusthof gebouwd door Willem III (1672-1702) voor de koning en zijn vrouw Mary II van Engeland (1662-1694). Dat Willem III deze bosrijke omgeving uitkoos heeft misschien te maken met het feit dat hij hartstochtelijk jager was. Maar eigenlijk was de ongetemde wildernis van Apeldoorn een niet erg geschikte plek voor een koninklijke residentie. Desondanks werd er in 1685 een begin gemaakt met de bouw, en uiteindelijk werd de 'rustieke' lusthof het meest geliefde verblijf van de koninklijke familie; hieruit sprak de band tussen het Huis van Oranje-Nassau en Nederland. De laatste bewoner van Het Loo, prinses Margriet, verliet het paleis in 1975.

Koninklijke verzamelingen

Het Loo werd gebouwd tussen 1685 en 1692 door architecten die verantwoordelijk waren voor Den Haag. Het is een barok paleis met gracieuze verhoudingen. Conform de zeventiende-eeuwse voorliefde voor symmetrie en regelmaat, is het gebouw ontworpen langs een centrale as en zijn de gebouwen aan elkaar gespiegeld. Het corps de logis (hoofdgedeelte) bevat de entreehal, de grote trap en grote hal, maar ook de woonvertrekken van de hovelingen en een eetzaal; de woonvertrekken van de koning en koningin lagen aan weerszijden van het corps de logis, in aparte vleu-

gels die met het hoofdgebouw waren verbonden via zuilengalerijen. Toen Willem III koning van Engeland werd, liet hij Het Loo renoveren en werden de vleugels en zuilengalerijen tot vier grote verblijven getransformeerd.

Hoewel het paleis is geïnspireerd op Versailles, is de buitenkant vergeleken met dat paleis vrij sober. De ornamenten aan de buitenkant zijn bescheiden van aard en tot een minimum beperkt. Het echte praalvertoon is bewaard voor de binnenkant van het paleis.

De vertrekken zijn zorgvuldig gerestaureerd om er prachtig meubilair, wandtapijten, porselein en zilver, verfijnd glas en aardewerk tentoon te stellen – alle schatten die het Huis van Oranje-Nassau, een van de rijkste en machtigste koninklijke families van Europa, in driehonderd jaar heeft verzameld. Veel van de vertrekken weerspiegelen een bepaalde tijd, zoals de weelderige studeerkamer uit 1690 met aan de wanden prachtige zijde en damast. De slaapkamer van Willem uit 1713 is goed bewaard gebleven, net als de eetzaal uit 1686 met de extravagante wandtapijten met thema's uit Ovidius.

Nieuwe aanpak van een klassieke tuin

De tuinen van Paleis Het Loo zijn uitgestrekt, complex en van een verbluffende schoonheid. Hoewel de architecten hun visie van een evenwichtig samenspel tussen paleis en tuinen baseerden op het ontwerp van Versailles, zijn zowel het paleis als de tuinen van Het Loo anders, omdat koning Willem III een andere koning was. Willem III was stadhouder, een middeleeuwse benaming die hem meer tot een gouverneur maakte en minder tot een absolute monarch als Lodewijk XIV. De residentie en de tuin van Willem waren dus bescheidener dan die van zijn Franse tegenhangers.

De tuin van Het Loo, ontworpen door Claude Desgotz, de neef van André Le Notre, de tuinarchitect van Versailles, bezit de hoofdkenmerken van een barokke tuin. Hij bestaat uit een hoofdgedeelte, met aan weerszijden de privétuinen van de koning en de koningin. Rondom de hoofdas liggen symmetrisch aangelegde bloemperken. Straalsgewijs aangelegde wandelpaden verbinden de bloembedden die zodanig zijn aangelegd dat ze drie seizoenen bloeien. Her en der staan fonteinen, waaronder de fontein van de koning met een waterstraal die 13 meter hoog reikt, ooit de hoogste fonteinstraal in Europa. De tuin van Mary bevat ook een verzameling eeuwenoude citrusbomen die nog steeds vruchten dragen in het kenmerkende oranje dat de familiekleur is.

De baroktuin van Het Loo maakte in de 18e eeuw plaats voor een Engelse tuin. Koningin Wilhelmina liet het paleis in 1960 na aan de staat, en in 1984 werd het als museum opengesteld voor het publiek; de oorspronkelijke baroktuin was toen weer volledig in zijn oude glorie hersteld.

De klassieke verhoudingen van Het Loo vormen een mooi geheel met de precisie van de barokke tuinen. Er is een nauwkeurige replica van de oorspronkelijke tuin gemaakt, waarbij heel veel zorg is besteed aan het herplanten van bloemen, struiken en heesters die ook in de oorspronkelijke tuin moeten hebben gestaan.

Het Loo, bekend om zijn prachtige interieurs, heeft een aantal vertrekken die een kroniek vormen van zijn eigen geschiedenis. Deze Banketzaal is gedekt in zeventiende-eeuwse pracht (onder). Bloemen uit de uitgestrekte tuinen van Het Loo worden gebruikt in bloemstukken door het hele paleis heen. Hier prijkt een vaas voorjaarstulpen op een vergulde tafel met marmeren blad (voorgaande bladzijde, onder).

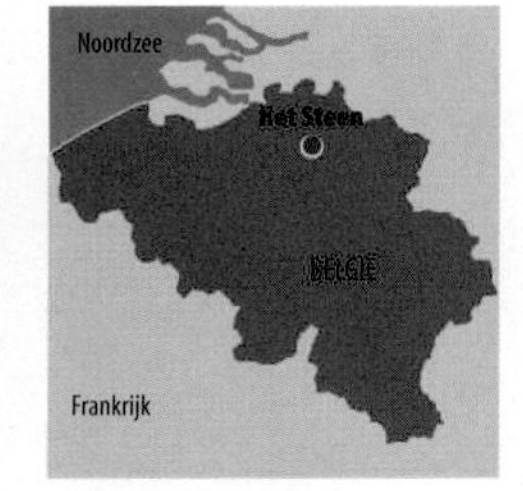

Paleiselijk havenbestuur

***Het Steen** in Antwerpen waakt over een van 's werelds grootste havens en heeft net zo'n lange en gevarieerde geschiedenis als de stad.*

Bereikbaarheid

Antwerpen is een stad die zich heel goed leent om wandelend te verkennen. Het Steen is gevestigd aan het Steenplein 1 langs de Schelde, in het centrum van Antwerpen.

Beste seizoen

Antwerpen heeft een mild zeeklimaat. Het warmst is het in het late voorjaar en in de zomer, maar dan is het er ook het drukst. Het najaar is ook geschikt.

Andere bezienswaardigheden

Antwerpen heeft een verrassend scala aan kunst, theater, dans, restaurants, clubs en winkels te bieden. Mode en diamanten zijn twee van de grootste exportproducten van Antwerpen.

De haven van Antwerpen beslaat 13.500 hectare en is de op een na grootste haven van Europa en een van de grootste ter wereld. Al eeuwenlang is de stad een centrum voor scheepvaart en scheepshandel. De welvaart van Antwerpen is altijd afhankelijk geweest van de Schelde. De rivier staat in verbinding met de Noordzee en verschaft Antwerpen een toegang tot de oceanen en biedt de mogelijkheid om goederen het land in te voeren. Maar Antwerpen is niet altijd een drukke, welvarende wereldstad geweest. Hoewel vooral de 14e en 15e eeuwen een bloeiperiode vormden voor de Vlaamse hoofdstad- Antwerpen is wel eens vergeleken met een middeleeuwse Manhattan-, ging het einde van de 16e eeuw slechter met de stad. Verscheurd tussen het katholieke Spanje en het protestante noorden, werd de

stad geplunderd door de Spaanse troepen tijdens de Spaanse Furie in 1576 en vervolgens door hen belegerd in 1585. Koning Filips II van Spanje (1554-1598) veroverde de stad en plaatste die onder het strenge bewind van het katholieke Habsburgse Huis. De protestantse Nederlanders trokken zich terug, maar hielden hun blokkade van de Schelde twee verwoestende eeuwen in stand. Antwerpen, dat was afgesneden van de internationale handel en waarvan het protestantse werkliedenbestand flink was uitgedund, werd tweehonderd jaar lang gereduceerd tot een cultureel en economisch gat.

Het Steen en het schandaal van de koning

Het is belangrijk om de geschiedenis van Antwerpen te kennen, omdat deze zo goed wordt weerspiegeld in haar oudste gebouw- het schitterende fort Steen dat bekendstaat onder de naam Het Steen of simpelweg Steen. Oorspronkelijk was het Antwerpse Kasteel- de eerste naam- een simpel houten fort dat de ontluikende nederzetting moest beschermen. Het werd rond 970 gebouwd op een lichte verhoging of aanwerp in de buurt van een bocht in de Schelde. Het eerste stenen gebouw verving het houten fort rond het begin van de 13e eeuw. Karel V (1519-1556) breidde het kasteel aanzienlijk uit, modelleerde het in de laatromaanse stijl en voegde de loggia (galerij met open einde) boven de ingang toe. De inscriptie op de loggia 'Plus Oultre' wordt aan Karel V toegeschreven.

Bij de ingang van Het Steen prijkt nog een, heel ander, soort sculptuur. Het is een basreliëf van een Scandinavische vruchtbaarheidsgod genaamd Semini die generaties Antwerpenaren zowel choqueerde als hoop bood. Antwerpse vrouwen die een kind wensten, richtten hun smeekbeden tot de god met de disproportioneel grote fallus. De latere religieuze orden konden deze praktijk noch de sculptuur waarderen en lieten de bron van Semini's kracht afhakken.

De stad en het fort

Toen het lot van Antwerpen een andere wending nam, gebeurde dat ook met Het Steen. Ooit had het gebouw de taak om de toegang tot een belangrijke haven te beschermen, maar na de Nederlandse blokkade van de Schelde, werd het een beruchte gevangenis. Meer dan 500 jaar werden er misdadigers, schurken en ten onrechte beschuldigden gevangengezet. De rijke en arme gevangenen werden vastgezet in verschillende vleugels en moesten de meest afgrijselijke straffen ondergaan, waarvan hoofdzakelijk de laatste groep het slachtoffer was. Het afhakken van handen wegens diefstal, verbranding en vierendeling waren populaire beloningen voor kwajongens. Het obscure verleden van het kasteel leek vergeten bij de opheffing van de Scheldeblokkade in 1863. Hoewel delen van het kasteel werden vernietigd om wegen aan te leggen die de verschillende gedeelten van de haven met elkaar konden verbinden, kreeg het resterende gedeelte in de 19e eeuw een facelift. Er werd een neogotische vleugel aan toegevoegd compleet met een torentje, en in 1890 werd Het Steen een archeologisch museum.

Zoals Antwerpen uit de as is verrezen om opnieuw een belangrijk cultureel baken te worden in Europa- bekend om haar rijkdom en modewereld- heeft Het Steen een nieuw leven gekregen als museum. In 1952 verhuisde het Nationaal Scheepvaartmuseum naar het oude gebouw. In het museum is een verbijsterende collectie van zeevaart artefacten en eigenaardigheden te zien, zoals tabaksdozen, modelschepen, schilderijen en tatoeagenaalden, maar ook modellen van oude zeilschepen. De verzameling, die zeer de moeite waard is, wordt bewaard in een reeks pakhuizen aan de mooie kaden van de stad. Het Steen, dat een van de populairste musea in Antwerpen is, heeft zich overgegeven aan zijn nieuwste en aangenaamste functie.

De slungelige figuur buiten de ingang van Het Steen is Lange Wapper, een soort Vlaamse boeman die bekendstaat om het feit dat hij kinderen en dronkaards vrees aanjaagt. Het beeld is gemaakt door Albert Poels en werd in 1963 geïnstalleerd (voorgaande bladzijde, boven). Ondanks zijn lange historie als gevangenis, zijn er enkele charmante details van de vroegere levens van Het Steen bewaard gebleven. Dit altaarstuk stelt de stad Antwerpen voor met Het Steen als fort in zijn gloriedagen (voorgaande bladzijde, onder). De haven van Antwerpen behoort tot een van de grootste ter wereld. De drukke stad kent nu een levendige handel in culturele goederen, zoals mode en kunst, maar de haven blijft actief en druk.

De schuilplaats van Victor Hugo

*Het middeleeuwse **kasteel Vianden** heeft zowel de fase van ruïne als van herstelde glorie meegemaakt.*

Bereikbaarheid

Het kasteel is gemakkelijk te bereiken met de auto, met de trein is het lastiger. Vanaf de hoofdstad Luxemburg is het met de trein ongeveer 45 minuten naar Ettelbruck; vanaf Ettelbruck doet de bus naar Vianden er 30 minuten over.

Beste seizoen

Vianden is een zeer populaire toeristische bestemming, dus probeer de zomer te vermijden. Het dal van de Our is net zo mooi in het voorjaar en in het najaar- en veel minder druk.

Tip

Als u de stoeltjeslift (kabelbaantje) in Vianden neemt, wordt u beloond met een panoramisch uitzicht over de vallei van de Our. Voor de wandelliefhebber ligt er een uitgebreid netwerk van paden in de vallei.

Vianden is een kasteel dat u niet kunt missen. Welke wandeling u ook maakt in het idyllische dal van de Our aan de grens van Luxemburg en Duitsland, altijd hebt u zicht op dit schitterende middeleeuwse monument. Het kasteel torent uit boven de loofbomen en de kronkelende rivier. Al duizenden jaren wordt hier hof gehouden. Tijdens het Gallo-Romaanse tijdperk in de derde eeuw werd het gebruikt als castellum, of vrijstaande vesting. In de 8e eeuw werd het een toevluchtsoord tijdens de Karolingische strijd om de macht en overheersing tegen de Franken. In de 11e eeuw kreeg het zijn huidige vorm. Tegen de tijd dat het voltooid was, in de 15e eeuw, was het een van de grootste en voornaamste paleiskastelen in Europa in die tijd.

Landgoed van graven

In de middeleeuwen was Vianden een levendige stad die bekendstond om haar overdaad aan gilden. Vianden was een actief centrum voor looiers, kuipers, wevers, steenhouwers, slotenmakers en goudsmeden. In die jaren van economische groei en productiviteit was het kasteel het thuis van de belangrijke graven van Vianden. Ze gebruikten Vianden zowel als uitvalsbasis voor hun activiteiten en als tolhuis.

Een van de belangrijkste graven van het kasteel was Hendrik I van Vianden (1220-1250). Onder Hendrik, die bekendstond als de 'Zonne-graaf' bereikte Vianden zijn hoogtepunt. Hendrik had heel veel gezag in de regio. Het Huis van Nassau-Vianden kwam uiteindelijk voort uit de koninklijke afstamming van de graaf. Toen het kasteel in de 15e eeuw in handen kwam van de familie van Nassau, werd de kiem gelegd voor het uiteindelijke verval én de wedergeboorte.

Anatomie van een vesting

Het kasteel dat de familie van Nassau erfde, was adembenemend. Het is in fasen gebouwd over een periode van 300 jaar; de bouwwerken zijn meerdere malen herbouwd en uitgebreid. De oorspronkelijke vierkante donjon en de aparte 'split level' kapel (ontworpen om afstand te creëren tussen de adel en het volk dat het gebouw als zijn plaatselijke kerk gebruikte) grensde aan een groot romaans paleis. In de 13e eeuw had het grote paleis plaatsgemaakt voor een enorm gotisch bouwwerk met een grote hal die plaats bood aan 500 mensen. Een achthoekige toren vlakbij de binnenplaats getuigt nog van de functie als tolhuis. Het kasteelcomplex is op een heuvel gebouwd en is eerder smal dan breed. Drie opeenvolgende poorten markeren de toegangsweg naar het kasteel. De ronde torens werden later toegevoegd ter bescherming van de gordijngevels.

Ontmanteling en verval

De familie van Nassau heeft nooit in Vianden gewoond. Maar ze onderhielden het kasteel wel in de 400 jaar dat ze eigenaar waren. Toen Willem I der Nederlanden (1815-1840), een lid van het Huis van Oranje-Nassau, in 1815 Vianden kreeg toegewezen door het Congres van Wenen, besloot hij het middeleeuws fort te verkopen. Het kwam in bezit van een inwoner, een zekere Wenceslas Coster, en Vianden ging een nieuwe fase van verwaarlozing tegemoet. De verwaarloosde staat van Vianden zat op zijn minst een van zijn bewoners uit deze periode niet dwars. De voortreffelijke Franse romanschrijver Victor Hugo had een zwak voor het bouwvallige kasteel en verbleef een handvol keren in Vianden tijdens zijn zelfgekozen verbanning naar Guernsey. Hugo had Frankrijk verlaten uit protest tegen het autoritaire regime van Napoleon III (1852-1870) en zwierf door Europa voordat hij naar zijn vaderland terugkeerde na de dood van Napoleon. Als aanhanger van de Parijse Commune sloeg hij weer snel op de vlucht en ging regelrecht naar Vianden. In de zomer van 1871 verbleef hij er drie maanden.

Aan de hand van het huidige kasteel, is het moeilijk voor te stellen wat Victor Hugo moet hebben gezien. Sinds 1977 is Vianden eigendom van de Luxemburgse staat; het kasteel heeft een grondige restauratie ondergaan en de spitse torentjes op het dak glimmen nu weer hoog boven het dal van de Our. Vianden is opnieuw de glorie van de regio.

Het charmante middeleeuwse stadje Vianden ligt aan de voet van de heuvel waarop het kasteel prijkt. Het stadje draait nu hoofdzakelijk op toerisme, maar blijft geconcentreerd rondom de Grande Rue, zoals dat al eeuwenlang gebeurt (volgende bladzijde). Vianden behoort tot een van Europa's grootste middeleeuwse kastelen. Sinds het in de 19e eeuw in verval raakte, heeft het een uitgebreide restauratie ondergaan.

Petit Restaurant

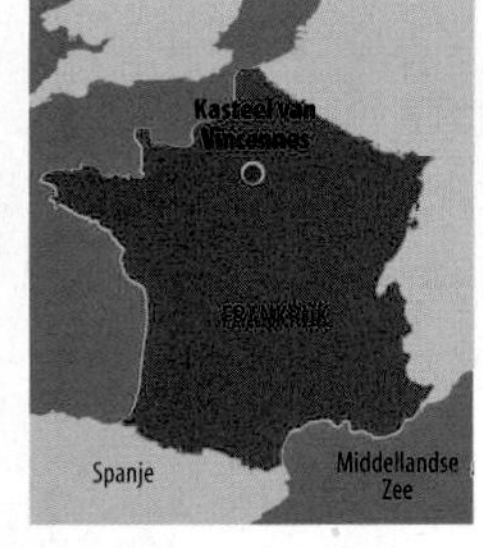

Het bewaren van de vrede

*Het Kasteel van **Vincennes** staat bekend als het 'middeleeuwse Versailles' en is getuige geweest van de belangrijkste gebeurtenissen in Frankrijk.*

BEREIKBAARHEID

Het kasteel ligt vlak buiten Parijs en is met de metro bereikbaar, halten: Château de Vincennes of Porte Dorée.

BESTE SEIZOEN

Voor- of najaar, wanneer de mensenmenigte wat kleiner is.

TIP

Evenals bij veel andere châteaux grenst Vincennes aan een indrukwekkend bos. Het park is een populaire uitvalsbasis voor Parijzenaars.
Er lopen paden, er liggen tuinen, in de zomer kunt u er naar jazz luisteren en er zijn roeiboten te huur.

Als u uw ogen sluit om een beeld van een kasteel op te roepen, is de kans groot dat het lijkt op dat van Vincennes. Het is een typisch middeleeuws kasteel dat alle elementen vertoont die we daarmee associëren: dikke muren die worden benadrukt door enorme torens, een diepe slotgracht, een enorme donjon (hoofdtoren) – met 52 meter de grootste in Europa – en zelfs grote kerkers. Oorspronkelijk is Vincennes gebouwd als jachtslot voor Lodewijk VII (1137-1180) Aan het einde van de 12e eeuw begon het te lijken op een verstevigd herenhuis. Evenals Versailles deed Vincennes dienst als koninklijke residentie.

Het kasteel was de geboorteplek van drie belangrijke koningen uit de 14e eeuw en ook de bruiloftszaal voor de koningen Filips III (1274) en Filips IV (1322). Het hoogtepunt kwam in 1337, toen koning Filips VI (1328-1350) de constructie van de donjon begon. Net als bij alle andere kastelen is de donjon de stevigste centrale toren. Karel V (1364-1380) voltooide de bouw van dit meest karakteristieke element en maakte van Vincennes het politieke centrum van Frankrijk. Vincennes heeft een cruciale rol gespeeld in de Franse geschiedenis, als koninklijke residentie, maar ook als zetel van de militaire macht.

Het bewaren van de vrede

De donjon van het kasteel is werkelijk indrukwekkend. Het basisvierkant is 15 x 15 meter, op de hoeken staan torens met een diameter van 6 meter en de muren zijn 3 meter dik. De donjon is verreweg het beste verstevigde gebied van het kasteel en bestaat uit acht verdiepingen. De enorme vertrekken waren het beste beschermd en dienden als leef- en werkruimte voor de koning. De eerste verdieping werd waarschijnlijk gebruikt als vergaderzaal. Er bestaan nog steeds overblijfselen van de eiken panelen die de muren bedekten - uit onderzoek van het hout is gebleken dat het afkomstig is van bomen die zijn gekapt in 1363. De slaapkamer van de koning lag op de tweede verdieping. Karel V is de monarch die het meest wordt geassocieerd met Vincennes. Documenten over zijn regering werpen licht op de voorwerpen die zich in de vertrekken van de koning bevonden: naast meubels en juwelen, werden hier, in de noordwestelijke torentjes, belangrijke religieuze manuscripten en de koninklijke schatkist bewaard. In de bovenste vertrekken huisden waarschijnlijk personeel en leden van de entourage van de koning. De donjon van Vincennes is de enige overgebleven middeleeuwse residentie in Frankrijk; het biedt een glimp in het leven en de tijd van de vroegere heersers. Het ontwerp en de ligging van de vertrekken, verticaal geordend, tonen hoe de macht was verdeeld en in stand werd gehouden.

De enceinte van Vincennes (de binnenste ring van verstevigingen) lag om de donjon en bood bescherming aan de donjon, de kapel Saint-Martin en andere gebouwen. De donjon en de enceinte waren bijna 1200 meter lang en vormden een van de grootste bouwprojecten die ooit door een vorst is ondernomen. Alleen al voor de bouw van de voorkant van de muur van de enceinte waren 260.000 stenen blokken nodig. Verder is de enceinte omgeven door een 27 meter brede slotgracht. Zowel Filips VI als Karel V regeerden tijdens de honderdjarige oorlog, de verwoestende oorlog tussen Frankrijk en Engeland, en de verstevigingen in Vincennes getuigen van de zorgen uit die periode: verdediging.

De moderne wereld

Hoewel Vincennes duidelijk middeleeuws is, werd het tot in de 17e eeuw nog gebruikt als koninklijke residentie. Lodewijk XI (1461-1483) verliet de appartementen in de donjon en verhuisde naar een paviljoen. Hoewel Vincennes niet langer een koninklijke residentie was, bleef het een fascinerende rol spelen in de Franse geschiedenis. Er kwam een porseleinfabriek in en later werd het een beruchte staatsgevangenis. Er verbleven enkele van de beruchtste Franse gevangenen, onder wie de Markies de Sade. Het was ook de plek waar Mata Hari, de courtisane-spionne, in 1917 werd geëxecuteerd. Tijdens de Tweede Wereldoorlog deed Vincennes dienst als hoofdkwartier tijdens de niet succesvolle Franse poging zich te verdedigen tegen de inval van de nazi's. Het Franse leger, dat nog steeds een groot gedeelte van Vincennes bezit, gebruikt het als opslagplaats voor de uitgebreide archieven en er vindt doorlopend historisch onderzoek plaats.

Na een grondige restauratie van vijftien jaar is Vincennes onlangs weer opengegaan voor het publiek. Het belang van het kasteel in de Franse geschiedenis is haast zonder weerga en de kans om het verblijf en gevangenis van enkele van Frankrijks beroemdste figuren te bezoeken, moet met beide handen worden aangegrepen. Vincennes is werkelijk een fort van de geschiedenis.

Het bos dat het kasteel omgeeft, behoort tot een van de mooiste groene zones van Parijs en biedt al sinds 1731 een podium voor publieke recreatie, toen Lodewijk XV het park voor iedereen openstelde (voorgaande bladzijde).

De donjon van Vincennes torent hoog boven de ringmuur uit en is de hoogste in Europa. Behalve de vier gebruikelijke torentjes, heeft de donjon nog een vijfde, kleinere toren met een plat dak. Hij strekt zich over de gehele lengte van het gebouw uit en omvat de latrine van de donjon, een vroege versie van sanitair in een gebouw (boven en onder).

De kunst van de macht

Een van de bekendste musea ter wereld, het ***Louvre****, is ooit een van de grootste machtscentra geweest.*

Bereikbaarheid
Het Louvre ligt aan de Seine in Parijs. Neem de metro Palais-Royal naar de halte Musée du Louvre.

Beste seizoen
Om de mensenmenigte te ontlopen, kunt u het beste 's ochtends of enkele uren voor sluitingstijd gaan. Het museum is geopend van 9.00-18.00 uur op maandag, donderdag, zaterdag en zondag; 9.00-22.00 uur op woensdag en vrijdag. Dinsdag is het museum gesloten.

Tip
Bezoek eerst de hoogtepunten van het museum en gun uzelf veel tijd om de minder bekende schatten te bekijken.

De overblijfselen van het middeleeuwse fort dat het Louvre ooit was, zijn nog steeds zichtbaar in de zuidwestelijke hoek van de Sully-vleugel (boven).
De Galerie d'Apollon werd in 1661 verwoest door brand, maar weer herbouwd onder Lodewijk XIV door de architect Louis le Vau.
De glazen piramide van I.M. Pei zorgde voor een schandaal toen het in 1989 werd onthuld, maar inmiddels behoort de grote toegangspiramide tot een van de Parijse oriëntatiepunten.

Als de muren van het Louvre konden spreken, zou er weinig zijn dat ze niet konden vertellen. De geschiedenis van het Louvre, dat al sinds de 12e eeuw als koninklijke residentie dienstdeed, weerspiegelt die van Frankrijk zelf. Oorspronkelijk lag het buiten Parijs en werd gebruikt als militaire vesting ter verdediging van de stad. In de centrale toren, die een diameter heeft van 15 meter, huisde een kerker en een arsenaal. Hij vormde ook een indrukwekkend bewijs van de opkomende macht van de troon. In de middeleeuwen onderging het gebouw meerdere renovaties. In de tijd van Karel V (1364-1380) was Parijs zo gegroeid dat het vroegere fort in de stad kwam te liggen. Nu het geen strategische waarde meer had, veranderde Karel V het in een verblijf voor de koninklijke familie. Hij breidde het paleis aanzienlijk uit, hoewel zijn werkzaamheden later met de grond gelijk werden gemaakt door Frans I (1515-1547) onder wie de gebouwen verrezen zoals de wereld ze nu nog herkent als het Louvre.

Vorstelijke macht

Frans I besloot om Parijs tot de zetel van de monarchie te maken en de macht onder te voegen in de gebouwen van het Louvre. Hij wilde het lompe middeleeuwse paleis transformeren tot een chic vertoon van macht en innovatie en liet de middeleeuwse donjon en de rechthoekige vleugels die rondom de centrale binnenplaats waren gebouwd afbreken. Dit nieuwe paleis in renaissancestijl bepaalt het basisontwerp van het Louvre. Frans legde ook de kiem voor de latere functie van het Louvre als museum: zijn persoonlijke kunstcollectie omvatte de Mona Lisa, het beroemdste schilderij van het Louvre. Latere vorsten volgden de leidraad van Frans. Catherina de Medici, de volgende bewoonster van het paleis, deed geen moeite haar afkeer ervan te verbergen. Hoewel Frans het ontwerp van de oorspronkelijke vesting had veranderd, was Catherina van mening dat er nog niet genoeg veranderingen waren uitgevoerd. Ze liet haar eigen paleis bouwen net ten westen van het Louvre, met de voorgevel ernaartoe, zodat het westelijke gedeelte van de binnenplaats werd afgesloten. Dit gebouw, bekend onder de naam Palais des Tuileries of Tuilerieën, werd later verwoest tijdens de opstand van de Parijse Commune in 1871. Toen het nog stond, inspireerde het een andere vorst, Hendrik IV (1589-1610) tot de bouw van de Grande Galerie, waardoor de twee paleizen met elkaar werden verbonden. Hendrik is ook beroemd geworden, omdat hij de geest van de kunstgemeenschap in het paleis introduceerde. Als beschermheer van de kunsten stond hij kunstenaars, beeldhouwers, goudsmeden en hun gezinnen toe om hun intrek te nemen in het paleis, terwijl ze er aan werkten. De gehele plek veranderde zo honderden jaren lang in een permanent kunstproject.

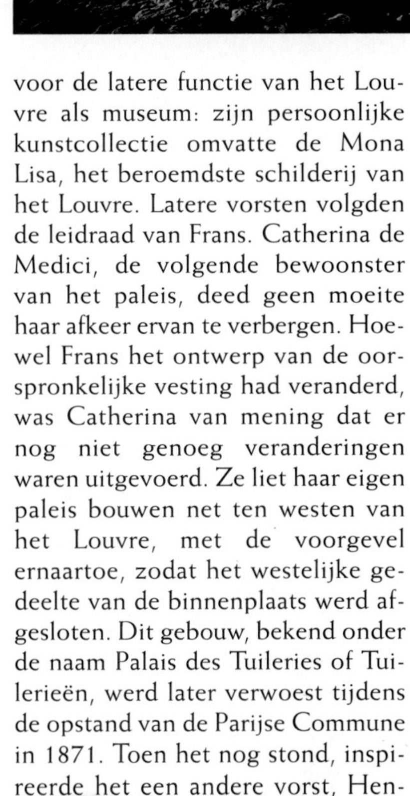

De bouw van een museum

Nadat het hof van Lodewijk XIV naar Versailles vertrok, werd het Louvre minder belangrijk. Het Louvre werd in 1793, tijdens de Franse Revolutie, een museum, toen de Richelieu-vleugel werd opengesteld voor het publiek. Hoewel Napoleon III (1851-1870) eindelijk het Grote Ontwerp van Hendrik IV voltooide, was het aan de brand van de Tuilerieën en het begin van de Revolutie te wijten dat het Louvre nooit meer werd gebruikt als koninklijke residentie. Als museum had het Louvre een duidelijk voordeel: in de jaren dat het als verblijf voor de Franse monarchie had dienstgedaan, had het al een groot aantal schitterende kunstwerken in bezit gekregen. In de gehele 20e eeuw speelde het Louvre een grote rol in het vestigen van de naam van Parijs als een culturele hoofdstad. In 1983 stelde president Mitterrand voor om het Ministerie van Financiën te verplaatsen en het hele gebouw om te toveren tot museum. De toegangspiramide van het Louvre, dat voor dat doel royaal werd vernieuwd, is ontworpen door de Amerikaanse architect I.M. Pei. Het is het symbool geworden van het nieuwe Frankrijk: modern en stijlvol, maar doordesemd van geschiedenis.

Bereikbaarheid

Vanaf het Gare de Lyon in Parijs vertrekken er regelmatig treinen naar het station van Fontainebleau. De reis duurt 45 minuten. Vanaf het station voert een korte busrit naar het château.

Beste seizoen

Voor- of najaar, wanneer het minder druk is.

Tip

Het bos van Fontainebleau heeft een repuatie opgebouwd onder bergbeklimmers op allerlei niveaus, van beginneling tot gevorderde.

Paleis in de bossen

Het majestueuze ***Paleis van Fontainebleau****, genesteld in het bos Fontainebleau, is eeuwenlang de residentie van Franse koningen geweest.*

Fontainebleau is een van de oudste Franse kastelen en is in de weekenden een populair toevluchtsoord voor Parijzenaars. Het kasteel was zeer geliefd bij een opeenvolging van Franse koningen, omdat het vlak bij Parijs lag - slechts 55 kilometer - maar ook om de omringende rijke jachtgrond. Al sinds de 12e eeuw is het dan ook een residentie voor de Franse monarchie. Pas toen Frans I (1515-1547) het bestaande middeleeuwse gebouw liet afbreken en zijn eigen grootse kasteel liet bouwen, werd het paleis echt belangrijk. Frans I nodigde beroemde architecten als Gilles le Breton en Leonardo da Vinci uit om een bijdrage te leveren aan zijn indrukwekkende 'tweede huis' en aan hem wordt dan ook toegeschreven dat hij de renaissance naar Frankrijk heeft gehaald.

Fontainebleau stond in het centrum van een kunstzinnig en cultureel ontwaken.

Onder Frans I verrezen veel gebouwen, waarvan de meeste rondom binnenplaatsen liggen, een bouwstijl die sindsdien Fontainebleau kenmerkt. De galerij van Frans I is een van zijn voortlevende erfstukken in het kasteel en vormt een prachtig voorbeeld van het Italiaanse maniërisme. In de galerij omlijsten stucornamenten van goden en godinnen, guirlandes en salamanders (het embleem van Frans I) schitterende fresco's waarop de uitgerekte vormen en de tegen de intuïtie in druisende lichtval de maniëristische stijl illustreren. De opvolger van Frans I, Hendrik II (1547-1559), bleef opdrachten geven aan Italiaanse

en Josephine gaven de voorkeur aan een Engelse tuin, toen ze in de 19e eeuw het paleis bewoonden.

Ook de interieurs vormen een eclectische mengeling van stijlen. Onder de bekendste zijn de speelzaal en slaapkamer van Marie Antoinette. De vertrekken, die zijn verfraaid door de bekende architect Pierre Rosseau, zijn visioenen van elegantie. Vooral de slaapkamer van Marie Antoinette is elegant: onder een plafond waarop een lucht is geschilderd, glinstert het met zilver en parelmoer verfraaide meubilair.

Het château van de keizer

Hoewel Fontainebleau voor heel veel vorsten belangrijk was, wordt het paleis misschien wel het meest geassocieerd met keizer Napoleon Bonaparte (1804-1815). Zijn keuze om van Fontainebleau zijn permanente residentie te maken, was een listige politieke manoeuvre. Na de Franse Revolutie waren de Fransen niet meer zo dol op koningen, en Versailles was onlosmakelijk verbonden met herinneringen aan excessieve monarchen. Napoleon veranderde Fontainebleau in het bouwwerk dat tot op de dag van vandaag bezoekers in verrukking brengt. Hij liet een oprit van keien aanleggen die breed genoeg was voor zijn koets en creëerde tientallen kleine appartementen om zijn personeel te kunnen herbergen. Veel van de vertrekken met de weelderigste meubels zijn ook het erfgoed van Napoleon. Fontainebleau is zo nauw verbonden met Napoleon – hij deed troonsafstand en ging in ballingschap vanaf de grote buitentrap van het paleis – dat er een hele vleugel is gewijd aan een museum ter ere van hem.

De inconsistente elegantie van Fontainebleau is het gevolg van eeuwen van veranderingen.
De tuinen zijn het product van André Le Notre, de tuinarchitect van Lodewijk XIV (boven).
De slaapkamer van Napoleon is een van de hoogtepunten van de vele persoonlijke vertrekken die zo goed bewaard zijn gebleven (voorgaande bladzijde, onder).
De galerij van Frans I was de eerste in zijn soort in Europa; het is een mooi voorbeeld van het Italiaanse maniërisme en een elegant eerbewijs aan een van Frankrijks grootste koningen.

maniëristische schilders, zoals Benvenuto Cellini om zijn steeds verder uitdijende paleis te verfraaien. Hendrik en zijn echtgenote, Catherina de Medici, ondernamen ook grote bouwprojecten in Fontainebleau en voegden bijvoorbeeld een binnenplaats en een bibliotheek toe.

Een bij stukjes en beetjes opgebouwd paleis

De uitbreidingen van Hendrik pasten niet helemaal bij de oorspronkelijke stijl van Frans I; toen Hendrik IV (1589-1610) kwam, voegde hij ook een hof toe dat aan geen van beide stijlen voldeed. Maar de inconsistente stijl van Fontainebleau draagt juist bij aan zijn charme. In tegenstelling tot Versailles, dat overdreven nauwgezet is ontworpen, is Fontainebleau een eigenaardige mix van tijdperken en smaken. Niet alleen de architectuur ontbeert samenhang, maar ook de tuin. Hendrik IV legde een kanaal in het bos aan en ontwierp bloemperken en paden. Hij bouwde zelfs 's werelds grootste overdekte tennisbaan. Lodewijk XIV (1643-1715) liet tijdens zijn regeerperiode een formele tuin aanleggen die een echo vormde van de tuinen in Versailles. En Napoleon

Het Zonnehof

*Het meest luisterrijke paleis in Europa, **Versailles**, werd gebouwd onder koning Lodewijk XIV. Hij wilde er de macht en glorie van Frankrijk mee tonen – en die van zichzelf.*

BEREIKBAARHEID

Versailles wordt niet langer beschouwd als een grote tocht vanuit Parijs, want drie forenzentreinen, een busdienst en een hogesnelheidstrein verbinden Versailles met Parijs.

BESTE SEIZOEN

Om de mensenmassa te ontlopen, kunt u Versailles het best op een doordeweekse middag bezoeken. Het paleis is het hele jaar door geopend.

TIP

Zorg dat u van tevoren de agenda van Versailles bekijkt om er zeker van te zijn dat het paleis open is op de dag dat u het wilt bezoeken.

Het indrukwekkende Grand Canal vormt de hoofdas van de tuinen van Versailles. Alle wandelpaden, bloemperken en grasperken lopen symmetrisch vanuit de as van het 1,6 kilometer lange kanaal (boven).
De elegante verhoudingen van Versailles zijn het resultaat van vier bouwfasen die werden ondernomen onder Lodewijk XIV.

Hoewel Versailles meer dan driehonderd jaar een van de prachtigste residenties van Europa is geweest, is het niet altijd gewild onroerend goed geweest. Toen Lodewijk XIV (1643-1715) in 1661 de plaats uitzocht om er zijn paleis te bouwen, was het niet veel meer dan een jachthuisje in een moeras. Het was een radicaal besluit om Versailles te bouwen. De koning bouwde namelijk niet alleen een paleis, maar verplaatste de hele regering en hofhouding van Parijs naar een afgelegen stadje zonder enig aanzien – een stoutmoedige stap die tot veel discussie leidde. Maar koning Lodewijk had er zo zijn redenen voor. Couppogingen deden hem beseffen dat als hij de absolute macht wilde, hij als absoluut vorst moest regeren. Hij meende dat als hij zijn verblijf deelde met het hele hof en de hele regering, hij potentiële intriges of bedreiging van zijn macht eerder in het oog zou krijgen. Hij kan gelijk hebben gehad, want hij was de langst regerende koning in Europa: hij was 72 jaar aan de macht.

Koning Lodewijk XIV stondbekend om de starheid van zijn dagelijkse routine en de strikte handhaving van een uitgebreid geheel van sociale codes, die uiteindelijk leidden tot het begrip etiquette. Maar etiquette was een andere manier waarop Lodewijk XIV gezag uitoefende over de machtige Franse aristocratie. Posities en standen waren uitermate belangrijk voor de 3000 hovelingen die in

Versailles woonden, en het opvolgen van strikte gedragscodes kon een bevordering tot gevolg hebben en betere leefomstandigheden; ook de veeleisende routine maakte het gemakkelijker om de macht te behouden. Versailles was niet alleen een schitterend paleis, maar ook een verblijfplaats voor edelen, hovelingen en regeringsfunctionarissen die kleine, vaak benauwde kamers kregen toegewezen in het uitgestrekte bouwwerk.

Aan sterren gewijde kamers

De weelderigheid van de kamers van het koninklijk paar waren zonder weerga, in tegenstelling tot de omstandigheden waaronder de hovelingen woonden. De slaapkamer van de koning lag precies in het midden van het symmetrische gebouwencomplex en moest zijn extreem centralistische positie symboliseren. De slaapkamers werden gebouwd in de tweede fase van de bouw in Versailles, toen het bestaande jachtslot werd omsloten door het château neuf- het nieuwe symmetrische bouwwerk. De belangrijkste verdieping van het château neuf bestaat uit de twee koninklijke vertrekken die precies hetzelfde zijn, zowel qua grootte als qua ontwerp, wat in die tijd uniek was in de paleisarchitectuur. De twee appartementen maken deel uit van zeven enfiladevertrekken. Elk vertrek is gewijd aan een van de zeven bekende hemellichamen en is ingericht om hun Grieks-Romeinse godheid te eren. Verfijnde muurschilderingen, royale wandtapijten, marmeren beelden en vergulde bronzen versieren de ruime vertrekken. Lodewijk XIV koos ervoor om zijn kamer te laten verfraaien met afbeeldingen van Apollo, de Zonnegod.

Gespiegelde schoonheid

De Spiegelzaal is misschien wel het bekendste vertrek van Versailles. Het is gebouwd in de derde bouwfase onder Lodewijk XIV en vormt een perfecte lijn met de koninklijke

vertrekken. Het geschilderde plafond van dit grootse vertrek illustreert alle wapenfeiten van Lodewijk XIV, de allegorie van de Zonnegod was even vergeten. De zaal dankt zijn naam aan de zeventien met spiegelglas bedekte bogen die de zeventien, op de tuin uitkijkende ramen perfect weerspiegelen. De 73 meter lange zaal heeft een overdaad aan oogverblindende kroonluchters, verguldesels en marmer.

Restauratie van een icoon

Evenals veel Franse kastelen, heeft Versailles zijn portie beroering wel gehad. Het verhaal van koning Lodewijk XIV en zijn koningin, Marie Antoinette, die midden in de nacht het paleis ontvluchtten om te ontsnappen aan de woedende menigte van de Franse Revolutie is algemeen bekend. Kort daarop werd het grootste gedeelte van het meubilair op veilingen verkocht. Uiteindelijk werd het paleis een kunstmuseum. Toen Napoleon in 1799 de troon besteeg, liet hij het herinrichten tot paleis, hoewel hij er maar weinig tijd doorbracht. Onder de Julimonarchie van 1830, liet koning Louis-Philippe (1830-1848) veel vertrekken onherroepelijk transformeren tot portretgalerijen. Sinds het einde van de Tweede Wereldoorlog is er heel veel gebeurd in Versailles. Er worden voortdurend grote restauratieprojecten ondernomen en veel van de vertrekken zijn in mindere of meerdere mate in hun vroegere glorie hersteld.

Versailles is nooit alleen maar een paleis geweest. Een deel van de grandeur schuilt in de oogverblindende tuinen die bijna 800 hectare beslaan. De wonderbaarlijk mooie tuinen bestaan uit uitgestrekte promenades, elegante symmetrische bloemperken en perfect onderhouden grasperken. De fonteinen die verspreid over de tuinen staan, zijn ook het vermelden waard; de meeste werken nog steeds op het hydraulische systeem dat Lodewijk XIV liet aanleggen. Verborgen in de tuinen ligt het Petit Trianon dat oorspronkelijk werd gebouwd voor de minnaressen van Lodewijk, maar door Marie Antoinette werd gebruikt om te ontsnappen aan het verstikkende protocol aan het hof.

Het paleis en de tuinen van Versailles vormen samen een elegant en harmonieus geheel dat zijn weerga niet kent. Dat zoveel pracht de eeuwen heeft overleefd is niet alleen een eerbewijs aan één koning, maar ook aan het vakmanschap van allen die aan de bouw van het paleis hebben meegewerkt.

Het landgoed van Marie Antoinette omvat ook het Petit Trianon. Lodewijk XIV gaf zijn vrouw, die zich verstikt voelde door de gedragscodes aan het hof, een eigen enclave op het domein van Versailles. Zonder haar toestemming had niemand het recht er te komen (inzet).
De schitterende plafonds van Versailles zijn verfijnd beschilderd door legers handwerklieden. Dit plafond verfraait een van de privétheaters in het paleiscomplex (middenonder).
Elk oppervlak van de Spiegelzaal straalt pracht uit. Tot op de dag van vandaag wordt de zaal door de Franse regering gebruikt bij officiële ceremonies en voor de ontvangst van hoogwaardigheidsbekleders.

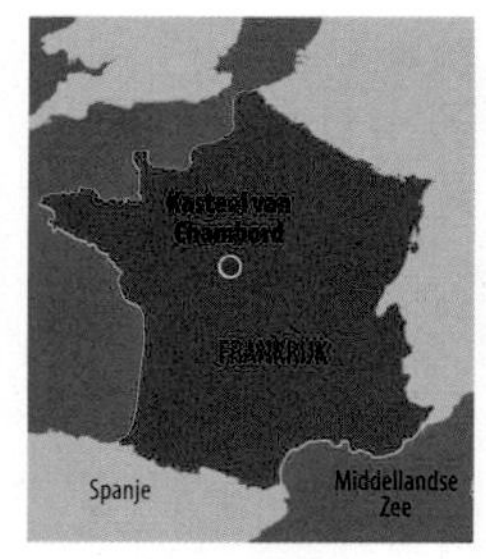

Bereikbaarheid

Chambord ligt 16 kilometer van Blois, de dichtstbijzijnde grote stad. Er rijden regelmatig bussen.

Beste seizoen

Mei-september, wanneer de Spectacle Equestre dagelijks dressuurshows geeft. Paarden en berijders vertonen hun kunsten gekleed in renaissancekostuums.

Aanrader

1214 hectaren van het oorspronkelijke jachtgebied zijn open voor het publiek. Het is een prachtig gebied en er komt ook nog wild voor, zoals zwijnen en herten.

Koninklijk vakantieoord

*De extravagante en weelderige interieurs van het **Kasteel van Chambord** leidde bijna tot het faillissement van de opdrachtgever, koning Frans I.*

Alles in Chambord is op grote schaal: het kasteel, dat te midden van 5260 hectaren bos ligt, kan bogen op 128 meter gevels, 800 met beeldhouwwerk versierde zuilen en een dak dat was ontworpen om te lijken op de skyline van Konstantinopel. Circa 2000 werklieden en ambachtslieden waren betrokken bij de bouw die ruim een kwart eeuw duurde, van 1518 tot 1547. Het uiteindelijke bouwwerk bevat 440 kamers, 365 openhaarden, 84 trappen – waaronder de bekende dubbele (helix) wenteltrap die aan Leonardo da Vinci wordt toegeschreven en stallen voor 1200 paarden. Het oorspronkelijke plan om de Loire om te leiden naar de voorkant van het kasteel werd niet uitgevoerd, maar een van de zijrivieren, de Cosson, werd wel omgeleid en stroomt nog steeds voor het kasteel langs. Het is geen wonder dat het project bijkans het faillissement betekende voor de bedenker van het project, koning Frans I (1515-1547).

De extravagantie van Chambord wordt nog opmerkelijker, wanneer bekend is dat de koning die het kasteel liet bouwen er in totaal minder dan twee maanden verbleef. Chambord is ontworpen als jachtslot en was nooit bedoeld voor iets anders dan vermaak. Het werd hoofdzakelijk een vakantieoord, want het was veel te groot om te verwarmen of te onderhouden voor langere bezoeken. De afgelegen ligging betekende ook dat alle proviand ernaartoe gebracht moest worden, en het interieur van het kasteel bleef grotendeels onvoltooid. Elke keer dat Frans I een jacht wilde organiseren, trok een stoet edelen, bedienden, meubels, wandtapijten, voedsel en schilderijen – genoeg om de vertrekken in te richten en de 2000 gasten van voedsel te voorzien – als een lange sliert door het land op weg naar het mooie kasteel in de bossen.

De prijs van schoonheid

Chambord is een van de mooiste kastelen van Frankrijk. Het werd gebouwd in renaissancestijl met een enorme donjon die het grootste gedeelte van het kasteel omvat. De donjon heeft vier reusachtige hoektorens en de voorkant maakt deel uit van de grotere muur aan de voorkant, met ook weer een toren aan beide uiteinden. Dit plan werd echter nooit uitgevoerd. Het schitterende exterieur van het kasteel wordt binnen geëvenaard. Gewelfde plafonds overspannen enorme vertrekken en zalen, en veel van de muren zijn verfraaid met gebeeldhouwde lelies en salamanders – het persoonlijke embleem van Frans I. Het bekendste architectonische wonder van Chambord is de dubbele (helix) wenteltrap. Het unieke ontwerp van de wit marmeren trap zorgt ervoor dat degene die naar boven gaat nooit degene tegenkomt die afdaalt. Er bestaan veel theorieën over de beweegreden van Frans I om de trap te laten bouwen: volgens sommigen mochten edelen nooit bedienden tegenkomen, anderen beweren dat de trap was bedoeld om de echtgenotes nooit in contact te laten komen met de minnaressen.

De lessen van de geschiedenis

Chambord mocht dan schitterend zijn, maar door de gigantische afmetingen was het haast onmogelijk het te onderhouden. Het kasteel werd keer op keer verlaten. Tijdens de Franse Revolutie werd er opdracht gegeven de meubels te verkopen. Er werden wandpanelen verwijderd, vloeren gesloopt voor timmerhout en zelfs de deuren werden verbrand om de vertrekken te verwarmen tijdens de verkoop van het meubilair. Het uitgeholde Chambord deed in de Frans-Pruisische oorlog van 1870 dienst als veldhospitaal. In de periode voor de Eerste Wereldoorlog werd er een kortstondige poging tot restauratie ondernomen door de hertogelijke familie die het domein in bezit had, maar de gevechten maakten al snel een einde aan de hoop op redding. Uiteindelijk werd Chambord overgenomen door de Franse staat, en na de Tweede Wereldoorlog werd de restauratie in gang gezet. Nu is het kasteel de populairste toeristische attractie van Frankrijk. Het paleis, dat voor iedereen toegankelijk is en met zorg wordt onderhouden, verkeert in de beste staat in zijn hele bestaan.

Het grote aantal ramen in Chambord zijn weliswaar schitterend, maar in de wintermaanden was het kasteel niet te verwarmen.

Frans I liet de rivier Cosson omleggen, zodat die dienst kon doen als slotgracht van Chambord. Omdat het kasteel nooit bedoeld was als verdedigingswerk, was bijna alles aan het kasteel louter decoratief.

De bekende dubbele wenteltrap wordt door sommigen toegeschreven aan niemand minder dan Leonardo da Vinci. Ook een van de voorname vertrekken in het kasteel zou ook van de hand van Da Vinci zijn.

Het verblijf van de koningin

Op de oevers van de Cher ligt ***Kasteel van Chenonceau****, de favoriete verblijfplaats van de legendarische koninginnen van Frankrijk.*

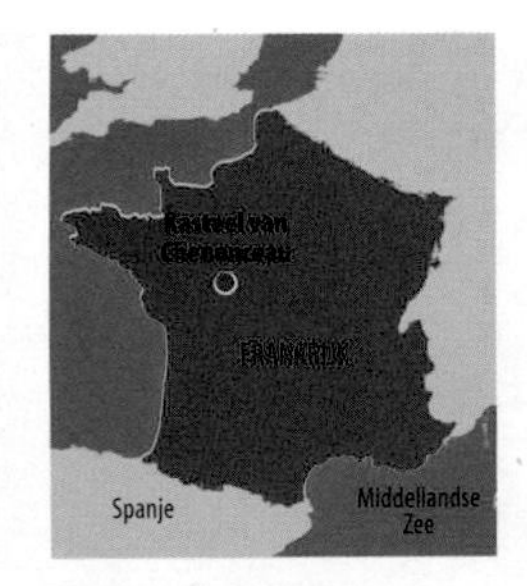

Bereikbaarheid

De dichtstbijzijnde stad, Tours, ligt 34 kilometer van Chenonceau. Er rijden regelmatig treinen naar het dorp.

Beste seizoen

De tuinen zijn op hun mooist van mei tot augustus, maar ook rond kerst wordt Chenonceau verfraaid door bloemen en versieringen.

Aanraders

De Galerie des Dames is een wassenbeeldenmuseum waarin de vrouwen van Chenonceau in de weelderige kostuums van hun tijd worden tentoongesteld.

De galerij van het kasteel, die de rivier de Cher overspant, behoort waarschijnlijk tot de elegantste bruggen die ooit is gebouwd en vormt een van de talrijke unieke elementen van het kasteel. Het is niet altijd zo stijlvol geweest. De oorspronkelijke eigenaar, Jean Marques, bouwde een simpel, vierkant, middeleeuws huis om de stroom goederen die over de rivier werd vervoerd te controleren. De volgende eigenaar, Thomas Bohier, een belangrijk lid van de hofhouding van Karel VIII, liet het gebouw in 1513 volledig verbouwen, daarbij geassisteerd door zijn bekwame vrouw Catherine Briçonnet. Zij was de eerste vrouw in een lange reeks die haar stempel op het kasteel drukte; ze voerde veel vernieuwingen door, zoals een rechte trap in plaats van de gebruikelijke wenteltrap. Haar inbreng maakte het tot gewild onroerend goed, en uiteindelijk kwam het weer in handen van koning Frans I (1515-1547).

De vrouwelijke toets

Toen het kasteel weer in bezit kwam van Frans I luidde dat een opeenvolgende aanwezigheid in van machtige vrouwen. Hoewel de zoon van Frans I, Hendrik II (1547-1559) getrouwd was met Catharina de Medici, gaf hij Chenonceau in 1547 aan zijn favoriete minnares, Diane de Poitiers. Diane werd er verliefd op. Ze was een uitstekende manager, en onder haar leiding werden veel verbeteringen aan het kasteel en de tuinen aangebracht, waaronder de aanleg van uitgestrekte tuinen en de bouw van de brug. Diane wilde dat de brug een kunstgalerij werd, maar haar plannen werden pas uitgevoerd onder de volgende kasteelvrouw, Catharina de Medici. Toen Hendrik II in 1559 plotseling overleed, eiste Catherina onmiddellijk het kasteel terug als haar privéverblijf.

Catherina spendeerde enorm veel geld aan Chenonceau. Ze liet de brug omtoveren tot een twee verdiepingen tellende galerij, breidde de tuinen aanzienlijk uit en organiseerde grote feesten. Veel van haar vertrekken zijn intact gebleven, waaronder haar studeerkamer – de kamer van waaruit ze Frankrijk regeerde. Op de gedetailleerde plafondschildering zijn twee met elkaar verstrengelde C's te zien, en aan de muur hangt een schitterend wandtapijt waarop de ontdekking van Amerika wordt afgebeeld. In haar slaapkamer prijkt een reeks wandtapijten over het Bijbelse leven van Samson.

Na de dood van Catherina in 1589 werd Chenonceau het thuis van een volgende koningin, Louise de Lorraine-Vaudemont, de vrouw van de noodlottige Hendrik III (1574-1589). Na de moord op haar echtgenoot trok Louise zich terug op het kasteel. Ze omringde zich met nonnen, kleedde zich de rest van haar leven in de rouwkleur wit, schilderde haar kamer zwart en decoreerde die met tranen, veren en beenderen om uiting te geven aan haar immense verdriet. De gehele 18e eeuw werd het kasteel hoofdzakelijk bewoond door vrouwen tot Claude Dupin het aanschafte. De vrouw van Dupin, Louise, gaf er grootse feesten waar de beroemdste figuren uit de Verlichting te gast waren, onder wie Voltaire en Rousseau. Madame Dupin redde het kasteel uit de handen van het gepeupel tijdens de Franse Revolutie door erop te wijzen dat de galerij de enige brug over de Cher was.

Een brug naar het verleden

Tijdens de Tweede Wereldoorlog speelde de brug van Chenonceau ook een belangrijke rol. Tegen die tijd was het al in bezit van de huidige eigenaren, de familie Menier. In de oorlog bood de brug een ontsnappingsroute van het door de nazi's bezette gebied naar het 'vrije' Vichy-gebied aan de andere kant van de Cher.

De kunstcollectie van Chenonceau is werkelijk verbazingwekkend. Naast schilderijen van meesters als Tintoretto, Antonie Van Dijck en Corregio, zijn er verfijnde wandtapijten te zien waaronder een belangrijk zestiende-eeuws tapijt. (inzet boven) De befaamde galerijbrug van Chenonceau heeft tal van functies gehad: behalve het ontvangen van sterren van de Franse aristocratie en Verlichting, heeft hij in de Eerste Wereldoorlog dienstgedaan als hospitaal en als vluchtroute in de Tweede Wereldoorlog (volgende bladzijde). De tuinen van Chenonceau zijn speciaal ontworpen met het oog op overstromingen van de Cher. Diane de Poitier legde de tuinen volgens een nauwgezet symmetrisch ontwerp aan en benadrukte dat patroon met stenen terrassen.

Versterkte stad uit het verleden

*De versterkte stad **Carcassonne**, die lang onneembaar leek, werd ooit gered door haar beroemdste inwoonster- en naamgenote.*

Bereikbaarheid
De treinrit vanaf Narbonne en Toulouse duurt 50 minuten. Carcassonne heeft ook een vliegveld.

Beste seizoen
Voor- of najaar, wanneer het minder druk is. 14 juli, de nationale Franse feestdag, wordt in de hele stad gevierd en is heel populair bij de Fransen.

Gastronomie
Eet er vooral eens cassoulet. Het is een stevige stoofpot van bonen, spek en eend, de specialiteit van de regio.

De familie Trencavel werd in 1067 eigenaar van Carcassonne. Raymond Roger raakte de stad in 1209 kwijt aan de Fransen tijdens de kruistocht tegen de katharen, een christelijke sekte. In hetzelfde jaar stierf hij in zijn eigen kerker (boven). Een wandeling bovenop de muren van Carcassonne is een must. Ironisch genoeg zijn de kegelvormige daken van de torens niet de stijl van de streek. Ze werden aan het kasteel toegevoegd tijdens de restauratie halverwege de 19e eeuw.

De zware stadswallen van Carcassonne, verreweg het indrukwekkendste bouwwerk aan de horizon, lijken vergroeid met het Franse landschap en zijn dat in zekere zin ook. Een soort vesting heeft 5000 jaar in Carcassonne gestaan. De huidige stad is al sinds de 6e eeuw v.Chr. bewoond, en al vanaf het begin was het noodzakelijk om de ontluikende stad te beschermen. De vroege bewoners groeven een brede slotgracht en omringden hun nederzetting met houten hekken. In de derde eeuw n.Chr. werd het hout vervangen door steen en in 1230 werd er een muur aan toegevoegd. Dit is de zware buitenwal die al van verre zichtbaar is. De wal is bijna 3 kilometer lang, telt 56 wachttorens en vertoont veel van de vernieuwingen die in die tijd gebruikelijk waren bij kastelen, zoals schietgaten. Maar Carcassonne was uniek in zijn versterkte architectuur. Het stadsontwerp in de vorm van een labyrint moest de vijand verwarren. Valse deuren, een geheel valse trap en een tweevoudig katrolstelsel voor het valhek- om verraad tegen te gaan- zijn ook voorbeelden van vernieuwing. De stad heeft ook een waterbron binnen de stadswallen en ruimte om 1000 varkens en 100 stuks vee te houden.

Tumultueuze tijden

Carcassonne had zoveel verdediging nodig als het kon krijgen. Het lag aan de handelsroute door Frankrijk, dicht bij Spanje en speelde bovendien een belangrijke rol in het bewaken van de Franse grens. Maar vóór het ontstaan van de moderne naties, was de stad ten prooi aan indringers, zoals de Romeinen, de Visigoten, en de Saracenen uit Barcelona. Hoewel de Frankische koning Pepijn de Korte in 759 de Saracenen uit Frankrijk verdreef, bleek hij niet in staat om hun bolwerk Carcassonne in te nemen.

Het kasteel kwam voortdurend in andere handen en werd regelmatig aangevallen. Aan een van deze aanvallen zou de stad zijn naam danken. Tijdens Pepijns militaire operatie tegen Carcassonne, werd de stad maandenlang belegerd- het Frankische leger geloofde dat de inwoners snel zonder voedsel zouden komen te zitten. Binnen de stadsmuren hongerden de inwoners inderdaad, maar de weduwe van de Saraceense kasteelheer, Dame Carcas, had een lumineus idee. Met het laatste graan werd een varken vetgemest, waarna het tot verbijstering van het leger over de vestingmuur werd gegooid. Het leger nam aan dat de stad volop voorraden had en trok zich terug. Om dit te vieren liet Dame Carcas de hele dag de klokken luiden: Dame 'Carcas sonne' (Carcas luidt de klok) gaf de stad zijn vrijheid en zijn naam.

Behoed voor verval

Hoewel Carcassonne lange tijd van zijn bestaan onneembaar was, moest de stad uiteindelijk worden gered. In het midden van de 19e eeuw was de stad weliswaar nog bewoond, maar ernstig verwaarloosd en vervallen. De Franse regering besloot dat de stad moest worden afgebroken. Er volgde een oproer en uiteindelijk werd Carcassonne een van de eerste Franse steden die tot historisch monument werden uitgeroepen.

Vandaag is Carcassonne een levendige stad. Hij is grofweg verdeeld in twee gedeelten; de Ville Basse (nieuwe stad) ligt aan de voet van de oude vesting. Een wandeling door de kronkelige straatjes van de Cité (oude stad) is een ervaring die u niet mag missen. Er zijn rondleidingen naar de befaamde stadswallen en borstweringen. De hoger gelegen wandelingen en het uitzicht vanaf de torens bieden het beste perspectief, niet alleen over de prachtige omgeving, maar ook op de omvang en de vorm van het kasteel zelf. Carcassonne, dat werd gebouwd om zijn inwoners te beschermen tegen de grote buitenwereld door een nieuwe wereld binnen de wallen te bouwen, is daarin wonderwel geslaagd. Het bewijs staat er duizenden jaren later nog steeds.

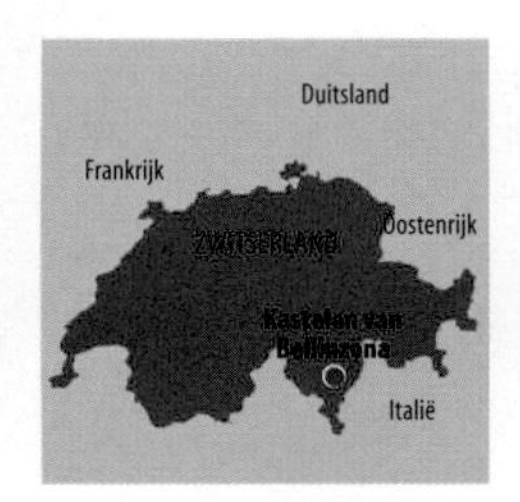

Een drietal schatten in de bergen

*De drie kastelen van **Bellinzona** bewaken al duizenden jaren enkele belangrijke bergpassen.*

Bereikbaarheid

Bellinzona is met de trein bereikbaar vanaf Milaan in Italië en Zürich in Zwitserland. Vanaf Zürich duurt de reis twee uur, vanaf Milaan anderhalf uur.

Beste seizoen

Het zomerweer is het best, maar in het late voorjaar en begin van het najaar is het er minder druk.

Aanrader

De stad Bellinzona is als geheel een meesterwerk van kronkelige middeleeuwse straatjes en verborgen hoekjes. Zorg ervoor dat u alles verkent wat de stad te bieden heeft, met name de wereldberoemde zaterdagmarkt waar de plaatselijke bevolking groente en kunstnijverheid verkoopt.

De meeste Europese steden kunnen bogen op een kasteel als herinnering aan een tijd die angstaanjagend kon zijn. Bellinzona, in het hart van het Zwitserse Ticino, heeft er zelfs drie. Bellinzona, al sinds het Neolithicum een belangrijk verdedigingsoord, werd voor het eerst versterkt onder Augustus (27 v.Chr. – 14 v.Chr.). De eerste versie van Castelgrande, het belangrijkste kasteel van Bellinzona, verrees ergens in de eerste eeuw, op de strategische plek waar drie passen samenkomen van Italië naar de Alpen. Het zou nog duizend jaar duren voordat Montebello, het tweede van de drie kastelen, er kwam. Het werd gebouwd door een belangrijke Italiaanse familie, de Rusconi's, in de vroege 14e eeuw. Montebello ligt op een bergtop ten oosten van de stad en staat via een uitgebreid netwerk van stadswallen in verbinding met Castelgrande. Het derde kasteel, Sasso Corbaro, werd in 1478 gebouwd. Het kleine vierkante fort werd gebruikt om de leemte in de verdediging van de stad te vullen.

Met de lift door de Alpen

Castelgrande is het laagste, grootste en oudste van de drie kastelen, maar in de Alpen is 'laag' betrekkelijk. Het ligt op een rotsige heuveltop en is het resultaat van een reeks bouwprojecten die in de 13e eeuw werden uitgevoerd. Toen het complex vol stond met gebouwen, haalden de hertogen van Milaan het Castelgrande en creëerden drie binnenhoven voor voorraden en troepen die nodig waren voor de vele veldslagen die werden geleverd om de stad in handen te houden. De hertogen versterkten en breidden ook de stadsmuren uit, waarbij ze rond 1486 een van de indrukwekkendste borstweringen toevoegden- een reusachtig architectonisch element vanaf het kasteel tot aan de lager gelegen stad. Castelgrande werd gebruikt als het belangrijkste fort tijdens de langdurige strijd tussen Italië en Zwitserland. Nu is het gerestaureerd en is het open voor bezoekers met vreedzamere gedachten. Hoewel het te voet bereikbaar is, is er ook een supermoderne lift beschikbaar. De lift, ontworpen door de Zwitserse architect Arturo Galfetti, schiet zijn passagiers in enkele seconden langs de steile rotswand omhoog naar de bovenkant van de borstwering.

Hoger gelegen kastelen bieden betere bescherming

Montebello ligt nog hoger en ziet er indrukwekkend uit op zijn rotsige berg. Het kasteel is verbonden met de oude verdedigingsmuur die de stad moest beschermen en de nieuwere Murata die over de hele breedte van de vallei loopt. Het complex met zijn ongebruikelijke scheefhoekige vorm, is in drie fasen gebouwd: de dertiende-eeuwse donjon wordt omgeven door een muur uit de 14e eeuw die op zijn beurt weer wordt omgeven door een muur die een eeuw later is gebouwd. Montebello biedt nu onderdak aan een fascinerend archeologisch en stedelijk museum.

Sasso Corbaro is het hoogst gelegen en nieuwste van de drie kastelen. Het ligt 230 meter boven de stad en werd gebouwd na een vernietigende Milanese nederlaag in 1478. Zes maanden na de veldslag was de oorspronkelijke toren voltooid; een jaar later werd een garnizoensplaats toegevoegd. Degenen die de steile weg van Montebello naar Sasso Corbaro nemen, worden beloond met een adembenemend uitzicht over het Ticino-dal, de omringende Alpen en op een heldere dag zelfs het Lago Maggiogore. Onder de bescherming van degenen die ze ooit hadden moeten tegenhouden, verloren de kastelen hun belang en raakten in verval. In de 20e eeuw volgde een uitgebreide reconstructie en nu vormen ze de best bewaarde middeleeuwse forten in Europa. Een wandeling door het stadje en de kastelen voert u terug naar een ander, angstaanjagender tijdperk.

De drie muren van Montebello werden in de loop van drie eeuwen gebouwd en vormen een voorbeeld van een middeleeuwse vesting, inclusief de van mezenkooien voorziene kantelen en schietgaten (volgende bladzijde). Leden van de vroegere Zwitserse Garde marcheren in 2006 door het land tijdens een herdenkingsmars die een maand duurde.

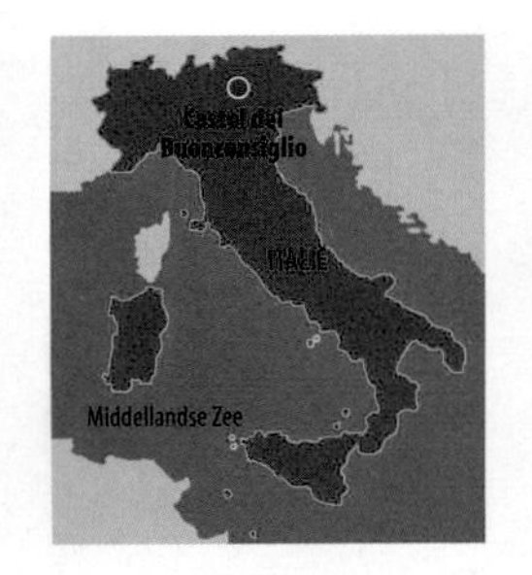

Vergadervertrekken aan de Oostenrijkse grens

*Het **Castel del Buonconsiglio** was bijna acht eeuwen lang de residentie van de prins-bisschoppen van Trente.*

Bereikbaarheid

Verona en Bolzano zijn de dichtstbijzijnde vliegvelden. Van het centraal station in Trente rijden regelmatig treinen naar Verona, Venetië en Bologna.

Beste seizoen

Vanwege het milde klimaat trekt Trente het hele jaar door een gestage stroom toeristen aan. In de winter is het populair bij skiërs, in de zomer bij wandelaars.

Tip

Het Castel del Buonconsiglio maakt deel uit van een groep musea die bestaat uit vier kastelen in de regio. De nabijgelegen forten Stenico, Beseno en Thun zijn ook open voor het publiek en zeker een bezoek waard.

Trente ligt slechts enkele uren van de Oostenrijkse grens en is vooral bekend om de rooms-katholieke conferentie die er werd gehouden en bekender is onder de naam Concilie van Trente (1545-1563). Maar in Trente ligt ook het grootste kasteel in de Italiaanse regio Trentino-Alto Adige, het Castel del Buonconsiglio, waarvan de naam toepasselijk 'goede raad' betekent. Van 1027 tot 1802 maakte Trente deel uit van het Heilige Romeinse Keizerrijk en werd het geregeerd door prinsbisschoppen. Vanaf de 13e eeuw verbleven ze in het kasteel.

Het middeleeuwse kasteel

Castelvecchio, het oudste gedeelte van het kasteel, was een dertiendeeeuws militair fort dat gebouwd werd op een rotsige heuvel tegen de stadswal. Het bouwwerk bestond uit dikke stenen muren en een indrukwekkende toren. Het voorkomen van het bouwwerk veranderde radicaal door toevoegingen in de renaissance- en barokstijl. Tussen de 14e en 15e eeuw, werd het complex uitgebreid met een grote gotische toegang, een binnenplaats, een loggia en extra vloeren en kamers. In de loop der tijd kwamen er veel fresco's bij, met thema's van flora, fauna en het dagelijkse leven tot mythische allegorie. De fresco's in de Sala dei Vescovi zijn bekend om hun portretten van de bisschoppen van Trentino.

Fresco's in de torens

Aan de zuidkant van het kasteel staan twee torens. Tegenover het kasteel vanaf het Castelvecchio staat

de Torre Aquila, waarin de Cyclus van de Maanden is te bewonderen, de bekendste middeleeuwse frescoreeks. De fresco's, die geschilderd zijn als wandpanelen in het hoofdvertrek op de tweede verdieping, geven een mooi beeld van de economische en sociale omstandigheden in de late 14e en vroege 15e eeuw, van kleding tot vrijetijdsbesteding. De tweede toren, de Torre del Falco, verrees in de late 14e eeuw. Hier zijn muurfresco's te zien die dateren uit de jaren 1530 en jachtscènes voorstellen. Ze worden toegeschreven aan de schilder Hans Bocksberger, vormen de belangrijkste bronnen van iconografische documentatie in de regio en zijn karakteristiek voor de Duitse landschapschilderkunst over de jacht en het dagelijkse leven.

Het grote paleis

Een van de invloedrijkste prins bisschoppen was Bernardo Cles (1485-1539), een politicus en humanist die het Concilie van Trente leidde. Cles restaureerde niet alleen veel vertrekken in het Castelvecchio, maar gelastte ook de bouw van een zestiende-eeuws renaissancepaleis, het Magno Palazzo. Een fraaie gang en vestibule verbonden het Castelvecchio met het paleis, waarvan de rijk versierde kamers om een centrale binnenplaats lagen. De woonvertrekken van de bisschop bevonden zich op de tweede verdieping, maar het merendeel van de oorspronkelijke decoraties en meubels zijn verloren gegaan. De studeerkamer van de bisschop, die ooit meer dan duizend boeken telde, is bekend om zijn plafondfresco's die portretten voorstellen van beroemde dichters en intellectuelen uit de oudheid en de middeleeuwen.

Tussen 1686 en 1688 zag de laatste uitbreiding aan het kasteel het licht: het barokke Giunta Albertiana, dat tussen het middeleeuwse Castelvecchio en het renaissancepaleis Magno Palazzo verrees. De buitenkant past bij de oudere gebouwen, maar de inrichting weerspiegelt de stijl van die tijd: barokke fresco's, en gebeeldhouwde en vergulde houten plafonds. Na de invasie van de Oostenrijkse troepen in 1803 verloren de prinsbisschoppen het gezag over de regio; het Castel del Buonconsiglio had daar veel onder te lijden. De Oostenrijkse regering gebruikte het kasteel als kantoorruimte, militaire barakken en gevangenis, en het bouwwerk raakte in verval. Pas na de Eerste Wereldoorlog, toen Trente bij Italië werd geannexeerd, werd er een begin gemaakt met de restauratie. In 1924 werd het een nationaal museum en sinds 1973 hoort het bij de Provincie Trente.

Zestiende-eeuwse fresco's in de Loggia del Romanino in het renaissancepaleis van de bisschoppen, het Magno Palazzo (volgende bladzijde). Detail van de Cyclus van de Maanden in de Torre Aquilla. Deze werd geschilderd in opdracht van de bisschop tussen de late 14e en de vroege 15e eeuw. De maker is onbekend (boven). Veel muren van de binnenplaats zijn verfraaid met frescoschilderingen (onder).

Betoverend kasteel met zeezicht

*Het **kasteel Miramare** is het juweel van de Italiaanse noordoostkust.*

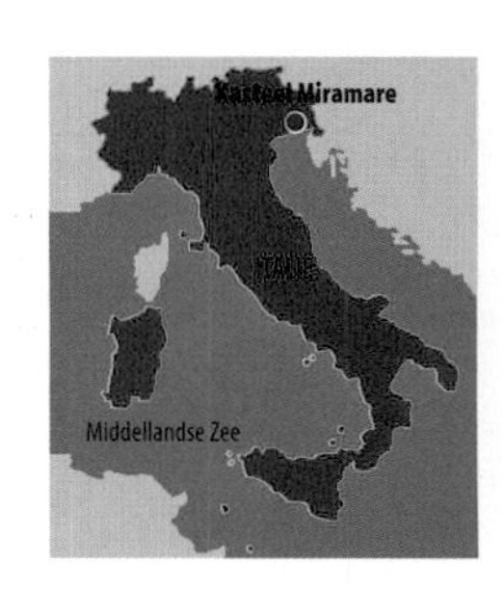

Het is lastig om het onaantastbare kasteel Miramare in Triëst, een mengeling van gotische, middeleeuwse en renaissancestijlen, in een bepaalde tijd of op een bepaalde plek te plaatsen. Het bouwwerk, met zijn strenge Istrische stenen gevel en van kantelen voorziene toren die schittert tegen de kliffen van de Adriatische kust, heeft lange tijd een buffer gevormd tussen de historische en geografische grenzen van het Middellandse Zeegebied en Noordoost-Europa. In 1856 gaf de aartshertog van Oostenrijk, Ferdinand Maximiliaan van Habsburg opdracht tot de bouw van het kasteel. Het huwelijk tussen Maximiliaan en Charlotte, de dochter van de Belgische koning Leopold I, en zijn plannen om een paleis te bouwen met tuinen vol beelden en exotische planten aan de kust, beloofden een einde als van een sprookje. Maar de romantische gedachte achter de geboorte van het kasteel wordt overschaduwd door het tragische einde.

Betoverend kasteel

Nadat Maximiliaan als onderkoning van Lombardije-Veneto had gediend, verhuisde hij met Charlotte naar Triëst waar ze tot 1864 woonden. In dat jaar werd Maximiliaan gekroond tot koning van Mexico. Miramare ademt nog steeds de familiegeschiedenis van de Habsburgers en Maximiliaans persoonlijke interesses. Het oorspronkelijke ontwerp en het decor zijn nauwgezet gerestaureerd dankzij oorspronkelijke foto's en documenten. De begane grond, die was bedoeld voor het ontvangen van gasten, vertoont een combinatie van stijlen.

Op de tweede verdieping liggen de eetkamer en woonkamers, de rookkamer, Charlottes privévertrekken, de audiëntiezaal vol met schilderijen die de familiestamboom en -geschiedenis als onderwerp hebben, en de troonzaal. De zaal is 10 meter hoog en 15 meter lang en is het grootste vertrek van het kasteel. Het is ingericht met rood gedrapeerde muren en houten en met bladgoud bedekte panelen. In de hoofdslaapkamer prijkt een gebeeldhouwd hemelbed dat het paar als geschenk kreeg van Napoleon III, een zwart marmeren tafel met vergulde voet van Paus Pius IX waarop Romeinse monumenten staan afgebeeld.

Het park, Castelletto, en het 'riserva marina'

Maximiliaan voerde aarde, bomen en planten in uit andere gebieden in Italië en uit andere landen om een vruchtbare tuin te creëren langs de rotsige kustlijn. Naast decoratieve sculpturen en meren, en Engelse en Italiaanse tuinen, verrezen kassen waar werd geëxperimenteerd met herbebossing en aanpassing van zeldzame planten. Aan de noordkant van de tuin ligt het Castelleto di Miramare, een miniatuurversie van Miramare, waar Maximiliaan en zijn vrouw woonden, toen het grotere kasteel nog in aanbouw was. Vanaf het terras en de toren is het zicht op de zee adembenemend. Tegenwoordig is het zeegebied rond het park eigendom van de staat en tevens beschermd gebied. Het Riserva Marina van Miramare loopt 1,8 kilometer langs de kust en beslaat 30 hectaren. De administratieve kantoren en het bezoekerscentrum zijn gehuisvest in dit charmante bijgebouw.

Het vervolg

Het vertrek van het paar naar Mexico in 1864 markeerde het begin van het einde. Andere leden van de familie Habsburg bewoonden het kasteel, maar het onderging veel veranderingen. Na de Eerste Wereldoorlog deed het korte tijd dienst als staatsmuseum, toen Triëst deel uitmaakte van Italië, van 1931 tot 1937 was het de residentie van de hertog van Aosta en uiteindelijk werd het getransformeerd tot een trainingschool voor Duitse officieren. Na de Tweede Wereldoorlog en tijdens de Koude Oorlog volgden er politieke twisten over de Italiaanse grens en werden er troepen uit Nieuw-Zeeland, Engeland en Amerika gestationeerd. In 1954 werd Triëst teruggegeven aan Italië. Het park en het Historisch Museum van het kasteel Miramare werden het jaar daarop opengesteld voor het publiek.

Bereikbaarheid

Vanaf het centraal station van Triëst gaat een bus naar Grignano.

Beste seizoen

Mei-september.

Tip

De plaatselijke VVV-kantoren verkopen een FVG-pas (Friuli Venezia Giulia) die gratis openbaar vervoer en gratis toegang of kortingen biedt voor andere musea in het gebied.

Kasteel Miramare ligt op een rotsklif in de Golf van Triëst (voorgaande bladzijde).
De audiëntiezaal is ingericht met rood en goud en gewijd aan de geschiedenis van de familie Habsburg. Fresco's op het plafond tonen het wapen van de Habsburgers en de belangrijke gebouwen die eigendom waren van de familie (rechtsonder).
De Bibliotheek bood onderdak aan de circa zevenduizend boeken van Maximiliaan (linksonder).

Bestand tegen de tijd

Het ***Castello Sforzesco*** *in Milaan, trouw aan zijn naam die is afgeleid van Sforza, dat druk of kracht betekent, heeft een verbazingwekkend aantal wijzigingen ondergaan, van de brug van Da Vinci tot de barakken van Napoleon.*

Bereikbaarheid

Milaan is gemakkelijk bereikbaar met de auto, de trein en het vliegtuig. Van de Milanese vliegvelden Malpensa en Linate rijden bussen naar het stadscentrum. Vanaf het centrum bereikt u het kasteel met de metro, tram of bus.

Beste seizoen

Het voor- en najaar zijn de ideale perioden voor een bezoek.

Tip

Het Castello Sforzesco biedt tegenwoordig onderdak aan twaalf musea (gesloten op maandag). Bezoekers aan het kasteel kunnen ook het Koninklijk Paleis op het Piazza Duomo bekijken, een vroeg twaalfde-eeuws paleis dat als residentie diende voor de families Visconti en Sforza.

De meeste buitenlanders hebben Milaan hoog zitten als een van Europa's modecentra of halen juist hun neus op voor de stad, omdat de karakteristieke Italiaanse charme er zou zijn vervangen door de bedrijvigheid en stress van een willekeurige andere wereldstad. Een bezoek aan het Castello Sforzesco zal u hoogstwaarschijnlijk op andere gedachten brengen, tot welke categorie u ook behoort. Het kasteel is een van de bekendste bouwwerken in Milaan en symboliseert de talloze veranderingen die de stad heeft ondergaan. Het bouwwerk is in het midden van de 14e eeuw gebouwd langs de vestingmuren van de stad en kwam later in handen van de machtige familie Sforza en daarna achtereenvolgens van het Franse, Spaanse en Oostenrijkse leger. Over het enorme Piazza d'Armi gaan bezoekers door de poorten en de binnenplaats naar het hart van het Milaan uit de renaissance. Leonardo da Vinci voltooide de frescoschilderingen in het kasteel in dezelfde jaren dat hij de laatste hand legde aan zijn meesterwerk, de muurschildering Het Laatste Avondmaal, in de nabijgelegen kloosterkerk Santa Maria delle G.

Van fort tot paleis

Het Castello Sforzesco begon als een klein fort, of Porta Giovia, en werd gebouwd in opdracht van de familie Visconti die van de laat 13e tot halverwege de 15e eeuw over Milaan heerste. In het fort bevond zich nog een versterkt bouwwerk, de Rocchetta, dat een vierkante plattegrond had en een slotgracht tussen de twee vleugels. Uiteindelijk werd het gebouw de residentie van de familie Visconti die het geheel uitbreidde met tuinen, torens op elke hoek, en een brug die de twee zijden van het kasteel met elkaar verbond. Maar de laatste Visconti-telg, Filippo Maria, die geen wettige erfgenaam had, overleed in 1447. De Milanese burgers braken het kasteel af om het einde van de tirannie van de Visconti's te vieren. Ze verkochten delen van het bouwwerk of gebruikten die voor het herstel van de stadsmuren.

Bianca Maria Visconti, de onwettige dochter van de laatste Visconti, trouwde met de hertog van Milaan, Francesco Sforza. De familie Sforza telde veel machtige politici en beschermheren van de kunsten en wetenschappen. Vanaf 1450 trans-

formeerden ze de funderingen van het oude kasteel tot het nieuwe hertogelijk paleis dat Sforzesco werd genoemd, naar de familie. De daaropvolgende vijfentwintig jaar werd het kasteel uitgebreid met nieuwe torens en een binnenplaats met een openlucht zaal, een zuilengang met fresco's en een kapel. Op de begane grond kwamen de privévertrekken, terwijl de eerste verdieping gedecoreerd werd met bogen en fresco's. In de late 15e eeuw (1480-1500) werkte Leonardo da Vinci als schilder en ingenieur voor het hof. Hij verfraaide meerdere vertrekken in het paleis met fresco's en bouwde, samen met de architect Bramante de Ponticella, een brug over de slotgracht.

De hoefvormige hertoglijke binnenplaats omsluit de tuinen. Tegenwoordig is er een museum ondergebracht gewijd aan oude en moderne kunst, houten beelden en meubels, en archeologie (voorgaande bladzijde). Na het huwelijk van Francesco Sforza en Bianca Maria Visconti, werd het wapen van de Sforza's, drie gekroonde adelaars, gecombineerd met dat van de familie Visconti, een slang die een kind opeet (boven).

Terug naar de barakken

Na glorieuze renaissancejaren, werd het Castello Sforzesco opnieuw een militair fort. In 1499 viel Frankrijk Italië binnen en verdreef hertog Sforza. De Fransen bezetten het kasteel en gebruikten het als munitieopslagplaats. Het bouwwerk werd onderworpen aan talloze veldslagen, bezettingen en plunderingen, evenals een explosie in 1521, toen een toren werd getroffen door de bliksem.

De Oostenrijkse overheersing van Milaan begon in 1706 en duurde tot de Eenwording van Italië in 1861, met uitzondering van de jaren 1796-1815, na een aanval door de Fransen, toen Napoleon het kasteel gebruikte om er soldaten en dieren te stallen. Na de Eenwording van Italië werd het kasteel stadsbezit. Sommigen zagen het kasteel als een symbool van eeuwenlange tirannie en wilden dat het werd vernietigd. In plaats daarvan onderging het een jarenlange restauratie. De overblijfselen van de oude versterkingen buiten het gebouw werden afgebroken, er kwamen nieuwe slotgrachten rondom het kasteel en de oorspronkelijke bouwwerken uit de middeleeuwen en renaissance werden gerestaureerd. Nu zijn de museumruimten in het kasteel gewijd aan oude kunst, antiek meubilair, muziekinstrumenten en archeologie.

De centrale Filarete toren, genoemd naar de architect die hem ontwierp voor Francesco Sforza, is 70 meter hoog. De oorspronkelijke toren werd verwoest door een blikseminslag in 1521. Op zijn plaats prijkt nu een twintigste-eeuwse reconstructie.

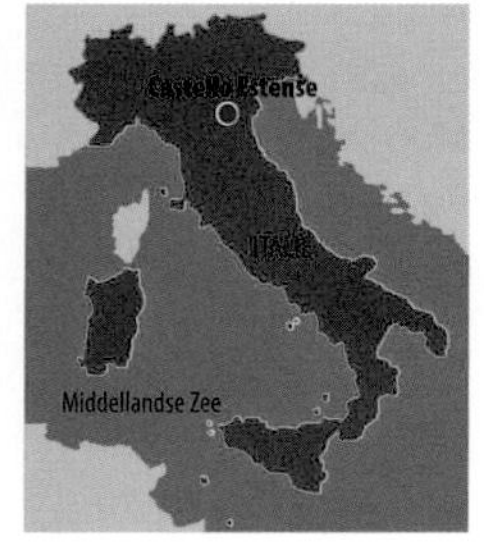

Van middeleeuwse wachttoren tot renaissancepaleis

Het ***Castello Estense*** *vertelt de geschiedenis van de familie Este uit Ferrara.*

Bereikbaarheid

De dichtstbijzijnde grote vliegvelden bevinden zich in Bologna en Venetië. Ferrara is ook gemakkelijk te bereiken met de trein.

Beste seizoen

April-mei en september.

Tip

Voor een spectaculair zicht op de stad kunnen bezoekers naar de top van de Toren van de Leeuwen. Andere monumenten van de familie Este zijn ook toegankelijk voor het publiek.

Ferrara is tegenwoordig in Italië vooral bekend als dé fietsstad. De fiets is het belangrijkste vervoermiddel voor de bewoners voor alle leeftijden en jaarlijks doen duizenden buitenlandse wielrenners de stad aan. De uitgestrekte openbare parken die worden omsloten door bijna 9 kilometer lange stadsmuren, vormen ook een ideale plek om te wandelen. De lange traditie om te lopen en van de frisse lucht en het landschap te genieten, dateert waarschijnlijk van de tijd van de machtige familie Este. De Estes heers-ten over Ferrara van het begin van de 13e eeuw tot het einde van de 16e eeuw en gaven gestalte aan het moderne voorkomen van de stad. In het centrum van Ferrara maakt het

Castello Estense een tijdlijn zichtbaar die de geschiedenis van de familie Este omvat en de ontwikkeling van de stad van een middeleeuws bolwerk tot een bloeiend renaissancehof.

De wachttoren

Het Castello Estense begon als een dertiende-eeuwse wachttoren, die bekend staat als de Toren van de Leeuwen of Rocca del Leone. Hij werd omgeven door een slotgracht en stond in verbinding met de stadsmuren via een ophaalbrug en een grote poort, de Porta del Leone. De drie verdiepingen tellende, van kantelen voorziene bakstenen toren had een eenvoudig vierkante plattegrond. Alle verdiepingen hadden

een kamer en kleine ramen. In de 14e eeuw, toen de Estes meer land en macht verwierven, werd de wachttoren versterkt met dikkere muren en een nieuwe slotgracht. Drie nieuwe torens van hetzelfde formaat en dezelfde hoogte als de oorspronkelijke toren en drie ophaalbruggen werden toegevoegd om een klein militair fort te creëren, het Castello di San Michele. De torens waren verbonden door een gekanteelde muur die rondom de centrale binnenplaats was gebouwd. Binnen de dikke buitenmuren leidden wenteltrappen van de begane grond naar de hogere verdiepingen.

Het kasteel, waarvan de funderingen meer dan 5 meter onder de slotgracht lagen, deed dienst als militair centrum van de familie Este en bestond uit diverse stallen, wapenkamers, opslagruimten en werkplaatsen. De Estes zelf verbleven in een apart gebouw, maar de soldaten, officieren en bedienden woonden in het kasteel. De kerkers werden gebruikt als gevangenis voor verraders en politieke tegenstanders. Eeuwenlang hebben gevangenen graffiti achtergelaten die een waar document vormen over de straffen.

Verrukkingen aan het hof

Onder de familie Este veranderde het kasteel voortdurend; het werd uitgebreid met nieuwe vertrekken, tuinen en decoratieve elementen, zoals fresco's, hoewel het nog steeds dienst deed als militair centrum en gevangenis. Uiteindelijk werd het kasteel in 1479 onder de hertogin van Ferrara, Eleonora van Aragon, de zetel van de Este Hofhouding en de hoofdverblijfplaats van de familie. Om het oorspronkelijke verblijf met het kasteel te verbinden, werd er een overdekte bakstenen gang gebouwd, de Via Coperta. De bovenste verdieping van het kasteel ontwikkelde zich tot een waar renaissance paleis. In de loop van de daaropvolgende eeuwen werd het bouwwerk uitgebreid met zuilengangen, grote zalen, balkons en tuinen. Na de brand in 1554 en een aardbeving in 1570 waren de veranderingen veel ingrijpender. De kantelen verdwenen en er kwamen een extra verdieping, stenen balustrades, terrassen en dakgalerijen. De torens en nieuwe terrassen boden een spectaculair uitzicht op de stad, die ook een transformatie had ondergaan onder het gezag van de familie Este.

In 1598 moesten de Estes Ferrara verlaten, omdat ze geen wettelijke erfgenaam hadden die de stad kon regeren. De Pauselijke Staten namen tot 1859 Ferrara en het Castello Estense over. Weer later werd het kasteel de residentie van het koninkrijk Italië tot 1874, toen de provinciale staten het op een veiling voor 70.000 lire aanschaften. Het grootste gedeelte van de 20e eeuw bood het kasteel onderdak aan appartementen en kantoren van staatsinstellingen en regionale instituten. In de jaren 1980 werd er een begin gemaakt met de restauratie, waarna het een museum werd.

Het Castello Estense ligt in het hart van Ferrara en vertegenwoordigt de geleidelijke transformatie van de stad tot een van de belangrijkste renaissancecentra in Europa (boven). Twee details van de maand april, een van de fresco's van de allegorische Cyclus van de Maanden door Francesco del Cossa. De fresco's zijn te zien in een van de delizie van de familie Este, een renaissancepaleis met de naam Palazzo Sciffanoia.

Engelen en demonen

Al meer dan tweeduizend jaar waakt het ***Castel Sant'Angelo****, of Engelenburcht, over de Eeuwige Stad Rome.*

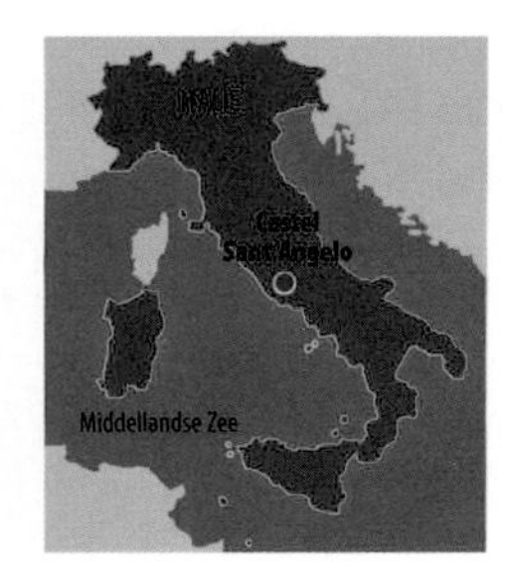

Bereikbaarheid

Vanaf het vliegveld Leonardo Da Vinci, dat 30 kilometer van het centrum van Rome is verwijderd, rijdt een rechtstreekse trein naar het station Termini in het centrum van de stad. Taxi en huurauto's zijn ook een optie. Van het station Termini neemt u de ATAC-bus nr. 40 naar Castel Sant'Angelo of de Metrolijn A tot de halte Lepanto.

Beste seizoen

In augustus kunt u Rome beter vermijden, want dan is het er warm en vochtig en zijn er vaak meer toeristen dan Romeinen. Het Castel Sant'Angelo is 's maandags gesloten.

Tip

De Engelenburcht wordt 's avonds verlicht en is dus een perfecte bestemming voor een avondwandeling. In de zomer worden er concerten gegeven op het terras.

Het grote ronde kasteel op de westoever van de Tiber vond zijn weg naar de popcultuur dankzij de rol van schuilplaats die het speelde in Dan Browns roman, Angels & Demons, vertaald als Het Bernini Mysterie, en de gelijknamige film. Maar voordat het een inspiratiebron werd voor romanboeven en kuierende toeristen, was de Engelenburcht al 2000 jaar getuige geweest van de Romeinse geschiedenis.

Keizerlijke tombe

Het immense ronde bouwwerk werd ontworpen door keizer Hadrianus als grafmonument en als plek om zijn as te beschermen. Het Hadrianium, dat uit drie cilindrische gebouwen bestaat op een vierkante plattegrond, verrees tussen 123 en 139 voor Christus. Het dak van het monument was voorzien van een hangende tuin en versierd met een gouden quadria, een door een paard getrokken koets. In 134 bouwde Hadrianus ook een brug over de Tiber die direct naar het mausoleum leidde. De Ponte Sant'Angelo, of Engelenbrug, bestaat nog steeds en behoort tot een van de mooiste loopbruggen van Rome.

Meer dan een eeuw lang werd het monument van Hadrianus gebruikt als begraafplaats voor Romeinse keizers en hun families; ze werden gecremeerd, waarna hun as in grote urnen diep verborgen in het gebouw werden bewaard. Het mausoleum, en zijn functie, veranderde in de loop der tijd radicaal, maar verloor nooit zijn rol als waker over de stad. Zijn beschermende functie en vorm werden door keizer Aurelius opnieuw geïnterpreteerd en gerenoveerd. In 271 transformeerde Aurelius de tombe tot een fort. De dikke muren en verhoogde ligging vergemakkelijkten de transformatie tot een militaire vesting. Later werd de burcht betrokken bij de verdedigingsmuren van de stad en bleef de gehele 13e eeuw dienstdoen als militair fort.

De oorspronkelijke associatie van het monument met spirituele bescherming kreeg uiteindelijk weer een kans naast zijn verdedigende rol. Tegenwoordig is het tot fort omgetoverde mausoleum bekend onder de naam Castel Sant'Angelo, dat 'het kasteel van de heilige engel' betekent. Het ontleent zijn naam aan een legende die wil dat in 590 de aartsengel Michaël midden in een processie bovenop het monument verscheen en zijn zwaard trok om het einde van de pestepidemie aan te kondigen. Een bronzen beeld van de aartsengel Michaël uit het midden van de 18e eeuw waakt nu over het kasteel ter herinnering aan het wonder.

De geheime doorgang

In 1277 gaf de paus opdracht een verbinding te creëren tussen het kasteel en het Vaticaan door middel van een geheime bestrate doorgang, de Passetto. De gang is 800 meter lang en loopt bovenop de brede Vaticaanse muur, circa 7,5 meter boven de grond. Hij werd gebruikt om de paus veilig van het Vaticaan naar het kasteel te leiden. In de middeleeuwen vormde het kasteel dankzij de Passetto een veilige haven voor de paus.

Het pausdom nam de Engelenburcht officieel over in 1367, waarna er een eindeloze reeks renovaties en veranderingen plaatshadden, waaronder de toevoeging van een gang binnen, een tweede ingang en een ophaalbrug. In het midden van de 15e eeuw werd het Vaticaan de officiële residentie van de paus, zodat hij dichter bij het kasteel kwam te wonen. Tot de 17e eeuw genoten pausen van luxe appartementen, tuinen en fonteinen in het kasteel, waar vaak overvloedige banketten werden aangericht en feesten gehouden. Vermeldenswaardige decoratieve elementen die onder het pausdom werden toegevoegd zijn de renaissance fresco's door verschillende schilders uit de school van Rafaël, Michelangelo's kapelgevel en de tien beelden van engelen op de Engelenbrug van Bernini.

Het kasteel deed drie eeuwen lang ook dienst als gevangenis. Veel gevangenen werden binnen de kasteelmuren geëxecuteerd, waarna hun lichamen op de Engelenbrug werden tentoongesteld. In de 17e eeuw kreeg het bouwwerk weer zijn militaire functie tot aan het begin van de 20e eeuw, toen er een begin werd gemaakt met de restauratie. In 1925 werd het nationaal museum van Castel Sant'Angelo geopend. Het was bedoeld als kunst en historisch museum, maar is nu een militair museum. De rondgang langs de vijf verdiepingen van het kasteel begint met de 122 meter hoge wenteltrap die in de Romeinse tijd is gebouwd en leidt naar het mausoleum met de vele decoratieve mozaïeken. Het terras op de hoogste verdieping biedt een spectaculair zicht op de stad.

De Engelenburcht is gebouwd in de tweede eeuw voor Christus als grafmonument voor keizer Hadrianus en heeft sindsdien dienstgedaan als begraafplaats, fort, gevangenis, pauselijke schuilplaats en luxe residentie. Tegenwoordig is het een militair museum (boven).
De Engelenbrug, gebouwd door keizer Hadrianus, is een voetgangersbrug die over de Tiber naar de grote stenen toegang van het kasteel leidt (linksonder).
De Engel met de Spons van Antonio Giorgetti. De tien engelen van de Engelenbrug dragen elk een werktuig van de lijdensweg van Christus. De barokke beelden werden ontworpen door Bernini en gehouwen door zijn leerlingen (rechtsonder).

De acht zijden van een mysterie

Het achthoekige ***Castel del Monte*** *van Frederik II blijft een mysterie.*

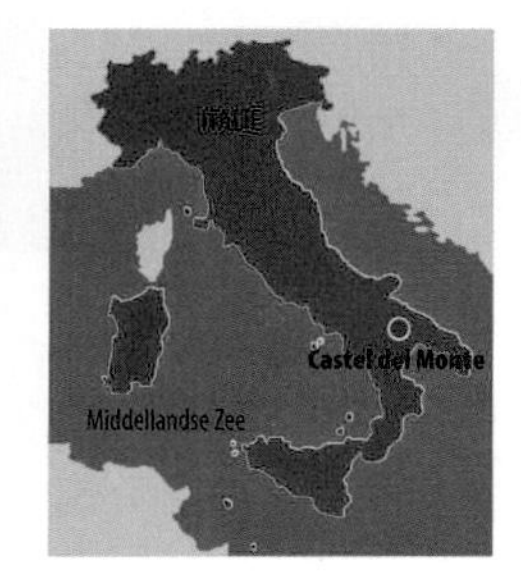

Bereikbaarheid

Het kasteel ligt ongeveer 18 kilometer buiten de stad Andria. In het voorjaar en in de zomer (april-oktober) rijdt een lokale bus in dertig minuten van het station van Andria naar het Castel del Monte.

Beste seizoen

April-oktober, hoewel het in juli en augustus heel erg warm kan zijn.

Tip

Bezoekers van het Castel del Monte kunnen ook heel gemakkelijk de andere kastelen bereiken in de nabijgelegen steden Barletta, Trani, Minervino en Canosa.

Het middeleeuwse kasteel Castel del Monte lokt al lang wetenschappers en reizigers vanwege zijn achthoekige plattegrond en zijn raadselachtige functie. Het strenge bouwwerk van kalksteen en marmer is al van kilometers afstand zichtbaar en is nog indrukwekkender door de acht grote torens die op elke hoek staan en de meedogenloze herhaling van de achthoekige vorm in de torens en de binnenplaats. Het gebouw ligt in de stad Andria, niet ver van Bari, de huidige hoofdstad van de regio Apulia, en werd ontworpen door de Heilige Romeinse Keizer en Koning van Sicilïe, Frederik II. De passie van de verlichte vorst voor de kunsten en de wetenschappen wordt weerspiegeld in het ontwerp van het bouwwerk.

De vele kanten van het kasteel

Het kasteel is opgebouwd uit een combinatie van koraal, verbrijzelde steen, kalksteen en marmer en is een mix van gotische, romaanse, Griekse, Byzantijnse en islamitische architectonische elementen. De toegang van het bouwwerk, de gewelfde plafonds, bogen en poorten zijn gotisch, terwijl de marmeren kapitelen, friezen en kroonlijsten voortkomen uit het Classicisme. Islamitische invloeden worden gesuggereerd door de vloermozaïeken en de vorm van het monument zelf; de vier symmetrische assen creëren de twee elkaar kruisende vierkanten die de achtpuntige islamitische ster vormen.

De religieuze, culturele en wetenschappelijke betekenis van het getal acht in het kasteelontwerp is lang een discussiepunt geweest onder wetenschappers, die hun diverse interpretaties baseren op de liefde van Frederik II voor wiskunde, wetenschap, astrologie en buitenlandse culturen. Iedere verdieping telt acht ramen en acht trapezoïde vertrekken die rondom een achthoekige binnenplaats liggen en door acht torens met elkaar worden verbonden. De twee verdiepingen staan met elkaar in verbinding door wenteltrappen in drie van de acht torens. De andere torens werden gebruikt als badkamer of om regenwater op te slaan. Hoewel het merendeel van de decoratieve elementen verloren is gegaan, zijn de grote marmeren vuurplaatsen waarmee het gebouw werd verwarmd en zuilen nog intact.

Stupor Mundi

Frederik II dankte zijn bijnaam Stupor Mundi, 'verbazing van de wereld', aan zijn wereldrijke kennis en vooruitstrevende manier van denken. Buiten het Castel del Monte, dat verrees tussen 1240 en 1249, bouwde hij veel vestingen in Puglia en een reeks forten aan de Adriatische kust. Hij was een talenkenner, kruisvaarder en wetenschapper, stichtte de universiteit van Napels en was goed bevriend met de befaamde wiskundige Fibonacci.

De relatie die Frederik onderhield met de belangrijke intellectuele, culturele en politieke kringen in die

periode, hebben het ontwerp en de functie van het kasteel sterk beïnvloed. Waarschijnlijk was de vesting een ontmoetingsplaats waar academici filosofische discussies voerden. De keizer moet het bouwwerk ook als jachtslot hebben gepland, want een van de torens deed dienst als valkenverblijf. Het kasteel, waarvan de vorm vaak is vergeleken met die van een koningskroon, is een duidelijk symbool van de kracht en de status van de keizer, maar het bouwwerk had waarschijnlijk geen militaire functie. Ondanks het indrukwekkende voorkomen, met 25 meter hoge en 2,5 meter dikke muren en de ligging bovenop een heuvel die een zicht van 360 graden mogelijk maakt over de omgeving, is het Castel del Monte nooit versterkt en is er nooit een slotgracht geweest.

Na de keizer

De dood van Frederik in 1250 betekende dat hij niet lang van het kasteel heeft kunnen genieten, maar in de jaren voorafgaand aan zijn dood, vierde zijn dochter haar bruiloft op het kasteel en gebruikte zijn zoon, Manfred, het om opstandige onderdanen gevangen te zetten. In de jaren die volgden bleef het bouwwerk dienstdoen als gevangenis tot de Heren van Andria in de 15e eeuw de nieuwe eigenaren werden. Het werd de residentie van Ferdinand van Aragon, en in de 17e eeuw diende het als schuilplaats voor de adel tijdens de pestepidemie. Jaren van verwaarlozing leidden tot de geleidelijke plundering van het merendeel van de mozaïeken en beelden, en in de 18e eeuw gebruikten schaapherders en bandieten het kasteel als schuilplaats. Uiteindelijk werd het Castel del Monte in 1876 staatsbezit en in de daaropvolgende honderd jaar werd het meest raadselachtige bouwwerk van Italië geleidelijk in zijn oorspronkelijke glorie hersteld.

Het Castel del Monte ligt op een rotsachtige heuvel 540 meter boven zeeniveau. Het achthoekige ontwerp telt twee verdiepingen, waarvan de zestien vertrekken met elkaar in verbinding staan door trappen in de torens (voorgaande bladzijde). De architectuur van Castel del Monte is een mengeling van klassieke, Romaanse, Normandische, gotische en islamitische elementen.

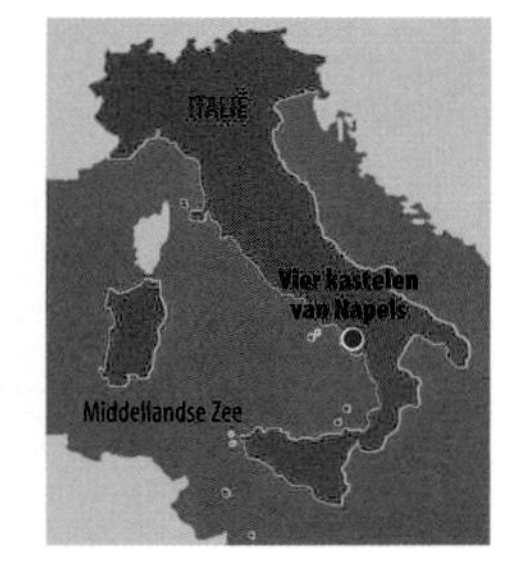

Onder de Napolitaanse zon

***Vier kastelen** belichamen de zevenentwintig eeuwen geschiedenis van Napels.*

BEREIKBAARHEID

Shuttlebussen en taxi's verzorgen het vervoer van het vliegveld naar het centrum van Napels. Veel tourbussen maken een stop bij de vier kastelen.

BESTE SEIZOEN

Vermijd juli en augustus. Het Castel Sant'Elmo is dinsdags gesloten.

GASTRONOMIE

Napels staat bekend om zijn eindeloze variatie dolci, of desserts.

Napels is gesticht als een Griekse kolonie en is een van 's werelds oudste steden en de plaats waar zich de oudste staatsuniversiteit bevindt. De geboorteplaats van Bernini (en roemruchter, van de pizza) wordt vaak beschouwd als een synoniem van de Italiaanse cultuur. Minder algemeen is wat er niet Italiaans is aan Napels, of liever gezegd de lange historie van buitenlandse overheersing van de stad. Napels was lange tijd een vitale Romeinse kolonie en de heerschappij over de havenstad werd, na het terugtreden van het Westerse Romeinse Keizerrijk, hevig betwist door Byzantijnen, Noormannen, Zwaben, leden van het huis van Anjou, Aragonese vorsten en Spanjaarden. De vier kastelen in de stad zijn stevige symbolen van de diverse culturen die de stad hebben bewoond.

Het ei van Vergilius

Op slechts een steenworp afstand van het centrum van Napels ligt het eilandje Borgo Mariano, eens een negentiende-eeuws vissersdorp, nu een overdaad aan restaurants, bars en toeristen. Hier ligt, op een korte wandeling van het vasteland over de brug, de oudste vesting van Napels, het Castel dell'Ovo. Het bouwwerk dateert van de eerste eeuw voor Christus: de fundamenten van een Romeinse villa vormden later de basis voor een Romeinse gevangenis en Romeins klooster. Het kasteel ontleent zijn naam aan een legende die wil dat de dichter Vergilius een ei in het kasteel verstopte dat stond voor het lot van de stad - als het ei brak, zou de stad worden verwoest. Een Romaanse rotsvesting op dezelfde plek creëerde de basis voor het huidige kasteel, dat later werd

gewijzigd door leden van het huis van Anjou en de vorsten van Aragon. Het kasteel wordt nu gebruikt voor conferenties en tentoonstellingen, en de terrassen bieden een adembenemend zicht op de kust.

Fort van Willem de Veroveraar

Het Castel Capuana is genoemd naar een van de oude toegangspoorten van Napels en heeft een groot aantal buitenlandse heersers gehuisvest. Hiervan getuigen de familiewapens en inschriften die het kasteel verfraaien. Het begon als een Byzantijns bastion en werd in de 12e eeuw uitgebreid en getransformeerd door Willem I tot een Normandisch fort. Daarna volgde bewoning door sommige van de machtigste figuren uit de Westerse geschiedenis. In 1540 werden de vorm en de functie van het bouwwerk drastisch gewijzigd, want het werd de zetel van alle rechtbanken van Napels. De nieuwe functie ging ook gepaard met het aanbrengen van nieuwe verfraaiingen, zoals de plafondfresco's die tussen de 16e en 18e eeuw werden geschilderd met bijbelse taferelen, landschappen en allegorieën als thema.

Het nieuwe kasteel

Het zandstenen Castel Nuovo is het eerste wat zichtbaar wordt bij het naderen van Napels over zee. De ligging van het kasteel, dat in 1279 is gebouwd onder de heerschappij van Karel I van Anjou, maakte het ideaal als koninklijke residentie, maar ook als fort. Het wekt dan ook geen verbazing dat het beide functies heeft vervuld. In de 14e eeuw was het bouwwerk een artistiek centrum dat vooraanstaande gasten ontving, zoals Giotto, Petrarca en Boccaccio, terwijl de Aragonezen het transformeerden tot een groot fort. Het nieuwe ontwerp was een trapezoïde vorm met vijf cilindrische torens. Restauraties in de 20e eeuw hebben het kasteel weer zoveel mogelijk in zijn oorspronkelijke staat gebracht, bijvoorbeeld door achttiende-eeuwse toevoegingen aan de buitenmuren te verwijderen. Tegenwoordig biedt het Castel Nuovo onderdak aan een staatsmuseum en wordt het gebruikt voor culturele evenementen.

Spaans fort

Het Castel Sant'Elmo is aan het begin van de 14e eeuw gebouwd voor de koning van Anjou en zijn hofhouding. Het rechthoekige paleis met twee torens werd gedeeltelijk verwoest bij de aardbeving van 1456, maar nog drastischer waren de veranderingen onder de heerschappij van de Spaanse onderkoningen (1504-1707) die het kasteel tot een militair fort transformeerden en het een nieuw stervormige plattegrond gaven. Van 1860 tot 1952 deed het bouwwerk dienst als militaire gevangenis. In 1976 begonnen de restauraties die het bouwwerk in zijn oorspronkelijke staat moesten terugbrengen. Tegenwoordig wordt het gebruikt als bibliotheek voor fotografie en kunstgeschiedenis. In de aula worden congressen, concerten en theatervoorstellingen gehouden.

Het Castel Nuovo deed dienst als koninklijke residentie, cultureel centrum en militair fort. Tegenwoordig wordt het beschouwd als een van de belangrijkste symbolen van Napels (boven).
De triomfboog bij de toegang van Castel Nuovo werd in het midden van de 15e eeuw toegevoegd onder de Aragonese dynastie (voorgaande bladzijde, onder).
Het oudste kasteel van Napels, Castel dell'Ovo, is een symbool van de lange historie van de buitenlandse overheersing van Napels (onder).

Historisch monument in Mudéjar-stijl

*Het zwaar versterkte **Castillo de Coca** was eeuwenlang een onneembare vesting, maar het werd gebouwd met een andere bedoeling.*

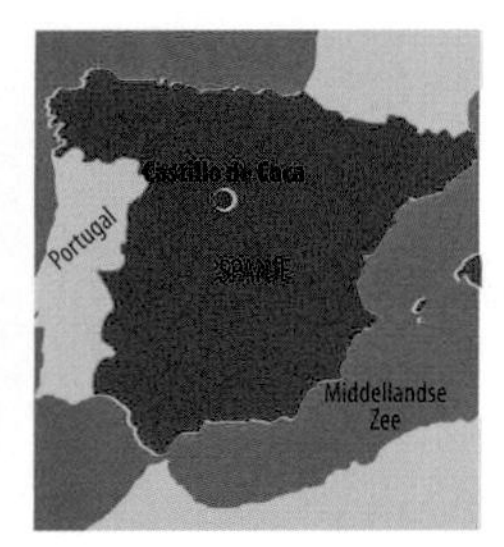

BEREIKBAARHEID

Het stadje Coca ligt circa 50 kilometer van Segovia. Er rijden bussen tussen beide steden.

BESTE SEIZOEN

Voor- of najaar, wanneer het koeler is en minder druk.

TIP

Breng ook een bezoek aan Santa Maria, de belangrijkste kerk van Coca en tevens begraafplaats van de familie Fonseca.

Boven het vlakke bosgebied van Segovia torent het indrukwekkende fort van Coca uit. Het wordt omgeven door een enorme slotgracht (560 meter) en twee 2,5 meter dikke muren, en het kan bogen op veelhoekige torentjes, halfronde torens en een onneembare centrale donjon. De zware versterkingen kwamen goed van pas tijdens een mislukte belegering door burgers die protesteerden tegen de verbranding van het nabijgelegen stadje Medina del Campo in 1521, maar zelfs de meest solide vesting kon Napoleon niet tegenhouden die het bouwwerk in 1808 succesvol belegerde. Toch zijn deze twee aanvallen uitzonderingen en niet de regel in het bestaan van Coca. Veel van de robuustere verdedigingselementen werden na 1504 toegevoegd, toen Coca het eigendom werd van Don Antonio de Fonseca. Het oorspronkelijke kasteel, dat in 1473 werd gebouwd door Antonio's oom, de machtige aartsbisschop van Sevilla Don Alonso de Fonseca, deed meer dienst als paleis dan als fort. Ondanks het solide aanzien was Coca de hoofdresidentie van de Fonseca's- een kasteel dat bekender was om zijn soirees dan als vesting. Sommige historici menen dat het militaire aanzien van Coca eerder voortkwam uit de behoefte macht te tonen dan uit noodzaak.

Christelijke-mohammedaanse architectuur

Segovia is een zanderig bosgebied in Spanje dat niet rijk genoeg aan gesteente was om grote kastelen en monumenten te kunnen bouwen zoals Coca. Wat er in Segovia wel aanwezig was, was kennis. Spanje is historisch een land geweest waarin christelijke en mohammedaanse invloeden elkaar ontmoetten en samengingen, en Castillo de Coca is een goed voorbeeld van een architectonische stijl en een vakmanschap die bekend zou worden als Mudéjar. Deze stijl, die een combinatie is van technieken en bouwinnovaties, wordt gekenmerkt door het gebruik van tegels, gipsreliëfs en ornamentele motieven. Gebouwen in de mudéjarstijl bestaan ook hoofdzakelijk uit baksteen. Evenals zoveel andere voorbeelden in Spanje, is de gevel van Coca een combinatie van Europese en islamitische invloeden; hoewel de versieringen van het kasteel niet het niveau halen van andere mudéjargebouwen, wortelt de stijl duidelijk in het bekwame metselwerk dat een kenmerk was van de mudéjarmetselaars die zoveel bouwden en verfraaiden in het middeleeuwse Spanje.

Innerlijke schoonheid

Het interieur van het kasteel staat bekend om zijn uitzonderlijke schoonheid. Hoewel veel van het bouwwerk is gemoderniseerd om er een school voor bosbouwkunde in te vestigen, is de schitterende Patio de Armas (binnenplaats) intact gebleven. Met zijn dubbele Korinthische zuilen, fijn afgewerkt tegelwerk en gipsversieringen, is de binnenplaats een voorbeeld van de stilistische mengeling die zoveel Spaanse architectuur en interieurontwerpen karakteriseert. Daarnaast is het een goede herinnering aan Coca's reputatie als een villa die groots genoeg was voor Alonso Fonseca, een van de machtigste religieuze figuren uit zijn tijd.

Tumultueuze geschiedenis

Door de eeuwen heen is het kasteel een podium geweest voor enkele van de belangrijkste drama's uit de Spaanse geschiedenis. In de 17e eeuw diende het bouwwerk als gevangenis en onderkomen van de omhooggevallen, zelfverklaarde koning van Andalusië, Gaspar Pérez de Guzmán. Uiteindelijk kwam het in handen van het Huis van Alba, een Spaanse adellijke familie. De familie verkocht het merendeel van de bezittingen van het kasteel en liet het grotendeels leegstaan tot het in 1931 tot Nationaal Historisch Monument werd verklaard. De Spaanse minister van Landbouw liet het kasteel tussen 1956 en 1958 restaureren. Hoewel het grootste gedeelte gesloten is voor het publiek, is zelfs een tour over een gedeelte van het domein indrukwekkend. Een bezoek aan de donjon, op en over de tinnen van de muren en van een hoektoren stelt u in staat om de prachtig gepleisterde gangen en verfijnde binnenplaatsen te bewonderen.

De formidabele muren van kasteel Coca waren het grootste gedeelte van zijn bestaan onneembaar. Tegenwoordig is de functie van het bouwwerk heel vreedzaam, en de buitenkant verkeert in een opmerkelijk goede staat (voorgaande bladzijde). Het kasteel is volledig uit baksteen opgetrokken en is een voorbeeld van de architectonische innovatie die voortkwam uit de unieke positie die Spanje innam, een kruispunt tussen de werelden van het christendom en van de islam.

Zetel van de inquisitie

*Het schitterende **Alcazar van Segovia** is gebouwd als de boeg van een schip en leidde veel van de belangrijkste vorsten van Spanje door moeilijke tijden.*

BEREIKBAARHEID

Segovia ligt ongeveer 90 kilometer van Madrid. Een nieuwe hogesnelheidstrein verzorgt de verbinding tussen de twee steden. De reis duurt circa anderhalf uur.

BESTE SEIZOEN

Voor- of najaar, wanneer het er minder druk is.

AANRADER

Een bezoek aan Segovia zelf is een must. De oude stad staat op de werelderfgoedlijst van UNESCO. Het Romeinse aquaduct en de kathedraal zijn beide zeker een bezoek waard.

Het hoog op een rotsheuvel gelegen Alcazar van Segovia kijkt uit over de historische ommuurde stad Segovia, maar lange tijd werd niet alleen Segovia, maar heel Spanje, vanuit hier geregeerd. Evenals veel Spaanse kastelen begon het Alcazar als een Arabisch fort. Een 'heuvelfort' boven de plek waar de Adaja en de Eresma samenvloeien wordt als eerste genoemd in een document uit 1122, tijdens de regering van Alfonso VI (1065-1086), de koning die veel Spaans gebied heroverde op de Arabieren; tegen 1155 werd aan het Alcazar gerefereerd als een 'vesting'. Alfonso VIII (1155-1214) was verantwoordelijk voor de verbeterde staat en de positie van het bouwwerk binnen de monarchie. Hij en zijn echtgenote Eleanor van Plantagenet maakten van het Alcazar hun residentie en verstevigden de vesting. Andere koningen voegden hun eigen verbeteringen toe: Alfonso X (1252-1284) herbouwde veel van het kasteel na een gedeeltelijke ineenstorting en voegde de Zaal van de Koningen toe, waar het parlement zitting hield en hij, volgens de legende, voor het eerst opperde dat de zon niet om de aarde draaide. Juan II (1406-1454) droeg bij aan de opvallendste veranderingen van het Alcazar en maakte het tot het kasteel dat nu nog te zien is.

Buitensporige uitbreiding

Juan II scheidde de donjon van het oude kasteel en bouwde een volledig nieuwe toren die nu bekendstaat als de toren van Juan II. De toren, die zowel lomp als elegant is, staat aan een uiteinde van het kasteel met zicht op Segovia aan de andere kant van de slotgracht en is bekroond met twaalf perfect cilindrische torens. De opvolger van Juan, Hendrik IV van Castilië (1454-1474), voegde de prachtige troonkamer toe aan het Alcazar, een mengeling van gotische en mudéjar invloeden. Mudéjar, de combinatie van mohammedaanse en Europese technieken en stijlen die veel is toegepast in de Spaanse architectuur van dat tijdperk, is zichtbaar in het gewelf van de troonkamer, de gepleisterde friezen en zelfs in de tronen zelf die onder een luxe fluwelen baldakijn prijken.

Gecentraliseerde macht

De beroemdste bewoner van het Alcazar was koningin Isabella I van Castilië (1474-1504). Na de dood van haar broer Hendrik IV vluchtte ze naar het kasteel, waar ze ook haar uitgebreide en vaak gevierde kroning onderging. Sommige van de belangrijkste gebeurtenissen in de hele Spaanse geschiedenis hadden plaats in het Alcazar van koningin Isabella, waaronder haar huwelijk met Fernando II en haar ontmoeting met Christoffel Columbus. De eerste gebeurtenis markeerde het begin van de machtigste, en bloederigste, periode van Spanje. Samen verenigden Isabella en Fernando het land, trokken alle macht naar zich toe, voltooiden de reconquistas of terugvordering van Spaans gebied van de Arabieren, bereidden de basis voor de toekomstige Spaanse militaire macht voor, zetten miljoenen moslims en joden het land uit en begonnen met de Inquisitie, een van de donkerste hoofdstukken uit de religieuze geschiedenis. De tweede gebeurtenis markeerde ook een uitbreiding van de Spaanse macht; hij luidde het begin van een geheel nieuwe wereld in.

Transformaties en behoud

Het Alcazar bood onderdak aan nog een andere bruiloft, die van Filips II (1556-1581) en Anne van Oostenrijk in 1570. Filips was het Alcazar toegewijd en gaf opdracht tot een bijna volledige renovatie van het kasteel. Hij verving niet alleen de mudéjarstijl door strenge ascetische lijnen, maar liet ook de puntdaken aanbrengen die nu nog steeds op de kasteeltorens te zien zijn. Deze toevoegingen, evenals het ontwerp van de grote tuin, weerspiegelen de invloed van de Midden-Europese kasteelontwerpen van die tijd. Er wordt aangenomen dat ze het werk zijn van de favoriete architect van Filips, Juan de Herrera. Toen het hof naar Madrid verhuisde, deed het Alcazar aanvankelijk dienst als gevangenis en daarna als de Koninklijke Artillerie School. In 1862 werd het bouwwerk behoorlijk verwoest door een brand, maar in de jaren 1880 werd het herbouwd.

Het Alcazar van Segovia is een van Spanjes best bewaarde kastelen.

***Het interieur van het Alcazar is heel goed bewaard gebleven.** In de Galeienzaal, die zo heet omdat hij zich bevindt in het gedeelte van het kasteel dat een scheepsvorm heeft, worden harnassen getoond. De zaal, gebouwd onder Catherina van Lancaster, bevat friezen, muurschilderingen en gebrandschilderde glazen ramen die de levens van de Spaanse koningen illustreren (boven).*

De opmerkelijke puntdaken van het Alcazar werden toegevoegd in de 16e eeuw en zijn schatplichtiger aan de Midden-Europese kasteelstijl dan aan de Moorse invloed die in veel Spaanse monumenten dominant is (volgende bladzijde).

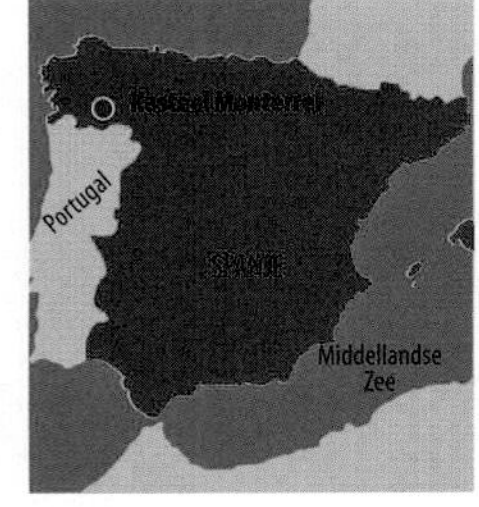

Bereikbaarheid

Verin, de stad bij het kasteel, ligt 70 kilometer ten oosten van Ourense en 15 kilometer ten noorden van de Portugese stad Chaves. Er gaan geen treinen naar Verin, dus is de stad het best bereikbaar met de auto.

Beste seizoen

Galicië wordt vaak het 'Ierland van Spanje' genoemd vanwege het gematigde regenachtige klimaat. Hoewel het in de zomer het drukst is, is het weer dan het best.

Aanrader

Het carnaval in Verin staat bekend als een van de levendigste van Spanje. Het is befaamd om de middeleeuwse sfeer.

Eenzaam bastion op een heuveltop

*Het **kasteel Monterrei**, een bolwerk in de autonome regio Galicië, heeft eeuwenlang een belangrijke strategische rol gespeeld.*

Kasteel Monterrei ligt op een heuveltop net buiten de stad Verin en wordt vaak over het hoofd gezien ten gunste van enkele andere kastelen in Spanje die opzichtiger zijn. Maar het eenzame fort bovenop de heuvel heeft zijn eigen charme en een interessante geschiedenis. Het is gebouwd door de eerste koning van Portugal, Alfonso Henriquez (1139-1185). De ligging, vlak bij de grens tussen Spanje en Portugal, betekende dat het een groot strategisch belang had voor Alfonso die voortdurend de Spaanse overheersing bevocht. Alfonso's moeder, dochter van de zichzelf noemende 'Keizer van Spanje' Alfonso VI (1065-1109), was loyaal aan de Spaanse kroon. Alfonso verijdelde de plannen van zijn moeder om Portugal bij de aangrenzende regio Galicië in te lijven, liet haar gevangen nemen en verbande haar naar Leon. Bescheidenheid was hem vreemd, en hij verklaarde zichzelf in 1129 Prins van Portugal. Hoewel Monterrei door Alfonso was gebouwd, werd het vanwege de ligging in Galicië gebruikt door Spaanse vorsten en niet door Portugese, en hoofdzakelijk als militaire buitenpost.

Monterrei bleef betrokken bij hevige conflicten in de 14e eeuw, toen het onder bescherming stond van Pedro I van Castilië (1350-1369). Pedro's bijnaam, 'El Cruel' (de Wrede) komt onterecht uit de pen van een schrijver die was betrokken bij Pedro's rivaal en overweldiger, Lopez de Ayala. Hoewel Pedro de reputatie had het doodvonnis uit te spreken over iedereen die hem bestreed, was hij niet louter slecht. Geoffrey Chaucer bijvoorbeeld, prees hem als de 'glorie van Spanje', nadat hij tijdens zijn regeerperiode een bezoek had gebracht aan Castilië. Pedro's voortdurende oorlog tegen het aangrenzende koninkrijk Aragon dwong hem eerst naar Portugal te vluchten en vervolgens naar Galicië, waar hij vanuit het versterkte Monterrei meer vijanden tot de dood veroordeelde.

Generaties werden hier beschermd

Monterrei prijkt statig op een rotsige heuvel en lijkt een organisch geheel te vormen met zijn omgeving. Zware muren leiden in een opwaarts spiraal-

vormig machtsvertoon naar het hoofdbouwwerk. Het kasteel is een goed voorbeeld van de samengestelde aard van veel middeleeuwse forten in Spanje. Het fort is eerder een verzameling gebouwen dan een enkel kasteel en bood bescherming aan de adellijke Spaanse families Zuniga, Viedma, Fonesca, Acevedo en de hertogen van Alba. De verzameling gebouwen werd omgeven door wallen, telde twee torens, een ophaalbrug, een 14 meter hoge donjon en een kapel. Monterrei is een van de grootste kastelen van Galicië en bood bescherming aan elke vorst die dat nodig had. In de loop der eeuwen werd er heel wat aan toegevoegd en veranderd: de kleinste toren, de Torre de las Damas, werd in de 14e eeuw gebouwd, terwijl de indrukwekkendere Torre del Homenaja in de 15e eeuw verrees in opdracht van koning Fernando en koningin Isabella. De toren is te betreden via de ophaalbrug en rijst met zijn hoogte van 22,5 meter hoog boven de omliggende gebouwen uit.

De kleine gotische kerk Santa Maria werd ook aan het complex toegevoegd in de middeleeuwen, hoogstwaarschijnlijk in de 14e of 15e eeuw. Een eenvoudig middenpad leidt naar een fraai stenen altaar. Boven een zijdeur prijkt een ingewikkeld timpaan met een prachtig detail van Christus. Het Paleis van de Graven, een latere uitbreiding van het complex, vertoont schitterende booggalerijen. Het werd gebouwd in renaissancestijl tijdens de 16e en 17e eeuw.

Hoogtepunt van de Gallicische cultuur

Hoewel Monterrei strategisch ligt, is het nooit simpelweg een tactisch werktuig geweest van de Spaanse monarchie. Het culturele belang van het kasteel, vooral in de regio Galicië, kan niet genoeg worden benadrukt. Het gebied rondom Monterrei stond in de middeleeuwen bekend om zijn onderwijs met belangrijke onderwijscentra in grammatica, kunsten en religieuze studie.

De culturele aspecten in de omgeving van Monterrei trekken nog steeds bezoekers. Een uitstapje naar het kasteel is niet compleet zonder een bezoek te brengen aan de wijngaarden die de regio tot een van de beste wijnproducenten van Spanje maakt.

Het ommuurde domein van Monterrei is eigenlijk geen simpel kasteel, maar eerder een samenstelling van gebouwen, waaronder een kerk, twee torens en zelfs een hospitaal. Alle gebouwen werden verlaten in de 19e eeuw.

Vanwege de ligging van Monterrei aan de grens tussen Portugal en Spanje, speelde het kasteel in de middeleeuwen een belangrijke strategische rol. Nu biedt de ligging op de heuveltop het voordeel van een prachtig uitzicht over de omgeving; op heldere dagen zijn de twinkelende lichtjes van Chaves in het buurland Portugal zichtbaar.

Mohammedaans meesterwerk in Spanje

*De roodachtige tinten en de verfijnde interieurs van het **Alhambra** tonen de invloed van de mohammedaanse kunst en architectuur.*

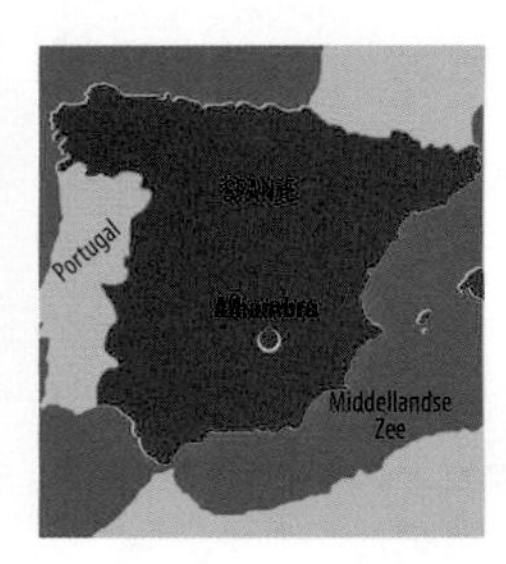

Bereikbaarheid

Het Alhambra ligt op loopafstand van Granada. Neem de mooie en historische Cuesto de Gomérez vanaf het Plaza Nueva. De straat loopt door de poorten van het Alhambra en gaat verder in het complex.

Beste seizoen

Voor- of najaar, wanneer het koeler is en minder druk.

Niet te missen

Bezoek vooral ook Granada zelf. De stad is net zo befaamd om zijn nachtleven als om zijn historische architectuur.

'Alhambra' betekent 'het rood' in het Arabisch, en een bezoek aan het beroemdste kasteel van Spanje bij zonsondergang maakt dat duidelijk. In de schemering glinstert het okerkleurige kasteel tegen de achtergrond van de Sierra Nevada en baadt het complex in een roze gloed. Het paleis-fort was oorspronkelijk wit, maar de naam verwijst eerder naar de eerste bouwers, het Nasrid emiraat, dat rood als kleur had. Het Alhambra verrees aan het einde van de islamitische heerschappij over Spanje. De Nasrid-stichter, Ibn Nasr, ontkwam aan Spaanse vervolging, trok zich terug in Granada en vestigde zich in een bestaand paleis. Vastbesloten om een kasteel-fort te bouwen dat een koning waardig was, gelastte hij de bouw van het Alhambra. Latere heersers, vooral Yusuf I (1333-1353) en Mohammed V (1353-1391) voegden belangrijke elementen toe. De Spaanse koning en Heilige Romeinse Keizer Karel V (1506-1556) bouwde in 1527 ook een paleis binnen het domein en claimde de historische zetel van de moslimmacht en -invloed in de regio voor het Christelijke Spanje.

Het oude Alhambra

Het Alhambra bestaat uit een aantal gebouwen. De oudste staan bekend als de Palacios Nazaríes. Hoewel het Alhambra in stukjes is gebouwd, werd het grootste gedeelte van het Palacio volgens de moslimtraditie gebouwd met vertrekken die uitkwamen op een centrale binnenplaats. De bouw van deze gebieden volgden geen strikt ontwerp en het Alhambra wordt vaak vergeleken met een doolhof. Het palacio verrees onder de Nasrid-heersers en kan verdeeld worden in drie segmenten: het Cuarto Dorado (Gouden hof), de Cuarto de Comares en de Cuarto de los Leones (Leeuwenhof). Hoewel het exterieur van het complex eenvoudig overkomt, vormen de zalen en vertrekken verbluffende voorbeelden van een hoogstaande islamitische stijl. De Cuarto Dorado is bijvoorbeeld een gouden visioen; de vergulde gepleisterde muren en kalligrafische friezen spreiden zich over elk aanwezig oppervlak uit. De Cuarto Dorado leidt naar de Patio de los Arrayanes, het hart van het Alhambra. De binnenplaats wordt gedomineerd door een enorme visvijver, een ware luxe in het waterarme Granada.

Koninklijke oasis binnenin

De omtrek van het Alhambra wordt benadrukt door een reeks torens, waarvan de bekendste de Torre de Comares is. De toren is 45 meter hoog en omvat de legendarische ontvangkamer die is versierd met duizenden Arabische verzen. De Troonkamer is ook gedecoreerd met fijn afgewerkt stucwerk, ornamentele bogen, Koefische letters (Arabisch schrift) en gewelfde plafonds.

Het Leeuwenhof is de harem, of de privé-vertrekken, van het Alhambra. Water speelt een belangrijke rol in de symboliek van de vertrekken, zoals vaak in islamitische architectuur en tuinen in het algemeen. Traditionele islamitische tuinen benadrukken water en schaduw, niet verwonderlijk gezien het klimaat waarin de Islam tot bloei kwam. De Koran refereert ook aan tuinen als materiële tegenhangers voor het hemelse paradijs dat gelovigen wordt beloofd.

De Sala de las dos Hermanas (Zaal van de Twee Zusters), die zich in het noorden van het complex bevindt, heeft een indrukwekkend mocárabe plafond. Mocárabe, ook wel bekend als honingraatmotief, is een uniek element in de islamitische architectuur. Met herhaalde verticale prisma's die op stalactieten lijken worden ingewikkelde gewelven gemaakt van meer dan 5000 aparte stukjes; dit levert een buitengewoon visueel effect op, waarbij het lijkt of het plafond zweeft. Het is een schitterend voorbeeld van islamitische decoratieve kunst, en sommige wetenschappers menen dat het ontwerp ook een praktisch effect had; tijdens concerten of voordrachten van de Koran zou het unieke plafond de echo hebben afgezwakt.

Inspiratie voor een schrijver

Na de reconquista van Spanje, werd het Alhambra een belangrijk symbool van het nieuwe christelijke landschap. Karel V bouwde een indrukwekkend renaissancepaleis ten zuiden van het oude Palacios Nazaríes. De ronde binnenplaats die wordt omgeven door zuilengangen doet denken aan een stierengevechtarena. Het paleis in 1526 bij het Alhambra betrokken.

Hoewel het Alhambra wezenlijk deel uitmaakt van de Spaanse geschiedenis, heeft het ook geleden onder verwaarlozing. In de 18e eeuw werd het verlaten en gedeeltelijk verwoest door de Fransen. De restauratie begon in de 19e eeuw, maar verrassend genoeg verdient een Amerikaanse schrijver veel van het krediet voor de hernieuwde belangstelling voor het Alhambra. Washington Irving verbleef in het Alhambra tijdens zijn reizen door Spanje en schreef zijn Tales of the Alhambra. Het boek werd gepubliceerd in 1832 en speelde een grote rol in de hernieuwde belangstelling voor het monument. Maar Irving heeft nooit geloofd dat zijn woorden het Alhambra recht konden doen. 'Mijn gekrabbel is deze plek onwaardig,' schreef hij. Dit gevoel wordt vast gedeeld door degenen die een poging wagen om de grootsheid van het Alhambra te verwoorden.

Bij zonsondergang maakt het Alhambra zijn naam waar en tekent 'de rode' zich tegen de indrukwekkende achtergrond van de Sierra Nevada af. Het vrij strenge exterieur verbergt een reeks levendige en schitterende vertrekken, zalen en binnenplaatsen (boven).
De Leeuwenfontein in het Leeuwenhof is een voorbeeld van de belangrijke rol die water speelt in het Alhambra. Water is niet alleen een symbool van de macht van de sultan, maar vertegenwoordigt ook de rituele reiniging die in de islam is vereist.

Romantische grootsheid op een heuveltop

Het ***Nationaal paleis van Pena*** *is een fascinerend, eclectisch geheel van architectuur, kleur en creativiteit.*

BEREIKBAARHEID

Het complex ligt circa 27 kilometer ten noordwesten van Lissabon en is in 45 minuten bereikbaar met de trein vanaf het station Rossio.

BESTE SEIZOEN

Het kan nog warm zijn in november, maar de ideale tijd voor een bezoek zijn voorjaar en zomer.

AANRADERS

Andere delen van het complex zijn het klooster van de Kapucijners, het Park Monserrate, en het Castelo dos Mouros, alle toegankelijk met hetzelfde entreebewijs.

TIP

Er zijn fietsen te huur om mee door het park te rijden.

Het Nationaal Paleis van Pena ligt op een heuvel en torent boven het stadje Sintra uit. Het bouwwerk vertoont levendige kleuren en een heel bijzonder ontwerp. Het wordt beschouwd als het oudste paleis dat is beïnvloed door de Europese romantiek, hoewel de locatie een veel oudere geschiedenis heeft. In de middeleeuwen stond er namelijk een kleine kapel op de heuveltop gewijd aan Onze-Lieve-Vrouwe van Pena en gebouwd volgens de legende over de verschijning van de Heilige Maagd. In 1493 begeleidde koning João II zijn echtgenote, de zeer vrome koningin Leonora, op een pelgrimstocht naar de kapel om een belofte in te dienen, maar het zou zijn opvolger Manuel I worden die opdracht gaf tot de bouw van een klooster dat werd gedoneerd aan de orde van Sint-Jerominus. Eeuwenlang werd de geschiedenis van Pena gekarakteriseerd door stilte en meditatie, een rustige oase te midden van de natuur.

Ferdinand zag toe op het ontwerp

In de 18e eeuw leidden twee bijzondere gebeurtenissen tot het verval en de verandering van het bouwwerk. Ten eerste verwoestte een brand grote delen van het klooster.

Vervolgens werd het complex in 1755 getroffen door de grote aardbeving van Lissabon. De hoofdstad ligt slechts 27 kilometer van Pena. Het hele bouwwerk stortte in, behalve de kapel met zijn ongelooflijke marmeren en albasten decoraties. Pas veel later, in 1838, kreeg Ferdinand II de overblijfselen van het klooster, al het omliggende land, het nabijgelegen Morenkasteel en andere bezittingen in de buurt in handen met het doel de gehele plek om te toveren tot een zomerverblijf voor de Portugese koninklijke familie. Hij nam een van de belangrijkste architecten en ingenieurs uit die tijd in de hand, de Duitse baron Wilhelm Ludwig von Eschwege, die beroemd was om zijn kastelen langs de Rijn.

De bouw begon in 1842 en duurde tien jaar. De eisen van de koning en zijn gemalin, koningin Maria II, waren bijzonder. Beiden wilden dat de verfraaiingen vol symboliek zaten. Daarnaast ontwierpen ze zelf enkele van de bijzonderheden, zoals de gewelfde arcaden, en vroegen om elementen die refereerden aan de

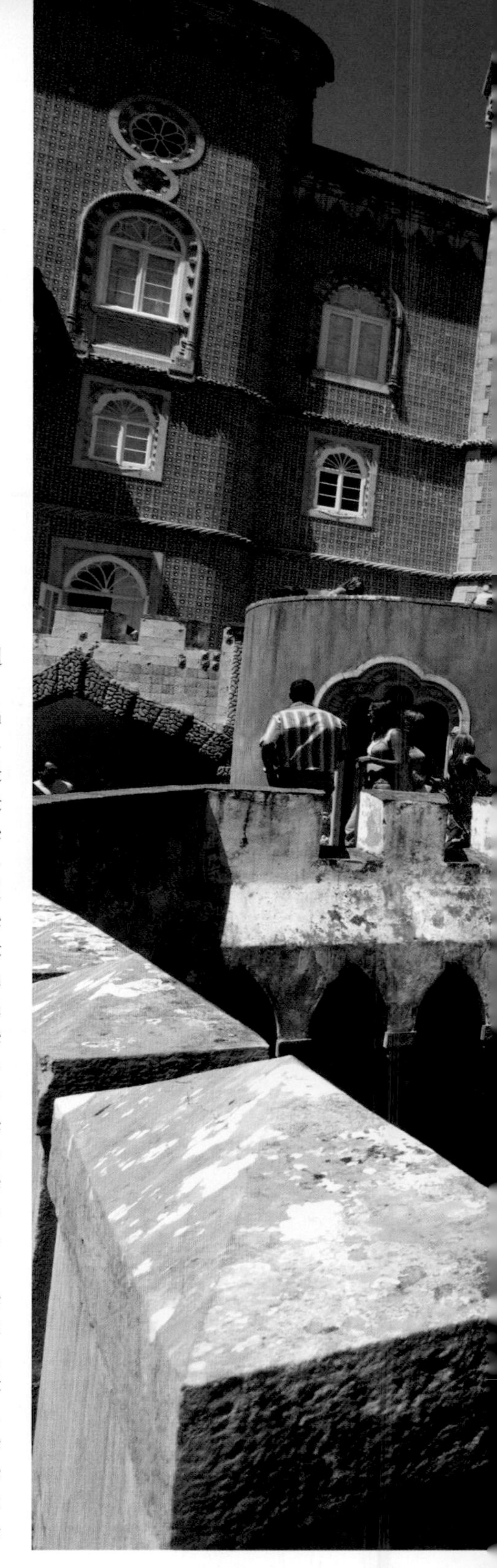

Het kasteel is gebouwd op de rotsheuvel en belichaamt de complexiteit van de romantische architectuur van de 18e eeuw (boven).

middeleeuwen en de islamitische cultuur. Ze ontwierpen zelfs het opmerkelijke raam in de hoofdgevel, geïnspireerd op een vergelijkbaar stuk dat de koning had gezien in het klooster van de orde van Christus in Tomar.

Het ongelooflijke gevoel voor esthetiek van Ferdinand II en de romantische stijl uit die periode, die van de vorm uitging, wordt perfect uitgedrukt in de eclectische - en nogal buitensporige - buitenkant van Pena.

Een, honderd, duizend stijlen

Een compilatie van neogotiek, neomanuelijnse stijl, neorenaissance en islamitische elementen wordt vertegenwoordigd in de paleistorentjes, borstweringen en koepels die in niet-traditionele pastelkleuren zijn geschilderd. Vier hoofdgedeelten bepalen het gezicht: de funderingen en de muren, het herbouwde kloostergebouw met zijn klokkentoren, de muur die wordt gekenmerkt door Moorse bogen, en het gebied van het huidige paleis met zijn cilindrische bastion.

Binnen bereikt de eclectische esthetiek een uniek hoog niveau. In de grote koninklijke zaal zijn de plafonds en muren verfraaid met stucornamenten van natuurontwerpen. Het meubilair is van een latere datum, van de 19e eeuw. De ottomanen en de enorme centrale kroonluchter zijn neogotisch.

Romantiek in de tuin

De mystieke romantische tuin draagt bij aan de overvloed van ideologieën en ontwerpen die zijn verwerkt in het Pena-complex. In de 19e eeuw waaide de romantische beweging uit over Europa die een 'schoonheid van onregelmatigheid en fantasie' propageerde. Deze grondbeginselen van de romantiek zijn inderdaad terug te vinden in de exotische flora en fauna die te zien zijn in het Pena-park, waaronder bomen uit verre landen en zwarte zwanen, evenals een doolhof van kronkelende paden.

Veel stijlen en invloeden bestaan naast elkaar, van neogotisch tot neomanuelijns, van islamitisch tot neorenaissance. Een van de decoraties van de allegorische zuilengang die is geïnspireerd op de creatie van de wereld. Een detail: een figuur half-man, half-vis (midden).

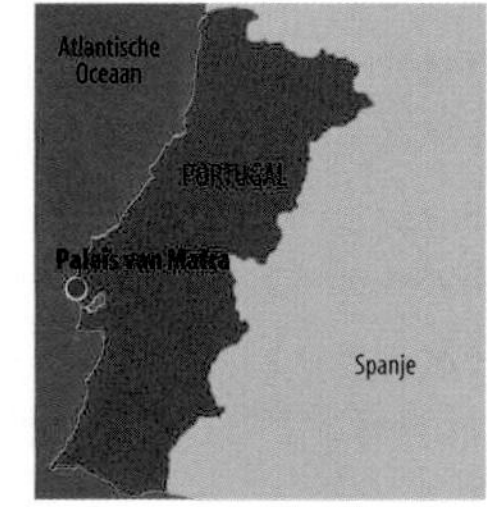

Bereikbaarheid

Van het metrostation Campo Grande in Lissabon rijden rechtstreeks bussen naar Mafra; de busrit duurt anderhalf uur.

Beste seizoen

Voor- en najaar.

Tip

Het is mogelijk het hele complex te bezichtigen aan boord van een kleine trein met rubberen banden.

De glorie van Portugal

*Het **nationaal Paleis van Mafra** is een combinatie van koninklijke pracht en kloosterlijke soberheid.*

De geografische ontdekkingen door Portugal maakten het land niet alleen tot een internationaal erkende macht, maar bracht de heersers ook enorme rijkdom. Deze heersers aarzelden niet om geheel nieuwe complexen te bouwen als residenties en bedehuizen. Het klooster en het paleis van Mafra zijn daar de mooiste voorbeelden van. In het oorspronkelijke plan was het bouwwerk bedoeld voor het huisvesten van dertien Franciscaner monniken, maar dankzij de opbrengsten van Braziliaans goud, gaf koning João de architect João Frederico Ludovice in 1717 opdracht het project uit te breiden met twee nieuwe vleugels van het paleis, een geheel kloosterlijk gedeelte dat 300 monniken en 150 novicen moest kunnen herbergen, evenals een enorme basiliek. Mafra, een klein dorp 40 kilometer van Lissabon, werd zo dus het thuis van een van de belangrijkste complexen in het land, een bouwwerk dat doet denken aan El Escorial bij Madrid.

Een school voor beeldhouwers

Het hele complex beslaat nu een gebied van 4 hectare en bestaat uit een klooster, een basiliek, een koninklijk paleis en andere kloosterlijke gebouwen. Het was een immens project, begonnen om een religieuze belofte in te dienen die was gemaakt in de hoop op het verwekken van een erfgenaam, en eindigde als het belangrijkste architectonische project van Portugal in die periode. Het complex is opgetrokken uit steen, bevat 1200 vertrekken, 5200 deuren, 2500 ramen, 156 trappen en 29 binnenplaatsen.

Een van de typische kenmerken zijn de vijftig klokken die de twee reusachtige torenklokken verfraaien en werden gemaakt door Vlaamse meester ambachtslieden. De carillonklanken die ze voortbrengen zijn uniek. Maar de koning betrok ook verscheidene Italiaanse kunstenaars bij het project, onder wie schilders en beeldhouwers. In deze omgeving,

De schitterende roco-cobibliotheek is een van de hoogtepunten van het nationaal Paleis van Mafra. Er staan 35.000 boeken, en hij valt onder de zorg van de monniken. Lord Byron bracht er een bezoek en stond versteld van de rijke, gevarieerde boekencollectie (boven).
Een detail van de paleisgevel ontworpen door architect Joao Frederico Ludovice (onder).

volgens de wens van de koning, werd een beeldhouwersschool gestart onder leiding van de Italiaanse meester Alessandro Giusti.

Byron was sprakeloos

Bij het bezichtigen van de interieurs van de koninklijke en kloosterlijke vertrekken valt op hoe verschillend in stijl ze zijn. De koninklijke trofeekamer heeft bijvoorbeeld een zeer bijzondere decoratie: al het meubilair is gemaakt van hertengeweien en bekleed met hertenhuid. De monnikscellen zijn heel anders: ze zijn sober en eenvoudig, zoals het plekken waar gebeden wordt betaamt.

Een van de mooiste delen van het complex is de vrij lichte rococo bibliotheek die het bekendere bouwwerk in Coimbra naar de kroon steekt. Volgens de legende was de Britse Lord Byron sprakeloos, toen hij de 35.000 boeken zag tijdens zijn bezoek aan Portugal; een bibliothecaris uit het klooster vroeg hem zelfs of er iets vergelijkbaars bestond in zijn eigen land. De basiliek is ook fascinerend met zijn enorme afmetingen en een wel heel bijzonder element: de tekeningen van de veelkleurige marmeren vloer worden weerspiegeld in de plafondschilderingen.

Idyllisch vakantieoord

3 kilometer van Mafra ligt Tapada, het vroegere koninklijke jachtreservaat dat nu een natuurpark is met paden die zeer geschikt zijn om te wandelen en te fietsen. In het park ligt zelfs een kleine landelijke herberg. Het is de plek waar de vorsten op vakantie kwamen. Maar het gebouw is nooit gebruikt als een permanente residentie, behalve onder de heerschappij van koning João die hield van zijn creaties.

Het zomerpaleis van Dom Pedro

Het ***nationaal Paleis van Queluz*** *is een verbluffend paleis dat is geïnspireerd op Versailles.*

Tot 1700 had de Portugese koninklijke familie geen vaste verblijfplaats die een gepaste architectonische vertegenwoordiging was van de smaak en mode uit dat tijdperk. In 1747 werd in opdracht van de jonge Dom Pedro, de latere Koning Pedro II, begonnen aan de bouw van het Paleis van Queluz. Het resultaat, de vrucht van een samenwerking tussen architect Mateus Vicente de Oliveira en de Fransman Jean Baptiste Robillon, is een perfecte synthese van de Portugese barok en rococo. Het bouwwerk is langer dan breed, telt een groot aantal vertrekken en heeft een fascinerende tuin.

Spectaculaire details

De hoofdgevel vertoont klassieke verhoudingen en verfijnde decoraties van travertijn. Maar de westelijke vleugel illustreert het best de overdaad van de barok en rococo. Er is een Dorische zuilengalerij en een balkon/balustrade die is versierd met beelden en trofeeën. Ook aan het interieur is veel aandacht besteed. Om de vele, meestal kleine kamers af te werken, werden Franse ambachtslieden ingehuurd. Steen uit Genève, hout uit Brazilië, Denemarken en Zweden, marmer uit Italië- alles werd ingezet voor perfectie en de bewondering van gasten.

Een gebruikelijk element voor interieurs zijn de azulejos, veelkleurige tegels die vaak te vergelijken zijn met Chinoiserie, dat toen heel erg in de mode was. Een andere fundamenteel vertrek is de kapel, het eerste gedeelte dat werd voltooid en vaak werd bezocht door het koninklijk paar. De eigenaardigheden van Dom Pedro en zijn vrouw, de toekomstige koningin Maria I, voedden talloze verhalen en legenden over het paleis. Na de dood van de koning kreeg de koningin grote psychische problemen en zocht vaak rust in Queluz, maar uiteindelijk vluchtte ze naar Brazilië waar ze stierf in 1816.

Tuin vol curiositeiten

Nadat u de pracht in het paleis hebt bewonderd, mag u de tuinen niet missen. De Vlaamse invloed is duidelijk herkenbaar aan de aanwezigheid van veel kanalen, terwijl de vele beelden en fonteinen de barokke fijngevoeligheid vertonen. Een voorbeeld is de Portico van de Dos Cavalinhos, een tempel met twee allegorische ruiterstandbeelden en twee sfinxen die zijn gekleed in de stijl van de 18e eeuw. In de tuin wordt het reële met het surreële gecombineerd, met classicistische, historische thema's zoals de Verkrachting van de Sabijnse Maagden naast natuurlijke elementen zoals beelden van geklede apen. De waterval is net zo uniek; het was de eerste kunstmatige waterval van Portugal. Er is ook een fontein met tritons en dolfijnen die wordt toegeschreven aan Bernini.

Herrijzenis uit de as

Met het einde van de Portugese monarchie was Queluz, tegen die tijd al een nationale schat, getuige van een periode vol tegenspoed, waaronder de vernietigende brand die veel vertrekken in het complex verwoestte. Langzaam hervond het paleis zijn status als een belangrijke attractie. Alleen een vleugel van het complex, het Dona Maria Paviljoen gebouwd van 1785 tot 1792 door de architect Manuel Gaetano de Sousa, biedt onderdak aan buitenlandse staatshoofden tijdens een bezoek aan Portugal. De rest van het paleis is opengesteld voor het publiek dat ook kan deelnemen aan de vele evenementen die zowel binnen als in de tuinen plaatshebben. In de stallen zijn van april tot oktober tentoonstellingen te zien van de Portugese ruiterschool.

Bereikbaarheid

Queluz is gemakkelijk te bereiken met de trein vanaf het station Rossio in Lissabon.

Beste seizoen

Het voorjaar is een goede tijd voor een bezoek aan Portugal, wanneer de winterse regen is opgehouden. In de paleisstallen kunt u van april tot oktober ook tentoonstellingen bekijken van de Portugese ruiterschool.

Tip

Het paleis is dagelijks geopend van 10.00 tot 17.00 uur; gesloten op dinsdag.

Gastronomie

De grote keukens van het paleis zijn omgetoverd tot restaurant, de Cozinha Velah, een van de beste in Portugal.

De hoofdgevel van Queluz, een perfect voorbeeld van Portugese barok en rococo (voorgaande bladzijde).
Het vertrek van de koning dat rond lijkt, maar vierkant is. De muren zijn verfraaid met scènes van Don Quichot (boven).
Dat soort weelderige verfraaiingen werden niet alleen beperkt tot de koninklijke kamers; hier is tegelwerk aangebracht op brugsteunen boven een afvoerkanaal van het paleis (onder).

Het meest legendarische monument van Lissabon

*Het **Castelo Sao Jorge** torent boven Lissabon uit, een rijke herinnering aan de vele gezichten van de geschiedenis van het land.*

Bereikbaarheid

Tram 12 en 28 stoppen voor de ingang van het kasteel. De dichtstbijzijnde parkeerplaats ligt op 300 meter.

Beste seizoen

Lissabon heeft een gematigd klimaat, maar het trekt de meeste bezoekers in het voorjaar en de zomer, wanneer het kasteel open blijft tot 21.00 uur. In de winter - het regenseizoen - is de sluitingstijd 18.00 uur.

Aanrader

In het kasteel is de expositie Olisiponia gewijd aan de geschiedenis van de stad die in afbeeldingen wordt verteld.

Gastronomie

Het beste eten in de stad wordt geserveerd in een Tasca, een door een familie gedreven restaurant dat karakteristieke gerechten bereidt als kabeljauwkroketten, gegrilde sardines en groenten.

Op de hoogste heuvel van Lissabon staat al eeuwenlang een kasteel dat duizenden verschillende verhalen bevat. De sporen van veroveringen, bewoners en veldslagen die maar liefst teruggaan tot de 6e eeuw v. Chr., hebben lagen gevormd in het terrein en in de muren. Langdurige opgravingen hebben straten en handgemaakte voorwerpen aan het licht gebracht die de oudheid van dit gebied bevestigen. In de 2e eeuw v.Chr., tijdens de verovering van Lusitania, vestigden de Romeinen zich hier om toezicht te houden op het territorium. In de 5e eeuw n.Chr. bouwden de Visigoten hier de eerste vestingen, die later, in de 9e eeuw, door de Moren werden getransformeerd tot een fort. De Moren gebruikten het fort als een politiek en militair centrum van de stad die groeide aan de voet van de heuvel. In 1147 veroverde een chrsitelijke kruistocht onder leiding van koning Alfonso Enrico het kasteel en de stad tijdens de belegering van Lissabon, waarmee een einde kwam aan de islamitische heerschappij. Een van de bekendste legenden over de stad gaat over de heldhaftige daden van de ridder Martim Moniz die zijn leven offerde door met zijn lichaam de toegang tot het kasteel te blokkeren, het laatste bolwerk van de Moren.

Fort tijdens kruistochten

In 1256 werd Lissabon de hoofdstad, en vanaf dat moment bleek vele malen dat het kasteel essentieel was voor de verdediging van de stad. Van 1373 tot 1375 liet koning Ferdinand I een 5 kilometer lange vestingmuur bouwen met 77 torens bedoeld om de regelmatig terugkerende Moren tegen te houden. Zijn opvolgers breidden het fort nog verder uit en transformeerden het in een koninklijke residentie. Koning João I, getrouwd met de Engelse princes Philippa van Lancaster, besloot het kasteel te wijden aan Sint Joris, omdat de heilige die de draak versloeg in beide naties populair was.

Toen het tijdperk van de kruistochten en veldslagen voorbij was, kreeg het fort een meer sociale en culturele rol. De toneelstukken van de dramaturg Gil Vincente werden hier opgevoerd, en de groot zeevaarder Vasco da Gama werd er met volle eer ontvangen door koning Manuel na zijn terugkomst uit India.

Imposant bouwwerk

De bijzondere architectonische elementen van het kasteel zijn talrijk en fascinerend. De vorm van het gebied waarop het kasteel ligt is vierkant en werd oorspronkelijk omheind door een muur die de citadel vormde. Daarbinnen liggen het huidige kasteel en verscheidene gebouwen,

waaronder het koninklijk paleis, tuinen en een terrasgewijs plein dat een prachtig zicht biedt op de omgeving. Een mooie wandeling langs de borstweringen en torens van het fort is een prima manier om Lissabon van boven af te zien. Een van de kasteeltorens, de Torre de Ulisses, beschikt over een periscoop waarmee een zicht van 360 graden mogelijk wordt gemaakt.

Koninklijke opkomst en val

Het was koning Manuel die, in dezelfde tijd, de aanzet gaf tot de langzame aftakeling van het kasteel. Hij liet een nieuw koninklijk paleis bouwen vlak bij de Taag, het Ribeira, en beroofde daarmee het kasteel van zijn eeuwenoude symbolische waarde.

De grote aardbeving van 1755 droeg bij aan het verdere verval. Ongepast en zorgeloos gebruik duurde voort tot 1940, waarna de stad en de nationale regering begonnen met een uitgebreide restauratie. Alle gebouwen die in de latere perioden waren verrezen, werden verwijderd, en het kasteel werd een van de populairste attracties van de stad.

Boeiende sporen van leven

Tussen de archeologische vondsten die aan het licht kwamen, zijn de interessante overblijfselen van de islamitische delen van de citadel en de kerk Santa Cruz do Castelo, de oorspronkelijke plaats van de moskee. Dit is slechts een van de lagen met sporen van het leven dat zich hier heeft afgespeeld, in herinnering aan de vele bewoners die hun stempel hebben gedrukt op het kasteel en de daaronder gelegen stad.

Zicht op de stad vanaf de kasteelmuren. Op heldere dagen zijn de oceaan en het achterland zichtbaar (voorgaande bladzijde). Een promenade in de stad met karakteristieke architectuur (boven). Het fort vanuit de stad gezien. Vanuit deze hoek is het strategische belang van de ligging goed te begrijpen.

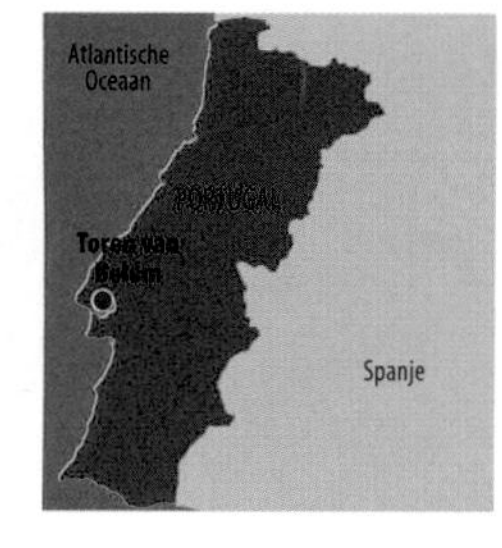

Toren in Manuel-stijl

*De karakteristieke architectuur van Portugals **Toren van Belém** was bedoeld als eerbewijs en als bescherming voor het zeevarende land.*

Bereikbaarheid

De meeste grote luchtvaartmaatschappijen vliegen op Lissabon. De toren is bereikbaar met bus of taxi.

Beste seizoen

Lissabon is het hele jaar door te bezoeken, maar het voorjaar is het beste seizoen.

Tip

Dicht bij de toren ligt het Monasteiro dos Jeronimos, een klooster dat werd gebouwd ter herinnering aan Vasco da Gama die hier begraven ligt.

Gastronomie

Dit deel van de stad is ideaal voor het proeven van de gebakjes van Belém, kleine gebakjes gevuld met crème.

De 16e eeuw was de meest luisterrijke periode in de Portugese geschiedenis. Grote ontdekkingen en veroveringen maakten deze strook land aan zee tot een van de grote machten uit dat tijdperk. De Toren van Belém, op de oever van de Taag, is het absolute symbool van die macht. Hij werd gebouwd in 1515 onder koning Manuel I door de architect Francisco de Arruda en had drie functies. De toren was een eerbetoon aan de ontdekkingen van Vasco da Gama, deed dienst als invoerhaven en douanegebouw voor de stad en diende als afschrikmiddel voor piraten die over de wereldzeeën voeren.

Een bouwstijl vernoemd naar een koning

De grootsheid en eigenaardige geschiedenis van de Toren van Belém hebben hem tot een van de belangrijkste attracties van Lissabon gemaakt.

De Toren van Belém bestaat uit een stevig zeshoekig platform waarlangs aan een kant de vier verdiepingen tellende toren verrijst. De eerste eigenaardigheid geldt het fundament dat de vorm heeft van de voorsteven van een schip en naar zee is gericht. De bastions vertonen karakteristieke zwaluwstaarten in de Manuel-stijl samengesteld uit rijen wapenschilden en zes wachttorentjes voorzien van koepeldaken in Moorse stijl. Hetzelfde motief komt terug op de kleine wachttorens bovenop de toren en op de vier hoeken. Bij het decoratieve baldakijn dat het verlengstuk is van de bastions, verrijst een gotisch standbeeld gewijd aan Onze-Lieve-Vrouwe van Geluk, die het bouwwerk zou beschermen.

Piraten worden misleid

Bijzonder interessant was de keuze om een neushoornkop te plaatsen op de gevel die naar het land is gericht, schijnbaar ter nagedachtenis aan het eerste dier van deze soort dat aan koning Manuel I werd geschonken en het eerste dat ooit in Europa belandde. Maar de hoofdgevel is versierd met de Portugese wapenschilden met bollen aan de zijkanten. De visuele effecten moeten nogal markant zijn geweest voor piratenschepen die opdoemden uit de mist boven de Atlantische Oceaan. Eigenlijk is het lastig om te denken aan een militaire basis, want de toren lijkt meer op een galjoen. Maar achter de schietgaten waren vijftien kanonnen verborgen die altijd gereed waren om te vuren. Daarnaast zouden piraten in verwarring worden gebracht door de Moorse decoraties, waardoor ze zouden kunnen denken dat ze dicht bij de Afrikaanse kust waren gekomen in plaats van bij Portugal. Bij nadere inspectie zouden de vele kruisen de misleiding duidelijk maken, maar tegen die tijd zou het al te laat zijn en hadden de piraten geen andere keus dan vluchten.

Toren komt dichter bij de kust

De toren is ontworpen voor militaire doeleinden, en het interieur is dan ook niet decoratief. Op de begane verdieping lagen de vertrekken voor wapens en proviand, terwijl op de hoger gelegen verdiepingen een vertrek voor de koning was gereserveerd en een voor de gouverneur; daarnaast was er een kleine kapel te vinden. Minder gelukkig waren de gevangenen die in de kerkers verbleven, waar volgens de legende de ongelukkigen tot hun middel in het water stonden. Weinigen onder hen hadden de kans om vanaf de top van de toren te genieten van het mooie uitzicht over de Taag, zoals bezoekers dat nu kunnen. Toen de toren werd gebouwd, stond hij in het midden van de rivier, maar door het dichtslibben van de rivierbedding en door de Grote Aardbeving van 1755, veranderde de loop van de rivier en kwam de toren dichter bij land te liggen. Nu kan hij vanaf de kust dan ook bereikt worden via een wandelgang.

Na de Spaanse verovering in 1580 volgde er voor de toren een lange periode van verval. In 1807 verwoestten de troepen van Napoleon de bovenste twee verdiepingen en vervingen die door houten bouwwerken. Pas in 1845 werd de toren na een restauratie in oude glorie hersteld.

De Toren van Belém gezien vanaf de kust. De mengeling van diverse bouwstijlen is verwarrend en intrigerend (voorgaande bladzijde, boven). De bovenkant van de toren met zijn Moorse torens en prachtig uitzicht over de Taag (voorgaande bladzijde, onder). Het baldakijn dat uitkijkt over de bastions met het gotische standbeeld van Onze-Lieve-Vrouwe van Geluk die het bouwwerk beschermt (onder).

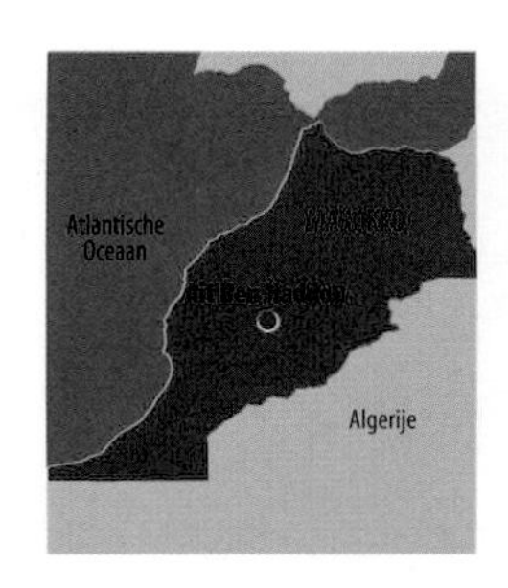

Indrukwekkend Berberfort

*Hoog in het Marokkaanse Atlasgebergte vormt de versterkte stad **Ait Ben Haddou** een voorbeeld van de stadsplanning van de Berbers.*

Bereikbaarheid

Bussen uit Marrakesh en Ouarzazare stoppen op circa 7 kilometer vanaf de stad. Taxi's zijn beschikbaar en aan te raden vanaf beide steden. Ait Ben Haddou ligt 32 kilometer van Ouarzazate en een reis van een dag vanuit Marrakesh.

Beste seizoen

Vroeg in de morgen of avond; vermijd de middag, wanneer het op zijn heetst is in de woestijn

Tip

Beklim de heuvel om de agadir (graanschuur) bovenop te bereiken; het uitzicht op de stad en de omliggende woestijn is echt de moeite waard.

Marokko's grootste en bekendste stad is Fez, een drukke metropolis die de culturele fantasie is binnengedrongen als een labyrint van straten. Marokko wordt in tweeën gedeeld door het Atlasgebergte. In de noordelijke bebouwbare regio konden bevolkingsconcentraties gedijen, waardoor er stedelijke gebieden kwamen zoals Fez. Maar de kleinere dorpen en stadjes die zich rondom de oasen in het zuiden ontwikkelden, zoals Ait Ben Haddou, getuigen van evenveel vernuft en planning als hun grotere, drukkere neven. Ait Ben Haddou, een ksar (versterkte stad) ten zuiden van het Atlasgebergte, is een van de best bewaarde oude woestijndorpen. Evenals alle ksars is Ait Ben Haddou gemaakt met materialen uit het omliggende landschap: de gebouwen zijn gevormd van de klei, modder en vuil van de bergen.

Samengesteld uit kasbahs

Hoewel Aid Ben Haddou in vergelijking tot Fez een klein dorp is - op zijn hoogtepunt telde het een paar duizend inwoners - heeft het toch enkele dingen gemeen met een grote stad. Zowel Fez als Aid Ben Haddou steunen op kasbahs, maar in andere betekenissen van het woord. Kasbah kan verwijzen naar een oud, op een doolhof lijkend deel van een stad of naar de kastelen met talloze torens die als residentie werden gebouwd voor de ooit machtige dynastieën van Zuid-Marokko. In de praktijk lijken beide betekenissen op elkaar: een chaos die wordt bepaald door de intuïtieve logica van de bouwer. Ait Ben Haddou bestaat uit vier kasbahs (of tigbremts) en is opeenvolgend gebouwd, wat wil zeggen dat de gebouwen buitenmuren delen en in elkaar overgaan, alsof de stad

een organisch geheel is en niet een samenstelling van aparte gebouwen. Ait Ben Haddou is gebouwd tegen een steile heuvel met straten en huizen die zijn aangepast aan de glooiing. Het vloeiende stedelijke ontwerp geeft Aid Ben Haddou een warrig geodetisch aanzien. Vanaf de hoogste toren zien de talloze wandelgangen en uitstekende tigbremts, of huizen met dikke muren, eruit als scherpe pieken en spleten van een kristal gemaakt uit zand.

Berberse bouwstijl

Er is niet veel bekend over de geschiedenis van Ait Ben Haddou. Waarschijnlijk is het gebouwd in de loop van de 11e eeuw, hoewel de ligging een oudere, prehistorische oorsprong veronderstelt. Ait Ben Haddou zoals het er vandaag uitziet, is hoogstwaarschijnlijk gebouwd door de Berbers, de inheemse bevolking van Noord-Afrika. Hoewel ze in het westen bekendstaan als nomaden, leefden de Berbers in feite een betrekkelijk sedentair leven gebaseerd op landbouw. Maar de Berbers van Ait Ben Haddou verplaatsten zich wel degelijk, op kleinere schaal. Hun huizen zijn perfecte modellen van de dagelijkse migraties die nodig waren om koel te blijven in de extreme woestijnhitte. De inwoners van Ait Ben Haddou begonnen en eindigden de dag op het dakterras, waar ze sliepen en van de vroege ochtendkoelte genoten. Naarmate de dag vorderde, zochten ze steeds lager gelegen plekjes op in huis op zoek naar koelte. Hun huizen waren ook perfect aangepast aan de omgeving: platte open daken boden werkruimte en plekken om dadels en granen te drogen. Zelfs de labyrintachtige straten volgestouwd met huizen waren in zekere zin strategisch, want zo werd veel schaduw gecreëerd.

Ook de bouwmaterialen zorgden voor koelte. De zongedroogde leem die in de lagere gedeelten van de huizen werd toegepast, warmt overdag langzaam op en houdt de warmte vast in de koude nachten. De 20 meter hoge torens worden naar boven toe steeds smaller tot de breedte van een baksteen. De torens dienden als uitkijkposten voor bewakers die de omliggende woestijn afspeurden door de kleine raampjes die uit de bovenkant van de wachttorens zijn gehouwen.

Filmische aantrekkingskracht

Hoewel de oude stad Ait Ben Haddou haast helemaal verlaten is ten gunste van zijn modernere versie aan de overkant van de Ounila rivier, blijft het een populair oord zowel voor toeristen als voor Hollywood. Er zijn meer dan zeven speelfilms opgenomen in Ait Ben Haddou, waaronder Lawrence of Arabia, Kundun en Gladiator. De populariteit als vervanger voor de oude wereld heeft het behoud veiliggesteld, maar er worden ook pogingen ondernomen om de stad weer te bevolken, zoals het herstellen van het culturele en spirituele centrum van de stad, de moskee.

Net buiten de muren van Ait Ben Haddou loopt de rivier de Ounila. De rivier is vatbaar voor overstromingen, maar is er nog nooit in geslaagd om de indrukwekkende stad van zijn basis weg te spoelen. Ook de hoogvlakten en rotskliffen van het Atlasgebergte zijn hier zichtbaar- het eerste obstakel dat genomen moet worden om de stad te bereiken (volgende bladzijde).
De chaos van huizen, versterkte torens, straten en binnenplaatsen wekt de indruk dat Ait Ben Haddou aan elkaar is geplakt. Het ontwerp van de stad is een ingenieus voorbeeld van multifunctionele stadsplanning (boven).
Op de vierkante bovenkanten prijken karakteristieke decoratieve motieven.

Blijk van vertrouwen

*Aan de oude Middellandse Zeekust van Tunesië ontwikkelde zich een unieke vorm van militaire en religieuze architectuur culminerend in de formidabele ribat in **Sousse**.*

Sousse werd oorspronkelijk gesticht door de Phoeniciërs in de 9e eeuw voor Christus en heeft een hele schare inwoners gekend, van oude volken zoals Romeinen, Goten en Byzantijnen tot de modernere Noormannen, Spanjaarden en Fransen. Maar de Arabieren drukten de grootste stempel op deze winderige haven aan de Middellandse Zee. Ergens rond 700 voor Christus kwamen ze van het Arabisch Schiereiland en brachten een nieuw geloof en een nieuwe bouwstijl mee. Sousse had heel wat ingeleverd van zijn belangrijke positie als buur van Carthago, en de Arabische verovering van Noord-Afrika, of Ifriquiya, bracht de slaperige stad weer tot leven. Sousse werd een belangrijk centrum van de nieuw gestichte dynastie Aghlabid (800-909) en werd flink herbouwd in vroeg-islamitische stijl.

Islamitische stadsplanning

De Arabische redders van Sousse herbouwden de stad weliswaar volgens de contouren van de oude stadswallen, maar verleenden de stad hun eigen unieke uiterlijk en gevoel. Binnen de 8 meter hoge muren bevat de medina (hoofdbuurt) van Sousse alle aspecten van een vroeg islamitische stad: een souk (markt), moskeeën en een ribat (versterkte toren). De labyrintische plattegrond die kenmerkend is voor de islamitische stedelijke bouw, geeft de indruk dat de straten in Sousse ongeordend kronkelen en doodlopen; maar dit soort kenmerken zijn weerspiegelingen van de islamitische nadruk op onderlinge afhankelijkheid en gedeelde religieuze waarden. Islamitische steden die de verlangens van het individu ondergeschikt maken aan een grotere sociale gedachte, illustreerden op vele manieren de kernwaarden van het vertrouwen. Sousse vormt daarop geen uitzondering. De labyrintische medina wordt beschouwd als een van de mooiste en best bewaarde voorbeelden van de vroeg-islamitische stedelijke bouwstijl.

Militaire macht en meditatie

Hoewel de kronkelige straten van Sousse vaak leiden naar grootse bouwwerken zoals de Grote Moskee, ligt het meest unieke voorbeeld van islamitische architectuur net buiten de met torentjes bezette muren van de medina. De ribat van Sousse, een van de hoogtepunten van het tijdperk Aghlabid, ligt iets ten noorden van de stad en is een baken uit een andere tijd. Beïnvloed door Romeinse en Byzantijnse vestingen, functioneerde een ribat als wachttoren en als minaret, daarbij de militaire en meditatieve vereisten van de Islam dienend. Vechten voor je geloof is de verantwoordelijkheid van iedere moslim, en de ribat combineerde deze plicht in één bouwwerk. Ribats deden dienst als militaire- en marinebasis en werden, zoals die in Sousse, ook gebruikt voor andere doeleinden. In tijden van gevaar boden ze bescherming, maar ze werden ook wel gebruikt als opslagplaats, hotel of gebedsplaats. Ribats hebben een vierkante plattegrond met vier torens op elke hoek. Woonvertrekken, gebedszalen en opslagkamers werden verspreid over vele verdiepingen, alle gegroepeerd om een centrale binnenplaats. In het midden van dit versterkte vierkant verrees de cilindrische toren die zo belangrijk is voor zowel veiligheid als geloof.

De kustvesting van Sousse

De ribat van Sousse is gebouwd in 821 door de derde Aghlabid emir, Ziyadat Allah (817-838). Zijn naam en de datum zijn boven de deur van de toren gegraveerd, maar Ziyadats inscriptie is wat misleidend. Tegenwoordig denken wetenschappers dat de ribat zelfs ouder is; dat hij in de 7e eeuw is gebouwd en in de 9e eeuw is herbouwd door Ziyadat. De plattegrond van het bouwwerk is vierkant, de muren zijn 35 x 35 meter en in het midden van elke muur staan drie halfronde torens. Op een hoek staat een grote vierkanten toren die de cilindrische wachttoren ondersteunt. Het bouwwerk dat een indrukwekkende 15 meter boven de groep gebouwen uit torent, deed dienst als uitkijkpunt en als minaret.

Ook de woonaspecten van de ribat zijn het vermelden waard. De woonvertrekken hebben geen ramen, maar wel gewelfde plafonds en zijn verdeeld over twee verdiepingen. Een moskee neemt een zijde van de vesting in beslag. De míhrab (nis die de richting van het gebed aangeeft) is een van de oudste in Noord-Afrika en heeft een hoge koepel. De plafonds van de moskee zijn ook gewelfd.

BEREIKBAARHEID

Het vliegveld van Monastir ligt op twintig minuten naar het zuiden en is bereikbaar met een binnenlandse vlucht. Sousse is ook gemakkelijk bereikbaar met de trein vanuit Tunis; de reis duurt circa twee uur.

BESTE SEIZOEN

Heerlijk het hele jaar door, maar in de winter is het weer het mildst.

AANRADER

De op een labyrint gelijkende medina van Sousse omvat schatten als Dar Essid, een traditioneel Tunesisch huis dat opengesteld is voor het publiek, en de Zaouia Zakkak, een prachtig voorbeeld van Ottomaanse architectuur, waaronder een achthoekige minaret.

De tegels van de ribat van Sousse glanzen in de Tunesische zon. De ribat is gebouwd voor een aantal functies, maar werd hoofdzakelijk gebruikt als een combinatie van militair en spiritueel centrum (voorgaande bladzijde).
De ommuurde medina van Sousse verheft zich boven de hedendaagse chaos van huizen, hotels en winkels. Al sinds de oudheid is Sousse een belangrijke stad, maar hij werd herbouwd door de islamitische Aghlabiden in het begin van de 7e eeuw.

Donker en tragisch verleden

*Op de kustlijn van **Ghana**, die ooit bekendstond als de 'goudkust', staat een groot aantal forten en kastelen.*

Bereikbaarheid

Het vliegveld van Ghana, in Accra, onderhoudt rechtstreekse vluchten naar veel grote steden in Europa. De kastelen liggen allemaal aan de kust, sommige vrij dicht bij Accra.

Beste seizoen

Aan de kust van Ghana heerst een tropisch klimaat, dus elk jaargetijde is goed als u van warmte houdt.

Tip

Bezoekers moeten nog steeds voorzorgsmaatregelen treffen betreffende geld, ziekte en voedsel.

De kastelen vlak aan het strand staan er nu sereen bij onder hun nieuwe lagen witte verf . Ze zijn dicht bij elkaar gebouwd - circa zestig forten op 500 kilometer kustlijn - waren ooit aan beide zijden versterkt, met geweren naar het binnenland en kanonnen naar zee gericht. Hun borstweringen, torens, kerkers en kanonnen verraden duidelijk Europese invloeden, en de kastelen die zo talrijk zijn aan de kust van Ghana werden aanvankelijk inderdaad gebouwd door Europese handelaren en ontdekkingsreizigers. Oorspronkelijk streefden de Portugezen, Spanjaarden, Nederlanders, Zweden en Britten die vanaf de 15e eeuw over West-Afrika uitzwermden de exploitatie na van de rijke goudvoorraden die dicht bij de kust van Ghana lagen, maar uiteindelijk vonden ze een veel lucratiever exportproduct. De kastelen

en forten in Ghana vormen de bloederigste punt van de slavenhandeldriehoek en werden gebruikt voor meerdere doeleinden, waaronder verdediging, opslagplaats voor grondstoffen en als buitenpost voor de handel. Maar ze hadden ook een veel gruwelijkere functie, als gevangenis voor slaven die wachtten op transport naar Amerika. De forten in Ghana waren de poorten naar de wreedheden van de slavenroute.

Eerste en blijvende contact

De romancier Caryl Phillips noemde het 'het mooiste gebouw dat ik ooit heb gezien', maar kasteel Elmina was niet zomaar een gebouw. Het eerste bouwwerk dat door Europeanen aan de kust van Ghana werd gebouwd, was Elmina; het werd gebouwd door de Portugezen in 1482. De Portugezen hadden Afrika al vijftig jaar verkend zonder veel resultaat, maar toen de ontdekkingsreiziger Fernao Gomes in 1471 in Elmina aan land kwam, ontdekte hij een levendige goudhandel tussen plaatselijke stammen en Arabische handelaren. Het oorspronkelijke fort, strategisch geplaatst op een klip tussen de Atlantische Oceaan en de rivier Benya, verrees snel dankzij de aanvoer uit Portugal van voorbereide materialen. Elmina was bedoeld voor handel met Afrikanen, maar in de loop van de 16e eeuw kwam de eerste menselijke vracht er.

Kastelen bevatten wrede waarheden

De Atlantische slavenhandel behelsde de ruil van mensen tegen goederen. In Afrika werden slaven verhandeld voor afgewerkte producten zoals katoen, geweren, koperen voorwerpen en rum, naar Amerika vervoerd en daar verkocht voor grondstoffen die weer naar Europa werden getransporteerd om daar te worden verwerkt. Dit ging honderden jaren door, waarbij twee continenten rijk werden en een arm. De kastelen die gebouwd zijn aan de kust van Ghana dienden als opslagplaats voor de afgewerkte producten die de Europeanen voor slaven ruilden, maar ook de slaven werden er gestald. Veel van de forten werden op kerkers lijkende gevangenissen waar mensen weinig voedsel, water of waardigheid kregen. Andere kastelen, zoals Kasteel Christiansborg in Accra, werden gebruikt als residentie voor de regering of functionarissen. Kasteel Cape Coast, vlak bij Elmina, werd voor beide doeleinden gebruikt. Het kleine fort werd voortdurend door concurrerende Europese machten overgenomen en was in 1627 een ware vesting geworden. In zijn bestaan werden er miljoenen slaven gevangen gehouden, maar het fort diende tot 1877 ook als zetel van de Britse regering.

Het herbouwen van de geschiedenis

Hoewel sommige kastelen en forten in Ghana tot ruïnes zijn vervallen, zijn vele jarenlang gerestaureerd. Een aantal bieden onderdak aan musea die een poging doen om een van de meest tragische hoofdstukken van de geschiedenis te reconstrueren. In kasteel Cape Coast huist het museum voor West-Afrikaanse geschiedenis, een project dat is ontwikkeld in samenwerking met het Smithsonian Institute. De kastelen zijn niet alleen interessant als de plekken waar twee culturen elkaar ontmoetten, maar de exposities laten ook hun licht schijnen op het gruwelijke verleden, wat noodzakelijk is.

Kasteel Elmina is het oudste en beruchtste slavenfort van Ghana. Onder de Portugese delegatie die werd gestuurd om het kasteel te bouwen- van pasklare materialen om tijd en geld te besparen- bevond zich de toen nog onbekende Christoffel Columbus (voorgaande bladzijde, boven).
De kastelen en forten in Ghana werden gebouwd door verschillende Europese nationaliteiten om hun moederland- en zichzelf- te verrijken. Er zijn dan ook karakteristieke Europese architectonische elementen in terug te zien, zoals bogen, doorgangen en torens (voorgaande bladzijde, onder).
De dokken van Elmina zijn onmogelijk in een neutraal licht te beschouwen; vanaf deze plek vertrokken schepen beladen met slaven op de beruchte slavenroute (onder).

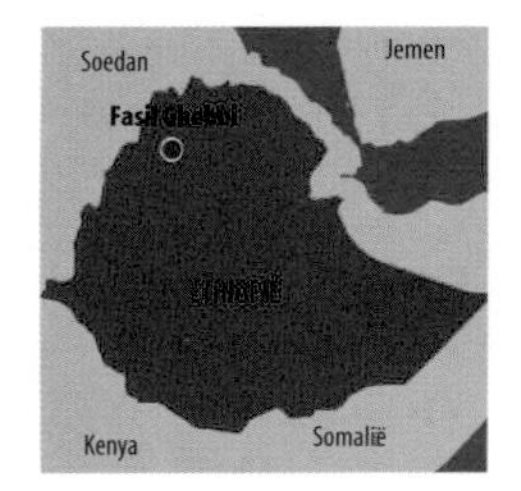

Afrikaans wonder in de bergen

*Het kasteelcomplex van **Fasil Ghebbi** werd gesticht door een van de grote keizer-architecten van Ethiopië, Fasilides.*

Bereikbaarheid

Gondar heeft een eigen vliegveld dat met een binnenlandse vlucht bereikbaar is vanuit Addis Ababa. Gondar ligt circa 500 kilometer van de hoofdstad. Er is een busverbinding, maar die is niet aan te bevelen.

Beste seizoen

Oktober tot mei is het droge seizoen.

Andere bezienswaardigheid

Ten noordwesten van het paleis en op loopafstand ligt het badpaleis van Fasilides, een uniek gebouw.

Het leven van een Ethiopische koning was niet gemakkelijk. Als nomaden waren de koning en zijn hof voortdurend op pad door het koninkrijk op zoek naar extra voedsel en brandhout. Toen de Ethiopische koning Fasilides (1632-1667) aan de macht kwam, maakt hij een einde aan de moeilijke rondreizen van de koninklijke familie. Fasilides stichtte de stad Gondar hoog in het bergachtig gebied waar ook het grootste meer van het land lag, Lake Tana. Volgens de ene overlevering leidde een waterbuffel Fasilides naar een plas water vlak bij zijn toekomstige hoofdstad, waar een verweerde kluizenaar de keus voor de plek bevestigde. Andere legenden noemen een engel die de plek voorspelde op basis van zijn eerste letter. Hoe dan ook, Gondar gedijde goed in de loop van de 17e eeuw. Fasilides stichtte niet alleen zijn stad als hoofdstad, maar bouwde ook een van de duurzaamste monumenten van Ethiopië, het fortcomplex Fasil Ghebbi.

Talloze invloeden leveren een mooi bouwwerk op

Fasilides begon het bouwproject rond 1635 en had de eerste fasen van de bouw voltooid in 1640. Het complex beslaat een gebied van 7 hectare en bevat kerken, paleizen, banketzalen, een bibliotheek, opslagruimten, stallen en zelfs leeuwenhuizen en Turkse badhuizen. Het kasteel is een unieke combinatie van Portugese, Indiase en Moorse bouwstijlen en bevat ook plaatselijke Aksumitische elementen. Het uiteindelijke effect is verbazingwekkend. De Europese toetsen zoals torentjes, torens met kantelen en borstweringen in het hart van Afrika herinneren aan de geglobaliseerde wereld waarin Fasilides leefde.

Zijn eigen kasteel draagt ook de stempel van de culturele mengelmoes in het zeventiende-eeuwse Ethiopië. Het paleis van Fasilides, het oudste bouwwerk van het complex, is maar liefst 32 meter hoog. Vier torens met koepels geven steun aan het

bouwwerk, terwijl een centrale, van kantelen voorziene borstwering vanuit het midden omhoog torent als de hoogste boom in een bos. Het interieur van het kasteel is al even indrukwekkend. In de eet- en receptiezalen zijn reeksen verzonken Davidsterren te zien, een belangrijk embleem voor Fasilides als lid van de salomonische dynastie. Het Keizerlijk Huis van Ethiopië, waarvan Fasilides lid was, heeft zijn oorsprong in de Bijbelse vereniging van Koning Salomon en de Koningin van Sheba; de Davidster komt ook voor in het koninklijke familiewapen. De gebedsruimte van Fasilides beslaat de eerste verdieping van het kasteel. De ramen bieden zicht in vier richtingen en kijken uit op de vier belangrijkste kerken van Gondar. Religieuze ceremonies en keizerlijke toespraken vonden plaats op het dak, terwijl de wachttorens boven de slaapkamer van de keizer uitzicht boden tot het verre Lake Tana.

Verguld paleis verliest zijn glans

Nog fascinerender dan het kasteel van Fasilides is het paleis van zijn kleinzoon Iyasu (1682-1706). Hij stond bekend als Iyasu de Grote en genoot faam om zijn administratieve en diplomatieke inspanningen; hij ondernam zelfs een poging om betrekkingen aan te knopen met Lodewijk XIV van Frankrijk. Door een buitenlander die Ethiopië bezocht, werd hij omschreven als 'een liefhebber van bijzondere kunsten en wetenschappen'. Zijn U-vormige paleis was zonder twijfel een van zijn mooiste schatten. Gewelfde plafonds waken over opsmuk waarvan wordt beweerd dat hij die van het Huis van Salomon overtrof. Bladgoud en edelstenen sierden de plafonds; ivoor, verfijnd houtsnijwerk en prachtige fresco's verfraaiden de muren, en het meubilair kwam helemaal uit Venetië. Helaas is er niets overgebleven van Iyasu's trots. In 1704 verwoestte een aardbeving veel van het bouwwerk, gevolgd door eeuwen van plundering en bomaanvallen door de Britten in de jaren 1940; van het paleis dat ooit bekend was om zijn schoonheid, rest niets meer dan een geraamte.

Achter het paleis van Iyasu ligt een ander soort ruïne. Iets ten westen van het paleis liet Iyasu's vader Yohannes I (1667-1682) een prachtige bibliotheek bouwen vol ivoren en decoratieve toetsen. Tijdens de Italiaanse invasie van Ethiopië in 1935 werd de bibliotheek 'gerenoveerd' en verdween veel van de oorspronkelijke charme en schoonheid achter een laag gips.

Het noodlot van een hoofdstad

Gondar was tot 1855 de hoofdstad van Ethiopië, daarna verhuisde het hof naar Magadal. De jaren volgend op de verhuizing waren de ooit zo grootse stad niet gunstig gezind. In 1864 werd de stad geplunderd en afgebrand, waarna hij ten prooi viel aan natuurrampen zoals aardbevingen, en indringers, van de Soedanezen tot de Italianen. Fasil Ghebbi kwam er evenmin ongeschonden vanaf, hoewel er de afgelopen dertig jaar uitgebreide renovaties zijn ondernomen. Al wandelend door de Koninklijke Omheining komt de schitterende droom van Fasilides tot leven.

Het uit ruw gehouwen steen opgebouwde en uit meerdere verdiepingen bestaande paleis van Fasilides in Fasil Ghebbi is een mengeling van allerhande bouwstijlen en motieven (boven). De bibliotheek van Yohannes I is ongelukkig gerenoveerd door de Italianen. Hij is weliswaar intact, maar is heel anders dan de oorspronkelijke sierlijke studeerzaal.

Versterkte adobeoase

*Het **Fort Bahla** is een van de oudste en grootste forten in Oman en, tot voor kort, het meest bedreigde.*

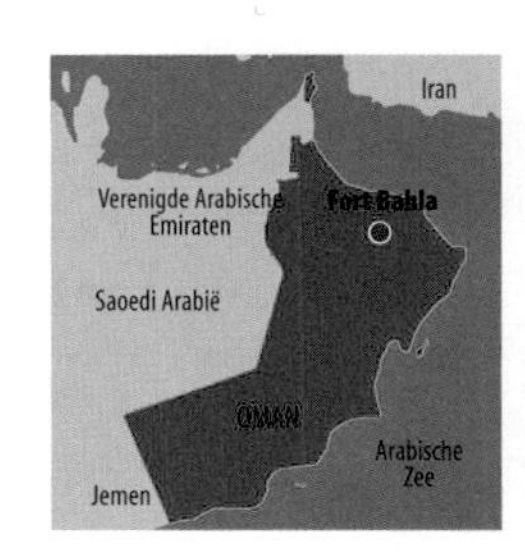

Er staan volop forten in Oman. In hun lange tumultueuze geschiedenis van strijd tegen indringers, van Perzen tot Portugezen, bekwaamden Omanitische heersers en architecten zich in bouwwerken als kantelen, wachttorens, ommuurde vestingen en doorgangen. De Omanitische obsessie voor fortificatie is zelfs terug te zien in hedendaagse gebouwen die vaak zijn voorzien van decoratieve kantelen.

De Bahla-oase is bekend om zijn aardewerk en vruchtbare landbouwgrond en ligt in het noorden van het binnenland van Oman. De oase, een bolwerk van hulpbronnen in de ongenaakbare woestijn, is omgeven door een 12 kilometer lange muur die breed genoeg is voor een op een paard gezeten bewaker. Het fort ligt op een heuvel, kijkt uit over de oase en was goed uitgerust om zowel van veraf aanvallers te ontdekken als om voor zichzelf te zorgen, wanneer het werd belegerd; het beschikt over drie kanonnen en zeven waterbronnen.

Dood door dadels

Omanitische forten hebben over het algemeen een toegangshal die Al Sabah (de ochtend) wordt genoemd, en Bahla is geen uitzondering. Deze wordt iedere ochtend geopend en 's avonds weer gesloten. Er zijn historici die geloven dat deze hal een openbare functie vervulde, als de plaats waar de gouverneur geschillen oploste. Een reeks alkoven die zitplaatsen zouden hebben geboden, lijkt deze theorie te bevestigen. In tegenstelling tot de rest van het bouwwerk, zijn de muren van Al Sabah gebouwd met rotsblokken en sarouj en bedekt met gips. Bouwers uit de oudheid en de middeleeuwen gebruikten de woestijnwereld om hun heen en bouwden hun enorme kastelen met zand, modder en sarouj, een soort cement gemaakt van mortier en gips dat is geperfectioneerd door de Omanieten.

De hoofdpoort van Bahla, de Madkhal Al-Sahab (ochtendtoegang), vertoont een inscriptie die dateert van de 18e eeuw. Evenals andere Omanitische forten heeft deze enorme houten poort een kleinere deur, waar slechts één bezoeker door kon. Boven de deur zit een gat waardoor de kasteelbewakers aanvallers konden overgieten met kokende olie, kokend water of asal, een hete, plakkerige substantie van bewerkte dadels.

Gerieflijk fort raakt in verval

Bahla onderscheidt zich van de andere forten in Oman door zijn afmetingen, maar het heeft veel gemeen met de kleinere exemplaren die in het landschap verspreid liggen. Zoals veel Omanitische forten voorziet Bahla in aparte mannen- en vrouwenverblijven, vertrekken voor officiële hofzaken, woonvertrekken voor soldaten, opslagplaatsen en gevangenissen- hoewel de gevangenis in Bahla uniek is, omdat het eens de Sablat Barghash (zitkamer) was. Niemand weet wanneer of waarom de functie van het vertrek veranderde. De ongebruikelijke vierkante toren Burj Al-Hadith (Nieuwe Toren) die aan de Bait vastligt, was de plek van de eerste ontmoeting tussen zijn Koninklijke Hoogheid de Sultan Qaboos bin Said en lokale stammenleiders in 1972.

De ontmoeting vond plaats in een fort dat in verval was. Hoewel het een van de belangrijkste en meest uitgebreide voorbeelden is van de Omaitische fortarchitectuur, werd er geen moeite gedaan om het te behouden of restaureren, tot 1987. Toen kwam Bahla op de werelderfgoedlijst van UNESCO en was er hoop dat het stoffige fort in zijn oude glorie zou worden hersteld. Ironisch genoeg waren de elementen die Bahla maakten ook de reden van het verval, want het kasteel veranderde door winderosie in stof. Sinds eind jaren 1980 is een restauratieproject gaande, en delen van Bahla beginnen eindelijk uit de steigers te komen, een triomf in de strijd van een land tegen de geschiedenis en de tijd.

BEREIKBAARHEID
Bahla ligt 28 kilometer van Nizwa, de grootste oasestad in het binnenland van Oman. Er rijden taxi's naar het fort.

BESTE SEIZOEN
Half oktober tot half maart zijn de meest gematigde maanden.

AANRADERS
Iets achter Bahla ligt het Kasteel van Jabreen dat in de 17e eeuw is gebouwd door de Al Ya'ruba dynastie. Inscripties en plafondfresco's getuigen van een hoog-islamitische stijl.

TIP
Bahla beschikt over een levendige souk (markt) en een rustig palmbos. De stad staat bekend als vruchtbare oase en producent van dadels, maar is ook bekend om zijn aardewerk.

WEETJES
De moskee van Bahla bevindt zich ten zuiden van het fort. Hij dateert uit de 12e eeuw. Bij een opgraving werden meer dan tweehonderd waardevolle zilveren munten gevonden. Deze verzameling staat bekend als de Kanz Bahla (de schat van Bahla) en bevatte twee muntsoorten die nooit eerder waren gezien.

De adobemuren van Fort Bahla hebben betere tijden gekend, hoewel ze nu worden gerestaureerd. Muren voorzien van kantelen, bogen en adobe zijn typisch voor Fort Bahla, een van de meest majestueuze monumenten in Oman (boven). Uittorenend boven de palmbossen van een woestijnoase heeft Fort Bahla eeuwenlang de bewoners van de oase beschermd.

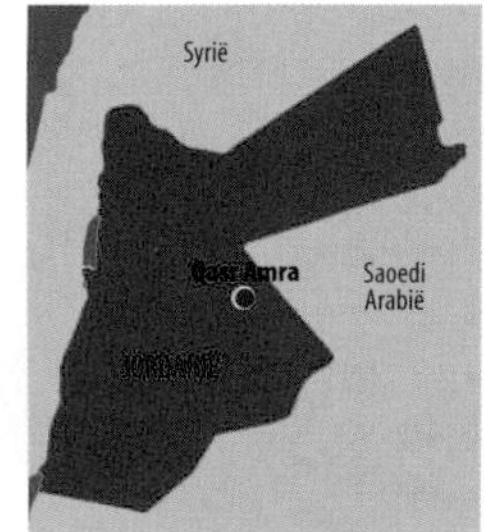

Het domein van de kalif

***Qasr Amra**, een kasteel in de bekende keten woestijnkastelen gebouwd onder het Umayyad kalifaat, is ontworpen om zijn oude landheren te beschermen én te behagen.*

Bereikbaarheid

Qasr Amra ligt 85 kilometer van Amman en 21 kilometer van Al-Azraq op Highway 40. Er is geen openbaar vervoer dus het is aan te bevelen een taxi te nemen.

Beste seizoen

In de vroege ochtend of late middag om de extreme woestijnhitte te vermijden.

Tip

Qasr Amra ligt nogal afgelegen, dus neem veel water en proviand mee.

Het gebied ten oosten van de Jordaanse hoofdstad Amman is tegenwoordig een ontmoedigende les in de realiteit van de woestijn. Hoewel het eigenlijk ligt in het steppeland van Syrië, is het door watertekort droog geworden. Maar honderden jaren geleden was dit enigszins vruchtbare land het podium waarop het vroege Islamitisch-Arabische Rijk bloeide. In 661 werd de hoofdstad van het Rijk verplaatst van de Hejaz en Irak naar Damascus in Syrië. De Umayyaden (661-750), de heersers verantwoordelijk voor die verplaatsing, verrijkten hun nieuwe stad met schitterende kasteel-paleizen. Deze bouwwerken, rijkelijk verfraaid met gebeeldhouwde stucornamenten, ingewikkelde mozaïeken en verfijnde fresco's, getuigen van het groeiende vertrouwen van het Umayyad kalifaat.

De precieze functie van de woestijnkastelen is onbekend. Sommige wetenschappers menen dat het agrarische buitenposten waren, anderen denken dat ze een diplomatieke rol vervulden, waar banden werden gelegd met nomadische stammen zodat de Umayyad kaliefen hun invloedssfeer konden uitbreiden. Historisch dienden de paleizen waarschijnlijk als toevluchtsoord voor Umayyad prinsen. Op zijn minst één paleis bevestigt onweerlegbaar de meer plezierige functie van deze gebouwen: Qasr Amra, het meest unieke badhuis ter wereld.

Oud badhuis

Het bouwwerk in Qasr Amra, van oorsprong een karavanserai, kreeg met de komst van de Umayyad een facelift. Onder de zesde Umayyad kalief, Walid I (705-715) werd het tot een sierlijk badhuiscomplex omgetoverd en werd Qasr Amra een luxe oase in de droge woestijn. Het van een koepeldak voorziene complex van kalksteen en basalt bevat een ontvangsthal, een apodyterium

(kleedkamer) en twee badvertrekken met verschillende temperaturen, het tepidarium (warm) en het caldarium (heet), een ingenieus hydraulisch systeem waaronder een 40 meter diepe bron, een saqiyah (waterophaalmechanisme op dierkracht) en de sporen van een stenen muur. De baden zijn de enige overblijfselen van Qasr Amra, maar ooit maakten ze deel uit van een 25 hectare groot agrarisch complex. De resten van een residentie en een moskee of wachttoren zijn ook uitgegraven, wat erop wijst dat Qasr Amra een grotere rol speelde in het kalifaat dan als koninklijke badkuip alleen.

Plafond met nachtelijke hemel boezemt ontzag in

De echte sterren van Qasr Amra zijn niet de baden, maar de plafonds. In de audiëntiezaal prijken rijk gedetailleerde scènes van de jacht, feesten en atleten naast die van vrouwen in diverse ontklede fasen, de zes machtigste mannen in de bekende wereld (onder wie de vorsten van

Spanje, Abessinië, Byzantië en Rome), en de kalief zelf, die soeverein heerst over een zee van hovelingen. De kleedkamers en badvertrekken bieden ook heerlijke illustraties van dieren verwikkeld in menselijke bezigheden, nog meer naakten en- het kroonjuweel van Qasr Amra- een hele nachthemel die zich uitstrekt over het koepelgewelf van het caldarium. Waarschijnlijk is dit de eerste voorstelling van de dierenriem op een krom oppervlak, en de kunstenaar schikte de sterren nauwkeurig om de kromming van hun oppervlak te verantwoorden. Het is een voorstelling die ontzag inboezemt.

Er wordt een nieuw beeld geschetst van islamitische kunst

De fresco's zijn mooie voorbeelden van nauwkeurige observatie en techniek. Maar ze brengen ook de gevestigde denkbeelden over islamitische kunst in de war. De Koran veroordeelt niet expliciet figuratieve kunst. Hoewel het verbod op het afbeelden van mensen later werd bedacht door theologen, en daarmee in de loop der eeuwen losjes mee is omgegaan, suggereren de fresco's hier dat figuratieve kunst tijdens de Umayyad periode de norm was.

De unieke koepeldaken met drie gewelven in Qasr Amra zien er van buitenaf nietszeggend uit, maar de fresco's op de plafonds zijn een van de oudste voorbeelden van vroege islamitische kunst (boven).
De fresco's zijn nauwkeurig gerestaureerd in de jaren 1970 door een team van het Archeologisch Museum van Madrid. Maar de tijd had zijn tol al geëist. Toch slagen de fresco's er met hun kleur en fantasie nog steeds in om indruk te maken.

Wachtpost in het heilige land

Het kolossale Syrische fort ***Krak des Chevaliers.***

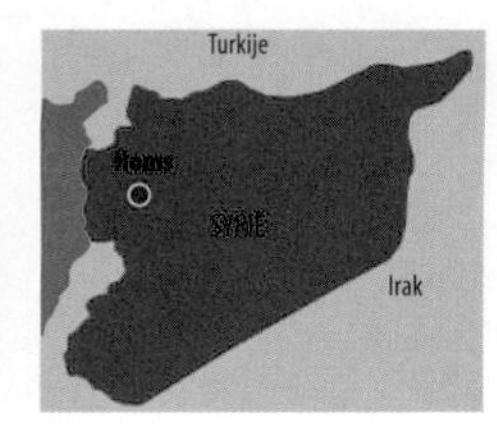

BEREIKBAARHEID

Van Hama duurt de taxirit twee uur. Er gaan ook bussen naar het kasteel vanuit het nabijgelegen Homs. Damascus ligt verder weg, 145 kilometer, maar hotels bieden vaak charters aan.

BESTE SEIZOEN

In de zomer komen er extreem veel toeristen uit Damascus. In het voor- en najaar is het er minder druk en is de temperatuur aangenamer.

TIP

Neem een zaklamp mee naar de Krak, want de interessantste vertrekken en tunnels zijn slecht verlicht.

Het Krak des Chevaliers was een favoriet kasteel van de befaamde Britse ontdekkingsreiziger T.E. Lawrence. Er gaan geruchten dat zelfs hij niet tegen de steile zuidzijde van het kasteel opkwam, toen hij dat probeerde in 1909 (boven).
Het binnenste kasteel draagt nog steeds sporen van de gotische stijl waarvoor de kruisvaarders een voorliefde hadden. Boogramen en deuren geven het Midden-Oosterse fort een Europees aanzien (linksonder).
Het Krak des Chevaliers ligt 750 meter boven zeeniveau en is bijzonder goed bewaard gebleven. Het kasteel, dat de enige pas tussen Antioch in Turkije en Beiroet in Libanon bewaakte, was van essentieel belang voor zowel de christelijke als de islamitische legers in de kruistochttijd (rechtsonder).

De ligging van het Krak des Chevaliers bovenop een heuvel, van waaraf de belangrijke handelsroute van Antioch naar Beiroet en de Middellandse Zee goed zichtbaar was, was strategisch gekozen, zowel voor de christelijke als de moslimlegers tijdens de bloederige eeuwen van de Kruistochten. In feite getuigt de naam van de burcht van de meertalige oorsprong: krak betekent in het Syrisch 'burcht', terwijl des Chevaliers in het Frans staat voor 'van de ridders'. De vele namen die het heeft, weerspiegelt ook de tumultueuze geschiedenis van het fort: oorspronkelijk werd het gebouwd voor de Emir van Aleppo in 1031, waarna het al snel in handen kwam van Raymond IV tijdens de eerste kruistocht van 1099. Het fort is het bekendst als het oorspronkelijke thuis van de Hospitaalridders, een religieuze en militaire orde die een essentiële rol speelde tijdens de kruistochten. In 1142 werd de krak door de graaf van Tripoli, Raymond II, aan de Hospitaalridders geschonken. De orde breidde de burcht uit tot zijn huidige, imposante afmetingen.

Centrum van strategie en macht

Het Krak ligt op een 650 meter hoge heuvel, en het uitzicht is dan ook schitterend. De hoogte was van strategisch belang voor de Hospitaalridders die konden uitkijken naar zich verzamelende legers in het islamitische Syrië. Tussen 1150 en 1250 voerden de ridders een verbazingwekkend aantal verbeteringen uit aan het bestaande bouwwerk. Om de zwakke westkant van het kasteel te verdedigen, bouwden de Hospitaalridders een enorme helling die te glad was om door mens of paard te worden beklommen. Ze voegden ook de buitenmuur toe, waardoor een concentrisch kasteel ontstond. Veel van hun verbeteringen lagen op het raakvlak van militaire architectuur. De buitenmuur is 3 meter dik en telt zeven wachttorens. Tussen de buitenmuur en de binnencirkel van het kasteel loopt een slotgracht die wordt overspannen door een twaalfde-eeuwse ophaalbrug.

Een steile doorgang begroette een ieder die een poging deed om het interieur van het kasteel te betreden. Vier poorten en een enorm ijzeren valhek, evenals zigzaggende gangen dwongen aanvallers in de dop langzaam te lopen en brandend afval te ontwijken dat van boven af op hen werd gegooid. Omdat de muren van het binnenste kasteel hoger waren dan van het buitenste, hielden de Hospitaalridders de overhand ten aanzien van hun vijanden zelfs als ze waren gedwongen om zich terug te trekken.

Het binnenste heiligdom

De binnenste donjon van het Krak des Chevaliers werd in de gotische stijl gebouwd die populair was in het middeleeuwse Europa. De binnenplaats omvat bijeenkomstzalen, een kapel en een grote hal waar zich ooit de waterbron, de bakker en de toiletten bevonden. Een reeks torens versterkte de binnenmuren tegen terugkerende aardbevingen, maar boden ook onderdak aan de ridders. Historici schatten dat er in het heuvelfort genoeg voorraden konden worden opgeslagen voor een belegering van vijf jaar.

Een lastige verovering

De Hospitaalridders slaagden erin om meer dan honderd jaar over hun grote fort te heersen. Maar in 1271 troffen de ridders eindelijk hun gelijke. De Mamelukse sultan Baibars (1260-1277) belegerde het kasteel met een leger strijders en katapulten, zware machines die met hoge snelheid zware projectielen in de fortificaties van de vijand vuurden. Hoewel Baibars goed was uitgerust, bleken de dikke muren van het Krak bestand tegen de zware wapens. De sultan zocht zijn toevlucht tot een list. Hij vervalste een brief van de leiding van de kruisridders en op die manier lukte het hem de Hospitaalridders zover te krijgen dat ze zich overgaven. Nadat de sultan het fort had overgenomen, transformeerde hij de kapel weldra tot een moskee en begon het fort te gebruiken als zijn eigen basis voor militaire operaties tegen de kruisvaarders in Tripoli.

De val van het Krak des Chevaliers viel toevallig samen met een algemenere terugtrekking. Twintig jaar na de belegering van Baibars hadden bijna alle kruisvaarders zich uit het heilige land teruggetrokken. Het kolossale fort Krak des Chevaliers is een van de meest duurzame en spookachtige herinneringen van een bezetting die tot op heden gevolgen heeft.

Het rode lemen zandkasteel

*De citadel van **Bam** is gebouwd met het rode zand van de Grote Iraanse Woestijn en staat er al meer dan 2000 jaar.*

Bereikbaarheid
Bam ligt 1258 kilometer van Teheran. Een vlucht naar het vliegveld van Bam is aan te bevelen, maar er rijden ook bussen naar Bam. Voor buitenlanders bestaat een visumplicht.

Beste seizoen
Het kan extreem heet zijn in de zuidoostelijke woestijn van Iran. 's Ochtends vroeg en aan het einde van de middag zijn de beste bezoekerstijden.

Tip
Hoewel de aardbeving van 2003 tachtig procent van de stad heeft verwoest, is de Rayen Citadel, in de provincie Kerman op 193 kilometer afstand, een goed voorbeeld van een gelijksoortige oude lemen citadel.

In een oase in de zuidoosthoek van Iran werkten de bouwers van Bam met wat voor handen was: modder, klei, stro en palmbomen. Van deze bescheiden adobematerialen creëerden ze een van 's werelds grootste wonderen, de ommuurde stad Bam. Hoewel Bam werd gesticht door de Sassaniden (224-637), werd een groot deel van Bam gebouwd door de Safawiden (1502-1722), een van de belangrijkste dynastieën van Iran. Tijdens hun heerschappij besloeg Bam 6 vierkante kilometer en woonden er 10.000 inwoners. Bams labyrintische stad is omgeven door een 18 meter hoge muur en achtendertig wachttorens, omvatte moskeeën, een bazar, huizen, sportzalen, badhuizen en scholen – alle gebouwd met de rode klei van de Dasht-e-Kavir, de Grote Iraanse Woestijn.

Het grootste gedeelte van haar lange bestaan was Bam een economisch, politiek en religieus centrum. De stad kreeg bekendheid als halte aan de zijderoute, en de zoroastriaanse vuurtempel, verrezen tijdens de Saffarain periode (866-903) trok ook pelgrims. Daarnaast was Bam een centrum van katoenproductie en akkerbouw. Uiteindelijk viel de stad, die steeds weer door Afghaanse stammen werd aangevallen, in 1722 bij een aanval van Afghaanse troepen. Hoewel het nog anderhalve eeuw bewoond bleef, was de oude stad van Bam tegen de 19e eeuwwisseling volledig verlaten.

De oude citadel

De lage gewelfde gebouwen die ooit door handelslieden, schoolkinderen, ambachtslieden, vrouwen en moeders werden bewoond, en de kronkelige ongeplaveide steegjes voerden stuk voor stuk naar één plek: de Arg-e-Bam. Het oude fort torende in groot machtsvertoon uit boven de stad die het beschermde. Sierlijke van latwerk voorziene ramen boden zicht op de stad en de woestijn daarachter. Arg-e-Bam werd omgeven door een reeks muren die de militaire elementen van de citadel scheidden van het centrale woongedeelte, waar de gouverneur en zijn adviseurs woonden en werkten.

Het stadshart omvatte een assortiment gebouwen. De woning van de gouverneur lag in het midden. Het twee verdiepingen tellende gebouw dat bestond uit zomer- en winterverblijven, stond boven op de kerker en de gevangenis. Naast de woning stond een vrijstaande wachttoren verfraaid met drie lagen ramen en rechthoekige decoratieve inzetsels. Het laatste gebouw in het hart van het woongedeelte was het chalar fasl (het 'vier seizoenen' paleis). Het chalar fasl, dat zich naast de vierzijdige wachttoren bevond en tegen de aangrenzende rotswand was gebouwd, was een paleis met een karakteristieke vierkante vorm rondom een centrale binnenplaats.

Het chalar fasl beschikte over een soort primitieve airconditioning. De ramen op de bovenste verdieping lieten zijwaartse luchtstromingen toe. De stad Bam zelf paste een ingenieus systeem toe om gebouwen koel te houden. Een reeks windtorens ving passerende winden op en dirigeerde die de gebouwen in, waarbij de wind vaak nog over een waterbassin werd gestuurd om het van stof te ontdoen. Windtorens met vier zijden vingen winden uit alle richtingen op en koelden zo de grootste gebouwen.

Bam verwoest

Hoewel Bam al meer dan honderd jaar onbewoond was, verkeerde de stad nog in goede staat. Bezoekers kregen een oude stad te zien die haast helemaal intact was, een zeldzaamheid. Maar ook dit monument zou niet eeuwig blijven bestaan. Op 26 december 2003 werd Bam getroffen door een zware aardbeving. Meer dan dertigduizend mensen werden gedood of raakten gewond, en zestigduizend mensen werden dakloos. De oude stad van Bam werd nagenoeg volledig verwoest. Als werelderfgoed dat op de lijst van UNESCO prijkt, zijn restauraties van de stad en de citadel gaande, maar het zal nog jaren duren voor het oude Bam in zijn oude glorie is hersteld.

Arg-e-Bam verhief zich 5 meter boven de oude stad en werd gebouwd bovenop een kunstmatige heuvel die oorspronkelijke uit afval bestond (boven). Bam, goed geconserveerd in de droge woestijnhitte, bood een adembenemende glimp in het leven in het middeleeuwse Iran. De verzameling gebouwen en buurten leek het verleden tot leven te brengen (volgende bladzijde). De boogdoorgangen van Bam beschermen ongeplaveide steegjes die de eens zo bloeiende handelssector verbonden met de woonwijken van de stad.

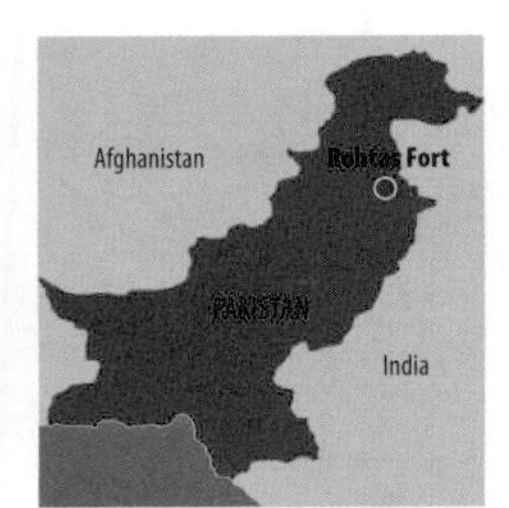

• UNESCO Werelderfgoed

Bereikbaarheid

Neem de bus vanuit Dina, een halte aan de Grand Trunk Road.

Beste seizoen

April tot oktober.

Tip

Een keer per jaar wordt er in het fort een 'sound and light-show' gehouden om fondsen te werven voor de restauratie. Informeer van tevoren naar de exacte tijden.

Gastronomie

Tandoori Chicken is een populair gerecht in de keuken van de Punjab van Oost-Pakistan. De kip wordt gemarineerd in yoghurt en op smaak gebracht met hete specerijen. Daarna wordt het gerecht op vrij hoge temperatuur bereid in een tandoori, een cilindrische kleioven die wordt gebruikt in Pakistan, India en de buurlanden.

Indrukwekkende hoogten

Keizer Sher Shar beval de bouw van ***Fort Rohtas*** *in Noord Pakistan, maar slaagde er niet in lokale stammen voor zich in te nemen.*

Fort Rohtas ligt op een strategische plek in de buurt van de Grand Trunk Road, die majestueuze verkeersader op het Indiase subcontinent. Toen de legendarische moslimleider Sher Shar Sur hier in 1541 de bouw van een versterking beval, had hij net de Mogoelheerser Humayun verslagen. Sher Shar wilde zijn macht over het belangrijke gedeelte Peshawar naar Calcutta van de Grand Trunk Road consolideren. Hij koos een strategische plaats bovenop een rots 16 kilometer ten noordwesten van de stad Jhelum in Noord-Pakistan. Bij zijn dood in 1545 heerste Sher Shar over een groot deel van Bengalen, Bihar, Hindoestan en de Punjab.

Op de weg

Sher Shar werd gedood tijdens de belegering van de versterking Kalinjar in centraal India, toen hij het moslimsultanaat van Delhi wilde uitbreiden. Circa tien jaar later kwam het Fort Rohtas in handen van zijn aartsrivaal, de Mogoelleider Humayan- het fort werd vrijwillig overgegeven door de bevelvoerder. De Gakhars, de lokale stam, die de heerschappij van Sher Shar nooit hadden aanvaard, waren blij om terug te keren onder de vleugels van Humayan.

Fort Rohtas is nooit veroverd door een strijd. Onder latere leiders, veranderde de grenslijn volledig, waardoor Rohtas praktisch overbodig werd. Tegen de 18e eeuw waren de militairen helemaal verdwenen. Burgers namen het fort over en vestigden een klein, maar bloeiend dorp binnen de muren van de versterking. Nu is het ooit machtige bolwerk een ruïne. Alleen de buitenmuur staat nog met twaalf poorten en achtenzestig bastions. Het merendeel is vervallen. Bezoekers wordt aangeraden voorzichtig te zijn. Het ontwerp is onregelmatig en is aangepast aan de topografie. De hoogte van de muren varieert tussen 10 en 18 meter, de dikte tussen 10 en 13 meter. Circa 90 meter lager stroomt de rivier Kahan, die hier samenkomt met de Parnal Khas.

Afgebakend door toegangspoorten

Vroeger versterkte een binnenmuur de buitenmuur die 4 kilometer lang is en nu en dan wordt onderbroken door monumentale toegangspoorten. Het bouwmateriaal bestond hoofdzakelijk uit grijze natuursteen, grote rechthoekige blokken hardstenen metselwerk, hoewel sommige gedeelten ook baksteen bevatten. Er zijn twaalf poorten. Het beste kunt u een rondgang beginnen bij de Sohail Gate. Daar bevinden zich ook het bezoekerscentrum en een klein museum. De hoge boog van de poort is versierd met zonnebloemmotieven. Aan weerszijden van de centrale boog zijn balkons te zien, een invloed van de Hindoe-architectuur. Sohail refereert aan Sohail Bukhari, een heilige die begraven ligt in de zuidwestelijke bastion van de poort. Vlak ernaast ligt de Moskee Shahi. De Kabuli Gate vormt de toegang naar het westen, richting Kabul.

Alle poorten zijn voorzien van ingenieuze verdedigingselementen. Schietgaten maakten het de verdedigers mogelijk om vijandelijke troepen te bestoken met gesmolten lood of kokend water. Een van de poorten, de Langar Khani, is een valkuil waarbij binnenvallende vijandige troepen direct onder vuur kwamen te liggen. Een andere opmerkelijke poort is genoemd naar de plaatselijke heilige Shah Chand Wali. Naar verluidt weigerde hij betaald te krijgen voor zijn werk aan het bouwwerk. Hij overleed tijdens het werk en werd in een tombe vlak bij de poort begraven. Historische documenten tonen aan dat het lastig was om bouwvakkers te werven voor het project, omdat de lokale Gakhars weigerden gratis te werken. Het schijnt dat Sher Shar zijn minister beval om hogere lonen aan te bieden, om in geen geval kosten te sparen.

Fort Rohtas is een goed voorbeeld van militaire moslimarchitectuur in Zuid-Azië. Zware toegangspoorten en muren beslaan kilometers. Hoewel de natuursteen heel wat stormen heeft weerstaan, wordt bezoekers aangeraden voorzichtig te zijn.

Monumentaal juweel

***Fort Lahore** is een enorm bastion in Oost-Pakistan dat eeuwenlang de kostbare paleizen van de Mogoelvorsten bewaakte.*

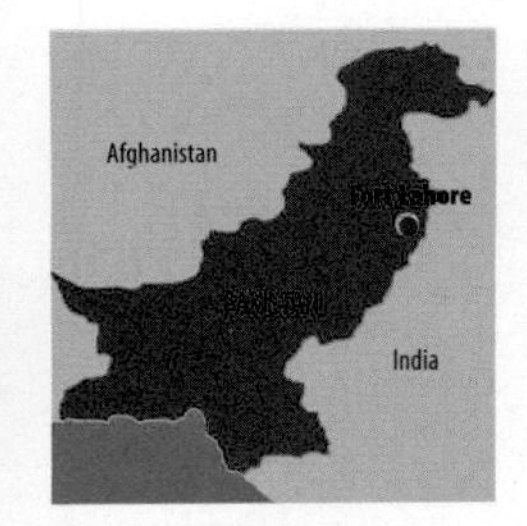

Bereikbaarheid
Openingstijden 7.30 uur (mei-oktober) of 8.30 uur (oktober-mei) tot 30 minuten voor zonsondergang. Toegangsprijs 200 roepees.

Beste seizoen
Oktober tot maart.

Tip
De majestueuze moskee Badshani ligt op een korte wandeling van het fort. Hij wordt beschouwd als de vijfde grootste moskee ter wereld en kan op zijn binnenplaats en in zijn gebedsruimte meer dan 100.000 gelovigen ontvangen.

Gastronomie
Tandoori Chicken is een populair gerecht in de keuken van de Punjab van Oost-Pakistan. De kip wordt gemarineerd in yoghurt en op smaak gebracht met hete specerijen. Daarna wordt het gerecht op vrij hoge temperatuur bereid in een tandoori, een cilindrische klei-oven die wordt gebruikt in Pakistan, India en de buurlanden.

Fort Lahore ligt majestueus boven op de oude ommuurde stad en kijkt in zuidelijke richting uit over de zich uitspreidende grote stad. Lahore is de op een na grootste stad van Pakistan en de culturele hoofdstad. Rudyard Kipling, auteur van Jungle Book, begon hier zijn schrijverscarrière. In 1882, drie maanden voor zijn zeventiende verjaardag, werd hij medewerker van de Civil & Military Gazette, een kleine lokale krant. Decennia later zou de schrijver zijn woning in Vermont 'Naulakha' noemen - een verwijzing naar het Naulakha Paviljoen dat in het noordelijke gedeelte van Fort Lahore ligt.

Jungle Book Roem

Keizer Akbar (1560-1605) was de eerste die hof hield in de citadel. Hij zou hem in baksteen hebben laten herbouwen. In 1959 werd er een gouden munt gevonden daterend van 1025, wat suggereert dat de plek al eeuwen werd bewoond. Het fort is meer dan een plaats van pracht en representatie, want het diende ook als militair bolwerk voor Akbar en latere Mogoelvorsten. De zware muren van het fort beschermden met succes een reeks paleizen, hallen en tuinen - uitgespreid over 20 hectare - tegen indringers. De Britse koloniale machten vernietigden enkele muren van het fort, voordat ze het in 1927 aan de civiele autoriteiten teruggaven.

Paleis van spiegels

Bezoekers betreden het fortcomplex via de westelijke Alamgari Gate die in 1674 werd gebouwd door de Mogoelkoning Aurangzeb (1618-1707). De poort is breed genoeg om er naast elkaar een aantal olifanten door te laten lopen. De meeste bezoekers gaan daarna rechtstreeks naar het juweel van de versterking, het Sheesh Mahal. Dit 'Paleis van Spiegels' is verfraaid met regenbogen van gekleurde spiegels, glas en vergulde ornamenten, stucornamenten en kostbare marmeren zuilen. Bewerkte marmeren schermen boden de vorstin en haar gevolg privacy, maar maakten het wel mogelijk om naar buiten te kijken over de muren van de versterking heen. Het Sheesh Mahal werd gebouwd onder Shah Jahan (1592-1666). Dit was de gouden tijd van de Mogoelarchitectuur, een mengeling van Indiase, Perzische en islamitische bouwstijlen. Shah Jahan is vooral bekend geworden om het Taj Mahal dat is gebouwd als mausoleum voor zijn echtgenote Mumtaz Mahal.

Gebogen dak

De binnenplaats van Shah Jahan is een klein vierkant plein aan de noordkant van Fort Lahore dat werd gecreëerd in opdracht van de beroemde koning. Een marmeren paviljoen, de Naulakha, kijkt uit op de westkant van de binnenplaats. Dit wit marmeren gebouw heeft een bijzonder gebogen dak en was het privévertrek van de vorst. Het is versierd met pietra dura, mozaïeken van gekleurde stenen die oorspronkelijk waren ingelegd met edelstenen en halfedelstenen. De naam van het paviljoen zou kunnen verwijzen naar de negen lakh of 900.000 halfedelstenen die in dit bouwwerk werden verwerkt. Het gebouw was in 1631 voltooid. Anderen menen dat er 900.00 roepees werden uitgegeven aan het paviljoen. Het moet hoe dan ook een fortuin hebben gekost, en het woord Naulakha wordt nu algemeen gebruikt in het Urdu om iets kostbaars aan te duiden.

Wanneer hij thuis was, gaf de vorst audiëntie in de centraal gelegen Diwan-i-Aam, gebouwd in 1631. Meer naar het noorden bevinden zich de slaapvertrekken van koning Jahangir, die waarschijnlijk het bekendst is om zijn gouden 'ketting van het recht'. Een ieder die een persoonlijk onderhoud wenste met de koning en zijn grieven wilde uiten, kon aan de ketting trekken die buiten het kasteel van Agra hing. Jahangir had niet alleen een groot gevoel voor rechtvaardigheid, maar was ook een bewonderaar en weldoener van de kunsten en de architectuur. Zijn vroegere slaapvertrekken bieden nu onderdak aan een collectie Mogoelantiquiteiten.

De Diwan-i-Amm is een grote hal waar de vorst audiëntie hield (linksonder). In de vroege 16e eeuw tot halverwege de 18e eeuw heersten Mogoelvorsten over het grootste deel van het Indiaans subcontinent.

De zware Alamgiri Gate van Fort Lahore leidt naar een grote binnenplaats en de lange torens van de Diwan-i-Amm (boven) verrijzen uit gehouwen lotusknoppen. Kleurrijke muurschilderingen beelden olifanten uit, bloemmotieven en het leven tijdens het tijdperk van de Mogoels.

Het Gibraltar van India

*Het **Gwalior Fort** is een combinatie van militair pragmatisme en esthetische grootsheid, en hield toezicht op de routes naar centraal India.*

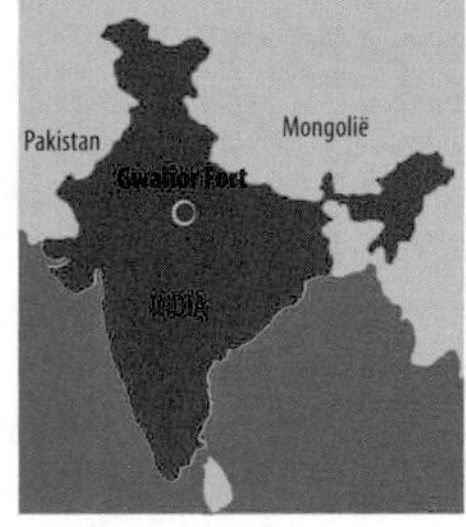

Bereikbaarheid
De stad Bhopal is gemakkelijk bereikbaar over de weg. Er rijden dagelijks bussen. Het treinstation van Bhopal heeft dagelijkse diensten naar de meeste gebieden in het land. Het vliegveld van Bhopal ligt 15 kilometer ten zuidoosten van het stadscentrum.

Beste seizoen
November tot maart.

Tip
Jain Sculpturen in de westelijke rostwand.

Andere bezienswaardigheden
Het Sarod Ghar Music Museum en de tombe van Tansen.

Het Gwalior Fort is een van de grootste versterkingen in India. Het ligt op een hoge rots en kijkt uit over de stad Gwalior in de centrale Indiase staat Madhya Pradesh. Het fort staat bekend als het Gibraltar van India en is eeuwenlang een strategische militaire basis geweest. Tegenwoordig is het fort, dat 2 kilometer buiten de stad ligt, vermeldenswaard om zijn paleizen en tempels en zijn rijke en vaak gewelddadige geschiedenis.

Gewelddadige, heroïsche geschiedenis

Het fort ligt op een steile heuvel die Gopachal wordt genoemd en telt zes paleizen, drie tempels, de Scindia School en een gurdwara, of Sikhtempel. Een 10 meter hoge zandstenen muur loopt langs de gehele onregelmatige rand van de heuvel en geeft de versterking een afschrikwekkend, onregelmatig aanzien. De oudste gebouwen in het fort zijn gebouwd in 773, en de geschiedenis van het fort- een van de meest ondoordringbare van India- is doorspekt met veldslagen en bloedvergieten. Een lange lijn van hindoe, moslim en Britse heersers vochten voor en kregen de heerschappij over Gwalior Fort, terwijl oorlogvoerende lokale stammen de opperhand probeerden te krijgen in deze strategische en symbolische plek.

Een van de meest tragische momenten in de geschiedenis van de versterking vond plaats in 1232, toen duizenden vrouwen uit Rajput zelfmoord pleegden om te voorkomen dat ze gevangen werden genomen door de moslimindringers die het fort elf maanden hadden belegerd.

Onder de hindoeheerschappij in de Tomardynastie gedijde het fort goed, en verscheidene gebouwen werden toen gebouwd, waaronder het 'geschilderde paleis'. Ondanks zoveel pracht, verloor het fort nooit zijn basisfunctie als militair bouwwerk. De fonteinen en watertanks, waarvan wordt beweerd dat ze genoeg water konden opslaan voor de 15.000 soldaten die nodig waren om het fort te verdedigen, getuigen van het militaire verleden.

Heilige Jain standbeelden

De hoofdtoegang tot het fort staat bekend als de Hathi Pul, of olifantpoort, hoewel bezoekers eerst zes poorten door moeten voordat ze van deze kant het fort kunnen betreden. De poort bevindt zich in de moordoostelijke zijde van de versterking met een helling die breed genoeg is om er olifanten over te laten lopen.

Bezoekers die het fort vanaf het zuiden naderen, zullen 21 Jain standbeelden aantreffen van tirtbankara's (religieuze leraren) die in de westelijke rotswand zijn gehouwen. Een van de opvallendste uit deze reeks beelden is Adinatha, de Eerste Heer, die 19 meter is en op een lotus staat. Dit standbeeld is het grootste in het fort. De meeste beelden werden in 1527 geschonden, toen het fort werd veroverd door Babur.

De Chit Mandir, of beschilderd paleis, is esthetisch gezien misschien wel het opvallendste gebouw in de versterking. Het verrees onder de Hindoe heerser Man Singh Tomar tussen 1486 en 1517. De geschilderde gevel van het paleis domineert de oostkant van het fort, met zijn turkooizen, groene en gele friezen waarop ganzen, krokodillen, olifanten, pauwen en bomen prijken en waaraan het paleis zijn naam ontleent.

Paleis van een koningin

Het paleis Gujari Mahal, dat recent is omgetoverd tot een archeologisch museum waar zeldzame Hindoe en Jain beelden te zien 7 daterend uit de eerste en tweede eeuw voor Christus, is een van de best bewaard gebleven bouwwerken in het fort. Net als het Chit Mandir is het Gujari Mahal gebouwd onder Man Singh Tomar, toen zijn vrouw Mrignayani, een Gujar prinses, een apart paleis eiste met toegang tot de nabijgelegen rivier Rai. Tomars toevoegingen aan het fort bezorgde het de naam 'parel in de ketting van de paleizen van de Hind'.

De gevel van het fort wordt gesteund door een reeks imposante uitkijktorens (voorgaande bladzijde, boven).
Detail van een van meerdere decoratief gebeeldhouwde toegangspoorten van het fort (voorgaande bladzijde, onder).
Enkele van de 21 uitgehouwen Jain beelden vlak buiten de westelijke toegang tot het fort (boven).
Een van meerdere Jain tempels in de versterking (onder).

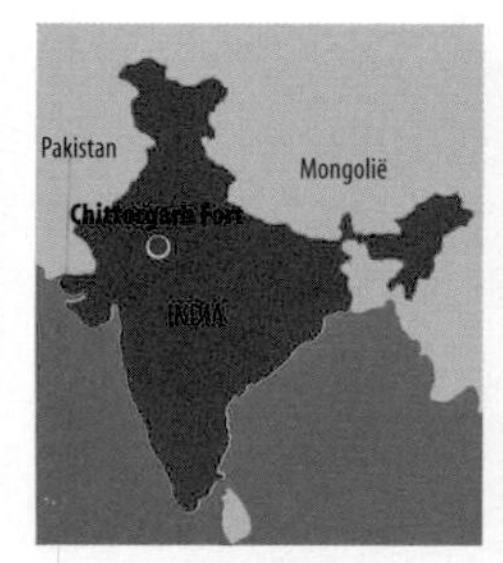

In steen geëtste moed

*Het **Chittorgarh Fort** belichaamt de moed van de Mayara-heersers.*

Bereikbaarheid
Udaipur is het dichtstbijzijnde vliegveld van Chittorgarh. Vanuit Udaipur gaan dagelijks vluchten naar Mumbai, Delhi, Jaipur en andere bestemmingen. Er rijden ook regelmatig bussen naar Chittorgarh, vooral vanuit Jaipur, hoewel bussen ook grotere afstanden rijden zoals naar Delhi. Het busstation ligt dicht bij het stadscentrum. Vermijd particuliere bussen, want die stoppen vaak onderweg. Het treinstation ligt in de buurt van het busstation vlak bij het centrum. Er rijden treinen naar alle grote steden in India.

Beste seizoen
November tot maart.

Tip
De Gambhiri Rivier, Victory Tower.

Andere bezienswaardigheden
Het Bassi Wildlife Sanctuary, 25 kilometer van Chittorgarh; Udaipur, 112 kilometer van Chittorgarh.

Het Chittorgarh Fort, het grootste fort in India, kent een lange gewelddadige geschiedenis die zowel past bij de indrukwekkende afmetingen (280 hectare), als bij de ligging, op grillige rotsen 200 meter boven de rivier Berach. Binnen de 13 kilometer lange muren van de versterking liggen 130 tempels, twee torens, meerdere paleizen en gehouwen stenen poorten.

Waar mythe en geschiedenis elkaar kruisen

Chittorgarh is gebouwd in de 17e eeuw door de Mayara en ontleent zijn naam aan Chitrangada Mori, de heersers van het Mayara-volk. Chittorgarh is tussen de 15e en 16e eeuw drie keer geplunderd met gevolg dat er tot drie keer toe Jaubar plaatsvond; meer dan 13.000 vrouwen en kinderen pleegden collectief zelfmoord om gevangenneming en slavernij door de indringers te voorkomen. Door de gewelddadige en heldhaftige geschiedenis van het fort wordt het hoog geacht als historisch en politiek monument voor nationalisme en Indiase trots.

Het fort speelt niet alleen een belangrijke rol in de Indiase geschiedenis, maar neemt ook een centrale plaats in de Indiase mythe in. Volgens het heldendicht Mahabharat – een van de twee belangrijke Sanskriet gedeelten van de Indiase geschiedenis- sloeg Bhima, een van de personen uit het epos, op de plek van het fort op de aarde, waarop er water uitspoot. Die plek wordt nu herdacht met Bhimlat Kund, een watertank die naar Bhima is genoemd. Volgens de overlevering heeft Bhima persoonlijk de eerste stenen voor het fort gelegd.

Bhimlat Kund is slechts een van de 22 waterreservoirs in de versterking; ooit waren dat er vierentachtig; ze werden gevoed door regenwater en natuurlijke bronnen. De totale watervoorraad zou een miljard liter zijn geweest, voldoende om een leger van 50.000 man vier jaar lang van water te voorzien, genoeg dus voor de meest slopende belegeringen.

Stenen strijders en de verenigde poort

Bezoekers die het fort naderen over de kalkstenen brug over de rivier Gambhiri, moeten 1 kilometer over een slingerend pad omhoog lopen en door zeven toegangspoorten gaan, die stuk voor stuk uit steen zijn gehouwen en versterkt met puntbogen en dikke muren om kanonnenvuur en aanvallende olifanten te weerstaan. Boven de poorten bevinden zich borstweringen, waarop boogschutters vrij zicht hadden op de naderende vijand. Er prijken ook standbeelden van strijders op paarden. Dit zijn gedenktekens voor prins Bagh Singh en prins Jaimal van Badnore, die hier werden gedood tijdens verschillende belegeringen van het fort in de 16e eeuw. Binnen de versterking worden de gesneuvelde prinsen herdacht met twee standbeelden en majestueuze chatri's, versterkte overkoepelde gebouwen.

De meest majestueuze toren in het complex, is de Vijar Stambba, of overwinningstoren, die de zege herdenkt van Rana Khumba in 1440 over Mahmud Shah I Khalji, sultan van Malwa. De toren, bestaande uit negen verdiepingen en 157 treden die leidden naar de top van 37, 2 meter, is in tien jaar gebouwd. Vanaf de top van het indrukwekkende uitgehouwen stenen bouwwerk is het zicht over het dal naar de stad Chittor adembenemend.

Vergane pracht

Het oudste monument in het fort is het gepleisterde stenen paleis van Rana Khumba dat nu een ruïne is. Het paleis, waarbij van oorsprong een tempel voor Shiva en stallen voor olifanten en paarden hoorden, speelt een centrale rol in de geschiedenis van de regio. Het paleis telt een reeks balkons met sierlijke balustrades die boven de binnenplaats verrijzen tegenover de plek waar nu een museum en archeologisch kantoor liggen. Maharan Hudai Singh, stichter van de nabijgelegen stad Udaipur, is er geboren. In de 13e eeuw pleegden koning Rawal Ratan Singh en zijn gemalin Rani Padmini jaubars in een van de paleiskelders. Jaarlijks wordt in de stad het grootste festival van India gehouden om Singhs daad en alle soortgelijke jaubars die in het fort hebben plaatsgevonden te herdenken.

Detail van de overwinningstoren met 13 verdiepingen waarvan de bouw tien jaar duurde (volgende bladzijde).
Detail van de decoratieve gehouwen balkons van het fort (inzet boven).
Zicht van boven af over de negen kilometer lange omtrek van het fort. (onder)

Tragiek en triomf

Het ***Mehrangarh Fort*** *combineert eeuwen geschiedenis, mythe en architectonische stijl in een ondoordringbaar bouwwerk.*

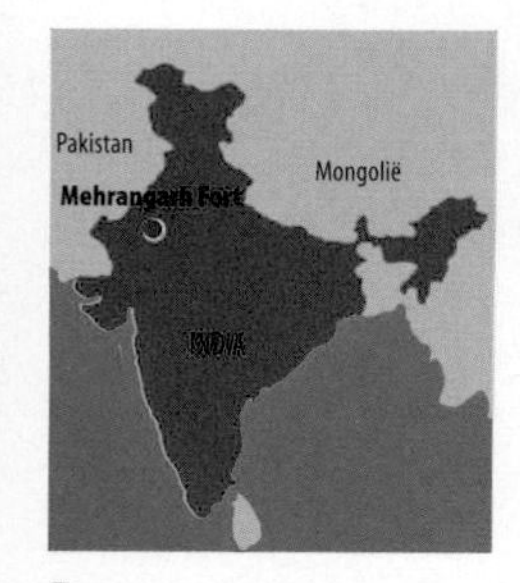

Bereikbaarheid
Jodhpur is gemakkelijk te bereiken over de weg; 597 kilometer van Delhi; met de trein van Delhi, Agra, Jaisalmer, Jaipur, Udaipur en Ahmedabad. Of met een binnenlandse vlucht met een Indiase of privé-luchtvaartmaatschappij vanaf Udaipur, Jaisalmer, Delhi en Mumbai.

Beste seizoen
November tot maart.

Aanraders
De Folk Music Instruments Gallery, het Palace of Flowers; de tempel Chamunda Devi, de cenotaaf van koning Singh, een soldaat die omkwam toen hij het fort verdedigde.

Weetjes
Op de tweede toegangspoort van het fort zijn diepe groeven te zien: sporen van kanonskogels die werden afgevuurd door de artillerie van de aanvallende legers uit Jaipur.

Gastronomie
Het bekendste gerecht van Jodhpur wordt Mirchibada genoemd, een vegetarisch maal gemaakt van aardappelen en hete pepers. Een verrukkelijk alternatief is Dal Baati Churma, een gerecht van linzen, geklaarde boter en palmsuiker.

Het Mehrangarh Fort is meer dan elk ander fort in India uit noodzaak gebouwd. Toen koning Rao Jodha van de Rathorestam in 1458 de troon besteeg, oordeelde hij dat het duizend jaar oude paleis in Mandore onveilig en hem onwaardig was. En zo werd dus begonnen met de bouw van het Mehrangarh Fort, genoemd naar 'Mihir', het woord voor zonnegod in het Sanskriet.

De versterking ligt bovenop Bhakurcheeria, de 121 meter hoge Mountain of Birds, die ook bekendstaat onder de naam Cheeriatunk, de vogelsnavel. Dikke stenen muren, die bijna 3 kilometer lang zijn, omsluiten enkele paleizen, ruime binnenplaatsen, hoge gekanteelde muren, een tempel en talloze galerijen en musea. Vanaf de borstweringen is het uitzicht over de oude stad en de omgeving schitterend.

De vloek van de dorst

Volgens de overlevering was op het moment dat de hoeksteen van het fort werd gelegd, de enige bewoner van Bhakurcheeria een oude kluizenaar met de naam Cheeria Nathji, de Heer van de Vogels. Woedend dat hij plotseling werd verjaagd, vervloekte Cheeria de Rathorekoning met deze woorden: 'Jodha! Dat uw citadel eens getroffen moge worden door een watertekort!'

Jodha bouwde een woning voor Cheerie Nathji evenals een meditatietempel binnen de muren van de versterking om de vloek van de woedende wijze te bezweren, en hoewel het gewerkt schijnt te hebben, voltrokken zich andere tragedies tijdens de bouw.

Een plaatselijke bewoner, Rajiya Bhambi werd levend begraven in de funderingen van de citadel, en Jodha beloofde zijn familie dat ze altijd zouden worden verzorgd door de Rathorestam. Deze belofte is eeuwenlang ingelost; de nazaten van Bhambi wonen nog steeds in het Raj Bagh, een residentie die hun werd toegewezen door Jodha.

Uitstekende verdediging

Meerdere mythen met betrekking tot menselijke offers omhullen het fort, hoewel men het er niet over eens is of deze zich werkelijk hebben voltrokken. Buiten gunstige rituelen om, wordt de sterkte en macht van het fort bewezen doordat het nooit is belegerd. In de prachtige interieurs van het fort worden eeuwen van vorstelijk prestige weerspiegeld, wat alleen maar toenam omdat de Rathorestam steeds machtiger werd. Elke heerser breidde de hoofdstad uit en droeg bij aan de unieke schoonheid van de versterking.

Zware muren van 36 meter hoog en 21 meter dik omgeven het fort. Er zijn meerdere toegangspoorten, waarvan vooral de hoofdpoorten vermeldenswaard zijn: Fateh Pol en Jai Pol, die twee grote overwinningen gedenken tegen de Mogoels in 1707 en de Jaipurlegers honderd jaar later. Een andere poort is noemenswaardig, de Loha Pol, of IJzeren Poort, die de handafdrukken bevat van de vrouwen van Maharadja Man Singh die zich tijdens de crematie van hun echtgenoot op de brandstapel wierpen en sindsdien worden geëerd als extreem trouwe personen.

Welvarende paleizen

De vele paleizen binnen de versterking zijn gebouwd door verschillende maharadja's en elk paleis heeft zijn eigen charme en sierlijkheid. De meeste getuigen van de extravagantie en pracht van de vorsten in vrede en voorspoed. Moti Mahal, of Parelpaleis, het grootste in het fort verrees in de 17e eeuw onder Raja Sur Singh. Het beschikt over vijf alkoven die naar verborgen balkons leidden, waar de vijf koninginnen zich naar verluidt verstopten om de gebeurtenissen op de binnenplaats af te luisteren.

Het indrukwekkendste paleis is de Phool Mahal, of Bloemenpaleis, met zijn vergulde plafond en luisterrijke gebrandmerkte ramen. Dit paleis was waarschijnlijk gewijd aan vermaak en overdaad waar dansende dames de toegang hadden en andere decadente pleziertjes van maharadja Abhaya Singh, een achttiende-eeuwse heerser, plaatsvonden.

De laatste heerser over Jodhpur die in het fort woonde, maharadja Takhat Singh die overleed in 1873, bouwde een privékamer, of Takhat Vilas, waarin traditionele Indiase decoratieve elementen worden gecombineerd met avant-garde, zoals de decoratieve glazen bollen aan het plafond, een aanwijzing van de invasie van de Britten en de komst van de moderne tijd. De galeries en musea bevatten oude artefacten van de bewoners van het fort in de loop der eeuwen.

De inrichting van de Takhat Vilas is een combinatie van traditioneel Indiaans en modernistische glazen bollen aan het plafond (boven). Het fort kijkt uit over de stad Jodhpur (linksonder). De borstweringen van het fort zijn gehouwen in de rotswand (rechtsonder).

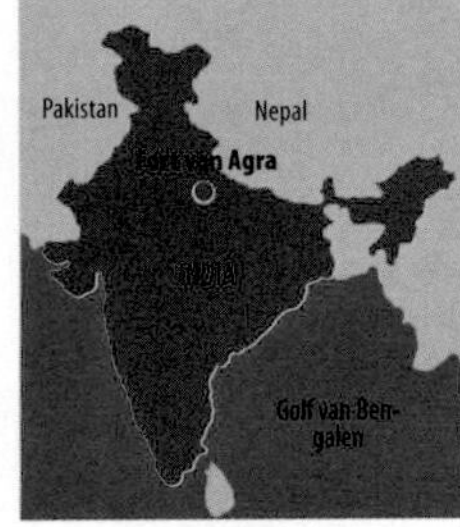

• **UNESCO WERELDERFGOED**

BEREIKBAARHEID

Van het treinstation Agra Fort rijden dagelijks treinen naar de populairste Indiase bestemmingen. Het vliegveld Kheria ligt 6 kilometer van Agra.

BESTE SEIZOEN

Maart tot november.

AANRADERS

De Olifantpoort, het Glaspaleis, de Audiëntiehal.

Citadel van de sultan

*Het **Fort van Agra** is bekend om zijn rode stenen vestingmuren en Mogoel-vakmanschap.*

Het Fort van Agra, ook wel bekend als Lal Qila, Rode Fort of zelfs Rode Fort van Agra, is uitgeroepen tot het belangrijkste historische fort in India. Het ligt op de rechteroever van de Yamuna in Agra en kan beter worden omschreven als een ommuurde stad dan als een fort. Het is een belangrijke, door de Mogoelheersers gebouwde citadel die ooit 500 gebouwen bevatte en een essentiële rol speelde in de lange en grillige geschiedenis van India.

Ruimte maken voor de Taj Mahal

Het Fort van Agra ligt slechts 2,5 kilometer van zijn bekendere neef het Taj Mahal, dat 700 jaar na het fort verrees. Het fort wordt het eerst genoemd in 1080, toen het Ghaznavideleger het veroverde. Later, in 1487, werd het de residentie van de eerste sultan van Delhi, Sikandar Lodi, en werd het fort van nationale betekenis als de tweede hoofdstad. De zoon van, Sikandar, Ibrahim Lodi, behield het fort tot negen jaar na de dood van zijn vader. In die tijd bouwde hij verscheidene paleizen, bronnen en een moskee.

Toen de Mogoels in 1526 de versterking veroverden, verwierven ze ook de Koh-i-Noor diamant, die toen werd beschouwd als de grootste diamant ter wereld en heel goed werd bewaakt in het fort. Toen koningin Victoria in 1877 vorstin van India werd, werd de Koh-i-Noor deel van de Britse Kroonjuwelen.

Akbar de Grote kreeg in 1558 de heerschappij over het fort en verplaatste de hoofdstad naar Agra. In die tijd was het bakstenen fort bekend als Badalgarh en verkeerde het in staat van verval. Akbar liet het fort herbouwen met zandsteen en baksteen, waarbij 1,5 miljoen arbeiders acht jaar lang aan het werk waren.

se architectuur- werden als eerste in dit paleis gebruikt en daarna door heel India gekopieerd.

In de Diwan-E-Aam, of Audiëntiehal, zijn gedetailleerde mozaïeken en uit marmer gehouwen zuilen te zien die zijn ingelegd met halfedelstenen. De zwarte troon van Jehangir staat nog steeds in de hal die ooit diende als privé-ontmoetingshal voor koningen en hun gasten.

Het Shish Mahal, of Glaspaleis, ligt links van de Diwan-E-Aam en is een van de mooiste paleizen in India. De muren van het paleis, dat zeer waarschijnlijk dienst deed als kleedruimte voor de harem, zijn ingelegd met glanzende spiegel en glasmozaïeken.

Het majestueuze fort bevat ook meerdere moskeeën, de Gouden Paviljoenen, en de Anguri Bagh, of Druiventuin, een complex van 85 vierkante geometrisch aangelegde tuinen.

Het Fort van Agra, waar Perzische, Indiase en Islamitische invloeden zijn gecombineerd, is een van de mooiste voorbeelden van de versmelting van de architectuur in de Mogoelperiode. Twee generaties bouwers hebben enkele van de meest verheven paleizen in rode zandsteen en wit marmer gecreëerd die nu nog in India te zien zijn.

Stenen olifanten

De toegang tot het fort voert over een slotgracht en door een van de vier poorten in de 21 meter hoge vestingmuren. De Delhi Gate, gebouwd door Akbar rond 1568, was de koninklijke poort voor de koning en geldt als een meesterwerk uit die tijd. Nadat u de houten ophaalbrug bent overgegaan, kunt u de twee levensgrote, uit steen gehouwen beelden van olifanten met berijders niet missen. Ze bewaken de Hahti Pol, de Olifantpoort, en waren waarschijnlijk bedoeld om mogelijke indringers te intimideren en te waarschuwen voor het altijd alerte leger dat de vesting bewaakte. De ophaalbrug over de slotgracht leidt naar een scherpe bocht tussen de twee poorten die bescherming boden tegen invallende legers en olifanten.

Het Jahangir Mahal is een van de eerste gebouwen dat zichtbaar is na het betreden van de versterking. Het is ontworpen als vrouwenverblijf en is het enige paleis in opdracht van Akbar gebouwd dat er nog steeds staat.

Ornamentele draagstenen ondersteunen plafondbalken - een alomtegenwoordig element in de India-

Het Fort van Agra is deels bekend om zijn rode kleur (boven). De bouw van het fort wordt vermeld in het Akbarnama, of Boek van Akbar, het officiële biografische verslag van koning Akbar uit de 16e eeuw. Het lagere gedeelte van de gevel van het fort is versierd met veelkleurige glazen tegels met complexe geometrische patronen die algemeen zijn in de islamitische kunst.

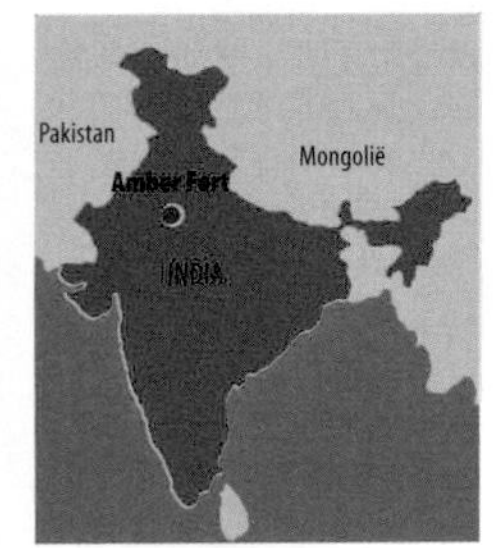

De bedrieglijke opslagplaats van Jaipur

*Het **Amber Fort** is ontzagwekkend en verfijnd.*

Bereikbaarheid

Jaipur is goed bereikbaar over de weg en er rijden regelmatig treinen van en naar Delhi, Agra, Mumbai, Chennai, Bikaner, Jodhpur, Udaipur en Ahmedabad. Van het vliegveld van Jaipur, Sanganer Airport, zijn binnenlandse vluchten beschikbaar van en naar Delhi, Calcutta, Mumbai, Ahmedabad, Jodhpur en Udaipur.

Beste seizoen

November tot maart.

Aanraders

De Spiegelzaal en Kali Tempel; City Palace, Jantar Mantar.

Het Amber Fort behoort tot een van de unieke forten in India, waarin zowel moslim als hindoe bouwstijlen en ontwerpen worden gecombineerd. Hoewel het fort er van buitenaf kleurloos en ontzagwekkend uitziet, is het interieur vol van meesterlijk decoratieve elementen van muurschilderingen tot muren en plafonds bedekt met spiegels. Dit verrassende contrast maakt het tot een van de meest bezochte versterkingen in India.

Verplaatste hoofdstad

Amber was oorspronkelijk de hoofdstad van de woestijnstaat Rajasthan, voordat de hoofdstad in de 18e eeuw werd verplaatst naar het

11 kilometer verderop gelegen Jaipur. In 1592 werd er aan de bouw begonnen bovenop de resten van een oud bouwwerk dat door de Minastam was gebouwd; stamleden werden toen de bewakers van de koninklijke schat. De stad Amber was gewijd aan Amba, de moedergodin. Als citadel met een spiritueel zo betekenisvolle ligging, werd het fort verfraaid met de meest extravagante patronen en in de loop van 150 jaar voortdurend aangepast. De verfijnde elementen zijn hoofdzakelijk in het fort te zien.

Olifanten, koraal en Kali

Eigenlijk bestaat het Amber Fort uit twee forten: het oorspronkelijke

fort van de stad Amber, dat nu bekendstaat als Jaigarh Fort, en het complex dat tegenwoordig Amber Fort heet. Het Jaigarh Fort, dat geldt als de schatkamer van de Kacchwaha-heersers, ligt op een heuvel voor het Amber Fort en is daarmee verbonden via een complex systeem van versterkte doorgangen.

Het brede pad dat naar het fort leidt werd oorspronkelijk gebruikt als een paraderoute voor legers die na een veldslag terugkeerden. Tegenwoordig worden er militaire artefacten, waaronder kanonnen en andere vuurwapens tentoongesteld. Bezoekers kunnen het fort te voet naderen of met een traditioneler vervoermiddel, op een olifant. De dieren zijn te huur in de stad onder het fort.

Vlak buiten de toegang tot het paleis leidt een smalle trap naar een aan Kali gewijde tempel. Verscheidene enorme zilveren leeuwen waken buiten de zilveren deuren van de tempel, die bekend is om zijn verfijnde muren in bas-reliëf. Volgens de overlevering aanbad maharadja Man Singh de godin Kali vanwege de overwinning die zijn stam behaalde op de Bengaalse heersers. In een droom werd hij bezocht door de godin die hem opdracht gaf haar standbeeld van de Jessore Seabed terug te brengen naar een meer gepaste tempel.

Tegenwoordig is de tempel nog steeds een van de meest gerespecteerde tempels, waar ceremonies worden gehouden met duizenden in vervoering gebrachte aanhangers. Vermeldenswaard is een standbeeld van Ganesha bij de ingang dat geheel uit één stuk koraal is gehouwen.

De hoofdtoegang van het Amber Fort, Surajpol, voert naar de Jaleb Chowk, het binnenhof, waar zich de trap bevindt die naar het paleis leidt Daar treft de bezoeker een overvloed aan verfraaide tuinen, bas-reliëfmuren, geschilderde poorten en tempels aan. Onderweg zijn de Diwan-i-Aam (de Audiëntiehal) en de koninklijke verblijven te zien. Het binnenste gedeelte van het fort was bestemd voor de zenana (de vrouwenverblijven).

Een door een kaars verlicht heiligdom

Hoewel het van de buitenkant niet duidelijk is, zijn meerdere van de binnenvertrekken van het fort verfijnd ontworpen, vernieuwd en goed onderhouden. Meerdere muren zijn beschilderd met fresco's die scènes van huiselijke harmonie en andere monumenten van het dagelijks leven illustreren. Een van de binnenste heiligdommen, het Sheesh Mahal, of spiegelzaal, is bedekt met spiegelmozaïeken, kleine stukjes geslepen spiegel die in geometrische patronen zijn ingelegd. De zaal is ontworpen om 's nachts te worden verlicht door een enkele kaars die wordt weerspiegeld en gebroken door de spiegels en waardoor het licht wordt versterkt.

Het ontzagwekkende fort verbergt achter zijn saaie gevel talloze artistieke en architectonische juwelen (linksboven). Meerdere binnenplaatsen met grote boogpoorten nodigen uit om bijeen te komen binnen het fort (rechtsboven).

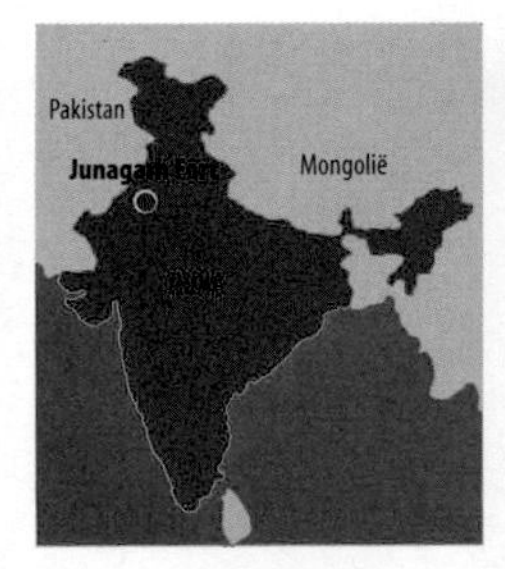

Spectaculair stadsfort

*Het **Junagarh Fort** ligt er magnifiek bij in het zand van de Thar woestijn in de stad Bikaner.*

BEREIKBAARHEID

Bikaner staat via het spoor in verbinding met alle belangrijke steden in India; van Jodhpur, een van de dichtstbijzijnde steden, duurt de treinreis vier uur. Eenmaal in Bikaner kunt u het best een trishaw of tonga (paardenkoets) huren, want de straten zijn er te smal voor auto's.

BESTE SEIZOEN

De zomer is extreem warm in Bikaner; de wintermaanden van november tot februari zijn het aangenaamst en koelst.

TIP

Voor degenen die behoefte hebben aan een vorstelijke behandeling, is een overnachting in de tot luxe hotel omgetoverde vroegere residentie van de maharadja Ganga Singh, het Laxmi Niwas Paleis, een aanrader.

Het Junagarh Fort ligt niet op een berg, torent niet uit boven een stad en lijkt niet de wolken te raken met zijn lange torens. Oorspronkelijk was het gebouwd op een vlak stuk land op enkele kilometers van Bikaner, maar de stad is om het fort heen gegroeid en de oorspronkelijke slotgracht wordt nu omgeven door gebouwen, winkels en straten. Bikaner was een belangrijke halte op de handelsroute tussen Midden-Azië en de Indiase kust. In de 16e eeuw begon het tij te keren, precies rond de tijd dat het fort werd gebouwd. Door de heerschappij van de Mogoels te aanvaarden, speelde de zesde heerser van Bikaner, Raja Rai Singhji, een reeks uitgekookte machtspelletjes die hem meer territorium opleverden - en meer inkomsten voor zijn schatkist. Dat geld gebruikte hij voor de bouw van Fort Junagarh, waarmee hij in 1589 begon, en zo kon dit werkelijk indrukwekkende paleis in zijn oasestad ontstaan. Singji's reizen naar andere landen beïnvloedden zijn paleiscomplex op een verrassende en mooie manier. Het fort was voltooid in 1594 en bleef de daaropvolgende 500 jaar een van India's meest verfijnde paleizen.

Poort naar schoonheid

Junagarh is gebouwd op een indrukwekkende schaal. Het complex beslaat 5,3 hectare en wordt omgeven door 12 meter hoge muren die worden onderbroken door maar liefst zeven poorten. Deze poorten, waarvan vele prachtig beeldhouwwerk vertonen, bieden toegang tot de talloze paviljoenen, tempels en paleizen binnen de versterking. De Karan Pol, versterkt met ijzeren pinnen, was de hoofdpoort van het fort en een van de best versterkte. Ernaast bevindt zich de Daulat Pol die een schrijnende herinnering oproept aan de ontberingen van de strijd. Eenenveertig handafdrukken zijn in de rode muur te zien, de laatste groet van de vrouwen van wie de mannen sneuvelden in de strijd.

De persoonlijke toets van de maharadja

Eenmaal in het fort spreidt een verbazingwekkend assortiment paleizen en heiligdommen zich naar alle kanten uit. Iedere maharadja liet zijn eigen paleis bouwen, omdat hij niet op dezelfde plaats als zijn voorganger wilde wonen. De gebouwen bieden een unieke glimp op de veranderende architectuur in India. De paleizen en koningsvertrekken vormen een mix van de vroegste Rajput bouwstijl, die Mogoel en islamitische elementen combineerde, de door de Britten gewenste architectuur van het koloniale tijdperk, en de geest van vernieuwing die de meest recente maharadja, Ganga Singh, kenmerkte. Het Karan Mahal bijvoorbeeld is gebouwd door Karan Singh in 1680. Gebrandmerkt glas, uitgehouwen balkons en gecanneleerde zuilen sieren een van de meest verfijnde voorbeelden van de Rajput architectuur in Junagarh. Het nabijgelegen Ganga Mahal werd gebouwd in de 20e eeuw en weerspiegelt de hernieuwde belangstelling voor de architectuur zoals die van het Karan Mahal.

Unieke individuele paleizen

Elk paleis in Junagarh bevat een unieke schat. Veel van de gebouwen in Junagarh vertonen verfijnde details en staan bekend om hun overdadige interieurversieringen. Het Chandra Mahal is verfraaid met fresco's die zijn ingelegd met kostbare juwelen, terwijl het Phool Mahal, het oudste paleis in het complex, glinstert met schitterend gerangschikt spiegelwerk. Het Anup Mahal wordt beschouwd als een van de grootste in het fort. De rijk versierde plafonds van bewerkt hout zijn ook ingelegd met spiegels en tegels. Witte zuilen zijn versierd met bladgoud en verfijnde patronen, terwijl de ramen en balkons van dit uitzonderlijke paleis zijn verfraaid met lattenwerk.

Hoewel Junagarh in tegenstelling tot veel van de andere paleizen in India, niet hoog ligt, is het in zijn lange bestaan als zetel van de maharadja's van Bikaner onneembaar gebleken. Behalve van de afbraak door vijanden en de tijd, vertellen de gouden vertrekken en elegante verhoudingen tot op de dag van vandaag een mooi verhaal.

Het Junagarh Fort is vooral bekend om de verrassende interieurs, een reeks schitterende vertrekken zoals hier is te zien. Hoewel de paleizen indrukwekkend zijn, zijn er ook zenana's of vrouwenvertrek in het complex te zien. Deze zijn op een intiemere schaal gebouwd, en de aandacht voor detail is simpelweg opmerkelijk (volgende bladzijde). Junagarh, een mix van architectonische bouwstijlen, is eerst gebouwd in de Rajputstijl die populair was tijdens de heerschappij van Raj Singhji - deze reeks bogen tonen de klassieke samensmelting van Mogoel en islamitische invloeden die de Rajputstijl kenmerkte (boven). De paleizen van Junagarh torenen uit boven de dikke buitenmuren. Hoewel het oorspronkelijk als fort is gebouwd, roept de grandeur van de architectuur de elegantie van paleizen op en niet van militaire versterking.

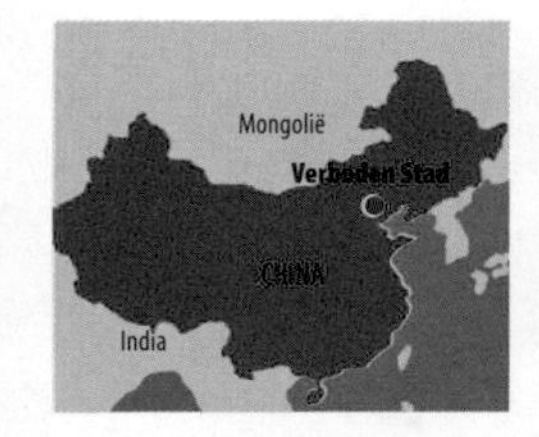

• UNESCO WERELDERFGOED

BEREIKBAARHEID
De Verboden Stad ligt in het centrum van Beijing en iets ten noorden van het Tiananmenplein. Veel buslijnen en de metro rijden erheen.

BESTE SEIZOEN
In het laagseizoen, van oktober tot april, is het er minder druk, maar sluit het paleis vroeger.

TIP
De Verboden Stad is een enorm complex dat de nieuwsgierige bezoeker veel te bieden heeft; om alles te verkennen hebt u minstens een dag of twee dagen nodig.

De buitenmuur van de Verboden Stad is even monumentaal als de stad die hij omheint. De muren hadden zowel een verdedigende als een ondersteunende functie (boven). De Verboden Stad, omgeven door een dikke muur en een brede slotgracht, was het grootste gedeelte van haar bestaan verboden gebied. De hoektorens werden wel gezien door het gewone volk, en zo ontstonden er legenden en mythen (onder).

Ontzagwekkend nationaal symbool

*De **Verboden Stad** in Beijing, die nauw verbonden is met twee dynastieën, is een ontzagwekkend symbool van de Chinese kracht, geschiedenis en artistieke kundigheid.*

In het centrum van de zich uitdijende moderne stad Beijing liggen de overblijfselen van een ander tijdperk. Een reeks concentrische vertrekken omgeven de historische zetel van het Chinese gezag, de Verboden Stad. De naam van een van 's werelds grootste paleiscomplexen roept visioenen op van keizers en concubines, gouden draken en zwart lakwerk, extravagantie en ceremonie. Heel lang was het zo dat de enige verbinding die de gewone man met het paleis had, het noemen van de naam was. In het Chinees staat het paleis bekend als Zijin Cheng (Purperen Verboden Stad). Het complex werd gezien als de wereldse tegenhanger van het koninkrijk van de Hemelse Keizer. Purper verwees naar de Poolster, het traditionele huis van de Hemelse Keizer in de Chinese astrologie. De keizer van China lag zo dus op een lijn met de hemelse heerser; de Verboden Stad, als het domein van beiden, was streng verboden voor een ieder die daarvoor niet persoonlijk de goedkeuring van de keizer had.

Ontzagwekkende afmetingen

Met de bouw van de Verboden

Stad werd in 1402 een begin gemaakt door Zhu Di, de derde keizer van de Ming dynastie. Di maakte Beijing tot de tweede hoofdstad na Nanjing en verplaatste het centrum van de macht geleidelijk naar het noorden. Toen het paleis in 1420 was voltooid, riep Di Beijing uit tot de nieuwe hoofdstad. In de tussenliggende vijftien jaar groeide het complex uit tot ontzagwekkende afmetingen. De Verboden Stad wordt omgeven door 8 meter hoge muren en een 52 meter brede slotgracht. Op de hoeken van de omheinde vesting, een enorme rechthoek die 72 hectare beslaat, staan torens. Elke muur bevat een unieke toegangspoort naar de stad.

Veertien Ming-keizers genoten van de indrukwekkende omvang van de creatie van Zhu Di. Maar in 1644 kwam daaraan een einde. Opstandige legers veroverden de stad, en de Ming-keizer verhing zich. In oktober van dat jaar was er een nieuwe dynastie verrezen. De Qing-dynastie maakte de Verboden Stad tot zijn thuis en zijn machtsbasis en heerste tot in de 20e eeuw zowel over de stad als over het keizerrijk.

Het hof van de harmonieuze hallen

De omvang van de Verboden Stad is binnen de dikke muren zelfs nog indrukwekkender. Het complex bestaat uit 90 paleizen, 980 gebouwen en een verbijsterend aantal van 8704 vertrekken. De stad bestaat uit twee delen. De centrale noord-zuidas vormt de lijn waaromheen

De Verboden Stad bestaat uit meer dan negenhonderd gebouwen en is een van de grootste paleiscomplexen ter wereld; de Jingshan-heuvel biedt een goed zicht over het indrukwekkendste paleis van China.

de belangrijkste gebouwen staan. De Meridiaan Poort leidt rechtstreeks naar een groot plein. Drie gebouwen domineren de ruimte: de Hal van de Opperste Harmonie, Hal van de Centrale Harmonie en de Hal van de Duurzame Harmonie. Achter de grote hal lag de Hal van de Centrale Harmonie die de keizer als rustplaats gebruikte voor en na ceremonies. De laatste hal van het Buitenhof, de Hal van de Duurzame Harmonie, werd gebruikt voor het repeteren van ceremonies en diende als verzamelplaats voor het Keizerlijk onderzoek, de toets die werd gebruikt om leden van de staatsbureaucratie te selecteren uit het publiek.

Er heerst een innerlijke vrede

Het Binnenhof was het privédomein van de keizer en zijn gezin. Een binnenplaats scheidt dit hof van het Buitenhof dat voor iets meer mensen toegankelijk was. Ook hier staan drie grote paviljoenen, Het Paleis van de Hemelse Reinheid, de Hal van de Vereniging en het Paleis van de Aardse Rust. Evenals de paviljoenen in het Buitenhof, vervulde elk gebouw een duidelijke functie in het leven van de keizerlijke familie. In de Ming-dynastie werden ze gebruikt als de residentie van de keizerlijke familie. De keizer, die de Yangmacht en de hemelen vertegenwoordigde, woonde en werkte in het Paleis van Hemelse Reinheid; de keizerin, die Ying en de aarde symboliseerde, verbleef in het Paleis van de Aardse Rust, en de twee ontmoetten elkaar in de Hal van de Vereniging.

Keizerlijke omgeving

Een bezoek aan de Verboden Stad, die wordt omgeven door tuinen en heiligdommen wekt de indruk van een rustige geschiedenis. Maar het recente verleden heeft bewezen het gevaarlijkst te zijn geweest voor dit prachtige paleis. Tijdens de Tweede Wereldoorlog dreigde een Japanse invasie, en van binnenuit werd de stad bedreigd door de Culturele Revolutie.

Zeer decoratieve toetsen sieren de doorgangen die de binnenplaatsen, gebouwen en kleinere paleizen met elkaar verbinden. In de Chinese architectuur hadden kleuren een symbolische waarde; geel is de kleur van de keizer, zwart wordt geassocieerd met water en groen met groei (middenonder). Het grootste houten bouwwerk in China, de Hal van de Opperste Harmonie, is een van de hoofdattracties van de Verboden Stad. Binnen prijkt de troon van de keizer, een magnifiek geheel op een witte jade verhoging en omgeven door zes gouden zuilen.

Toegangspoort tot de Chinese Muur

*Het **Jiayuguan Fort** was een halte op de zijderoute.*

BEREIKBAARHEID

De nabijgelegen stad Jiayuguan is te bereiken met het vliegtuig en de trein. Het fort ligt op circa 5 kilometer van het stadscentrum.

BESTE SEIZOEN

Het klimaat in Jiayuguan is gematigd en droog, hoewel het er extreem warm of koud kan zijn. De beste maanden zijn maart tot begin oktober.

ANDERE BEZIENSWAARDIGHEID

Het gebied rond de moderne stad Jiayuguan heeft veel te bieden, waaronder gedeelten van de Chinese Muur zoals de Great Overhanging Wall. Breng ook een bezoek aan de Wei-Jin galerie, waar een indrukwekkende collectie in twee tomben wordt tentoongesteld. Bovendien is dit de grootste ondergrondse galerie ter wereld.

Voor velen die het Jiayuguan Fort aandeden, leek het de laatste beschaafde plek op aarde. De smalle Jiayu Pas, ingeklemd tussen de bergketens Qilian en Mazong, is de plek waar zich een van China's indrukwekkendste en best bewaarde vestingen bevindt. Jiayuguan is een enorm trapezoïdaal bouwwerk dat 3,2 hectare beslaat en een nieuwe betekenis geeft aan het woord ontzagwekkend. De onbeschutte ligging van het fort te midden van bergen en vlakten, ver van de drukke steden, geeft een gevoel van volledige verlatenheid. Het fort was een belangrijke halte voor koopmannen en handelaren die de Oude Zijderoute volgden en vormde ook de poort voor degenen die waren verbannen naar een angstaanjagende onbekende wereld. De vesting ligt aan de westelijke rand van China en de poorten openden naar de Gobiwoestijn.

Legendarische constructie

Sommige wetenschappers menen dat er tijdens de Han-dynastie (206 v.Chr. – 220 n.Chr.) een fort werd gebouwd op de pas, maar het huidige fort dateert van 1372 en is een product van de vroege Ming-dynastie (1368-1644). De legende rond de bouw van het fort is welbekend. De bouw was gepland met nauwgezet oog voor detail, en de architect werd gevraagd om een schatting te doen van het aantal bakstenen dat voor de bouw nodig was. De architect legde een aantal voor aan de bouwopzichter. Toen deze een vraagteken plaatste bij de schatting, voegde de architect één baksteen toe aan het aantal dat hij had genoemd. Toen het fort klaar was, waren alle bakstenen gebruikt, op één na. De slimme gift van de architect werd op een van de poorten geplaatst, waar hij naar verluidt nog steeds ligt.

Jiayuguan bestaat uit drie concentrische stroken. Het gehele complex wordt omgeven door een slotgracht. De tweede cirkel bestaat uit een dikke buitenmuur met wachttorens, uitkijkpaviljoenen en torentjes. De buitenmuur wordt onderbroken door twee 17 meter hoge poorten aan de oost- en westzijde van de pas met opkrullende dakranden. Ze staan respectievelijk bekend als de Poort van de Verlichting en de Poort van de Verzoening.

De binnenstad maakt indruk

De twee poorten van de vesting leiden naar een uitgestrekt binnenhof dat bekendstaat als de Binnenstad. Deze beslaat 2,4 hectare en wordt omgeven door een eigen muur die 640 meter lang is. Er bevinden zich veel vermeldenswaardige gebouwen, waaronder de residentie van de hoofdfunctionaris van het fort, het Youji Jiangjunhuis, en de Wenchang Hal waar intellectuelen waarschijnlijk samenkwamen om zich te beklagen en gedichten te schrijven over hun verplaatsing naar zo'n afgelegen oord.

De Binnenstad is opmerkelijk goed bewaard gebleven en het kost geen moeite om in gedachten een aantal Ming-strijders op paarden te zien aanstormen. Andere interessante bouwwerken zijn de Guandi Tempel, een reeks enorme bogen die naar een theatertoren leiden naast de poort aan de oostzijde van de vesting. Aan de westzijde van de stad bevindt zich de grote stèle van Jiayuguan die in zijn paviljoen staat. De stèle, met ingekerfde Chinese karakters, was het werk van de Qing-bevelhebber Li Tingchen.

Inscripties op de muur

Hoewel het fort een marginale plaats innam in het Chinese keizerrijk en het hoofdzakelijk voor militaire doeleinden werd gebruikt, is het niet helemaal verstoken van artistieke sierlijkheid. Veel van de interieurs zijn versierd met prachtige muurschilderingen in zachte kleuren, en vooral de grote poorten getuigen van de elegante architectuur van de Ming-dynastie.

De Poort van de Verzoening bevat de meest schrijnende kunst van Jiayuguan. Het was een gewoonte dat degenen die China verlieten door het fort gedachten en verzen over hun op handen zijnde verbanning op de muren van de poort schreven, een laatste herinnering aan de wereld die ze misschien nooit meer zouden terugzien. Tijdens een rondgang door de vesting kan de bezoeker zich het gevoel van wanhoop, angst en onzekerheid voorstellen dat zoveel bewoners moeten hebben ervaren. Het fort ligt aan de rand van een uitgestrekte droge vlakte en komt nog steeds over als een onaangename buitenpost, maar gelukkig kan de hedendaagse bezoeker zelf kiezen wanneer hij de vesting weer verlaat.

Een man leidt een paard in het Jiayuguan Fort. Op de achtergrond doemen de indrukwekkende poorten van het fort op aan de horizon. Hoewel dit een scène lijkt van duizenden jaren geleden, is dit paard te huur voor toeristen.

Een van de poorten van het Jiayuguan Fort torent uit boven de buitenmuren. De 11 meter hoge muren aan de westelijke zijde worden versterkt door extra bakstenen (boven).
Een deel van de Chinese Muur gezien vanaf het Jiayuguan Fort. Het fort markeert de westelijke rand van China en is aan de noord- en zuidkant verbonden met de Grote Muur.

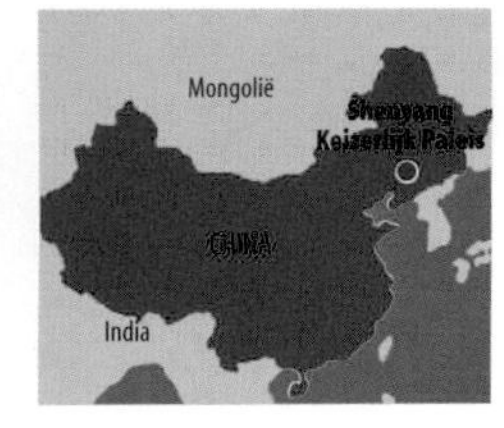

Mantsjoerijse verrukking

*Het **Shenyang Keizerlijk Paleis** is gebouwd onder de Qing-dynastie.*

• **UNESCO Werelderfgoed**

Bereikbaarheid

Het Paleis ligt in de stad Shenyang en is bereikbaar met de bus of trolleybus vanaf het zuidelijke treinstation.

Beste seizoen

Het hele jaar door. Shenyang heeft een gematigd klimaat en is mooi in alle seizoenen, hoewel het er in de winter koud kan zijn.

Tip

Voor degenen die de winter willen trotseren, is het jaarlijkse Sneeuw Festival interessant. Op dit populairste festival van China vinden evenementen met ijssculpturen plaats en kan er geskied worden.

China is een land van tempels, heiligdommen en vestingen. Maar het uitgestrekte land heeft nog maar twee intacte koninklijke paleizen: de Verboden Stad in Beijing en het Keizerlijk Paleis in Shenyang, de hoofdstad van de deelstaat Lianoning. Shenyang was in het verleden niet alleen de hoofdstad van de Mantsjoerijnen, maar ook van de opkomende Qing-dynastie tot in 1644, toen de Ming-dynastie ten val werd gebracht en de Qing-heerser naar de Verboden Stad in Beijing verhuisde. De bouw van het paleis in Shenyang begon in 1625 onder de grote Mantsjoeleider Nurhaci (1616-1626). Nurhaci was verantwoordelijk voor het begin van de opstand tegen de Ming, maar leverde ook een blijvende bijdrage aan de Chinese cultuur door het invoeren van de Acht Banieren. Dit was een unieke methode voor het organiseren van groepen

soldaten van verschillende etnische afkomst en diende als instrument in het ontwikkelen van een gecentraliseerd militair apparaat. De zoon van Nurhaci, Huang Taiji (1626-1643) zette de bouw van het paleis dat zijn vader was begonnen voort. Taiji, de eerste keizer van de Qing-dynastie, was verantwoordelijk voor de verhuizing naar Beijing. Maar het paleis in Shenyang bleef in gebruik als keizerlijke residentie en werd uitgebreid onder de langstdienende keizers van China, Kangxi (1661-1722) en Qianlong (1735-1796). Deze latere heersers verenigden architectonische elementen van de Han- en Mogoelstijlen met de overheersende Mantsjoestijl. Shenyang is dus een voorbeeld van de Chinese etnische mix.

Militaire architectuur

Hoewel vaak wordt beweerd dat Shenyang is gebaseerd op de Verboden Stad, zijn er heel veel verschillen. Ten eerste is het veel kleiner: slechts 60.000 vierkante meter, en het bevat iets meer dan honderd gebouwen met circa 300 vertrek-

ken. Maar Shenyang is op andere manieren uniek. Terwijl de Verboden Stad hoofdzakelijk is gebouwd in de Han-bouwstijl, weerspiegelt het paleis in Shenyang meer van de Mantsjoecultuur van zijn stichters. Het paleis bestaat uit drie delen. In het oostelijke gedeelte bevindt zich de spectaculaire Dazheng Hal die werd gebouwd onder Nurhaci. Het grote paviljoen heeft een achtvormig dak en op vleugels lijkende dubbele dakranden.

Langs een as gerangschikt

Het middengedeelte van het complex bevat de belangrijkste gebouwen die alle gerangschikt staan rondom een centrale noord-zuidas. Vlak achter de hoofdpoort Da Qing ligt de Chongzheng Hal, het grote bouwwerk waarin Huang Taiji hof hield. Dat hij een nieuwe hal liet bouwen in plaats van die van zijn vader te gebruiken, getuigt van het grote respect van de Mantsjoe voor hun voorvaderen. Reusachtige gehouwen draken zijn gedrapeerd om de steunpilaren van de hal; hun koppen in de dakrand en hun staarten om de rode cilinders. Zowel Dazheng als Chonzheng zijn bedekt met gele dakpannen die de keizer symboliseren. Een andere hal, de Figuang, heeft ook een geel dak. Hij werd gebouwd door keizer Qianlong als zijn eigen hof. Qianlong liet ook het Wen Su Paviljoen bouwen dat onderdak biedt aan belangrijke werken uit de Chinese literatuur, zoals de encyclopedische Complete Collectie van Vier Schatten.

De karakteristieke Fenix Toren verrijst met drie verdiepingen in het middelste gedeelte van het complex en is het hoogste gebouw. De toren, gebouwd op 4 meter zwarte baksteen vertoont karakteristieke gebogen dakranden, en behoort tot een van de mooiste bouwwerken in Shenyang. Naast de toren ligt het Qingning Paleis, de residentie van Huang Taiji en zijn concubines. Uniek aan Shenyang is dat de residentiehallen hoger zijn dan de ceremoniehallen. In tegenstelling tot de Verboden Stad, waar de hallen de skyline domineren, werden de hoogste gebouwen in Shenyang gebruikt als woonvertrekken, waarschijnlijk om veiligheidsredenen.

Qing-kostbaarheden

De paleizen en hallen in het complex bevatten een dubbele schat: zowel de goed bewaarde architectuur en interieurs, als een rijke bron van belangrijke artefacten, documenten en kunstwerken uit de Qing-dynastie. In het paleis worden mooie voorbeelden van Mantsjoe, Han- en Mogoel-vakmanschap getoond, waaronder wapens, muziekinstrumenten, lakwerk, keramiek, textiel en juwelen - zelfs het zwaard van Nurhaci. Al lopend door de paviljoenen en hallen krijgt u een eerste indruk van de invloed van een gehele dynastie, het Qing-tijdperk.

Het Shenyang Paleis is ook wel bekend onder de naam Mukden Paleis. Het indrukwekkende Fenix Paviljoen is een van de hoogtepunten van het complex (voorgaande bladzijde, boven).
In tegenstelling tot de Verboden Stad bouwden de keizers in Shenyang elk hun eigen hofpaleis als teken van respect voor hun voorgangers. Elk hof was rijk gedecoreerd en vertoonde een persoonlijke uitstraling (voorgaande bladzijde, onder).
De toegang tot de Chongzen Hal met zijn twee draken die de wacht houden, is indrukwekkend. Chongzen was het belangrijkste gebouw in Shenyang en het officiële hof van Huang Taiji (links).

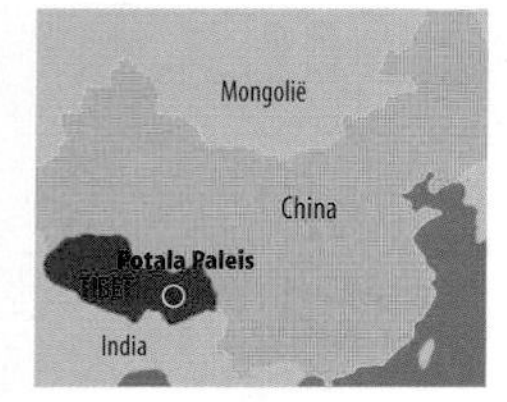

• **UNESCO WERELDERFGOED**

BEREIKBAARHEID

Het vliegveld Lhasa Gongarr ligt op een uur rijden van het centrum van Lhasa. Er zijn vluchten van en naar Beijing, Kathmandu en Hongkong.

BESTE SEIZOEN

Vanwege de grote toeristenstroom heeft het Potala een streng quotumsysteem moeten invoeren. Vermijd de maanden tussen juli en september, wanneer het quotum al halverwege de ochtend is bereikt.

Paleis in de wolken

*Het **Potala Paleis** in Tibet, de eerste wolkenkrabber ter wereld, was het hoofdverblijf van de Dalai Lama.*

Het Potala Paleis heerst over de Lhasa-vallei. Het paleis op de berg torent 300 meter boven het dal uit en oogt echt alsof het door en voor de goden is gebouwd. Het is genoemd naar de bergwoning van Chenresig, de bodhisattva van mededeleven. Het paleis was het traditionele thuis van de dalai lama en de zetel van de Tibetaanse politieke en religieuze macht. Omdat de Tibetanen geloven dat de dalai lama de reïncarnatie is van Chenresig, is het paleis een gepaste woning voor deze heiligste van de religieuze leiders. Het Potala Paleis prijkt bovenop Marpori (Rode Berg) en is werkelijk ontzagwekkend. Het is een enorm bouwwerk met 1000 vertrekken en 10.000 heiligdommen. De glooiende muren lijken

zo uit de Marpori te komen. Hoewel het effect naadloos is, zijn de funderingen gevuld met koper als bescherming tegen aardbevingen; aan de voet zijn ze 5 meter dik. Die stevige funderingen zijn vaak goed van pas gekomen in de loop van de lange en tumultueuze geschiedenis van het Potala Paleis.

Onzeker begin op hoogte

Marpori werd eerst gebruikt door de stichter van het Tibetaanse keizerrijk, Songtsan Gampo (629-649). In 637 gebruikte Gampo de bergtop om er een paleis te bouwen waarin hij zijn nieuwe bruid kon ontvangen, prinses Wen Chang uit China. Bijna duizend jaren gingen voorbij, voordat het bescheiden paleis werd uitgebreid tot wat het nu is. De bouw van het paleis begon in 1645 onder de vijfde dalai lama, Lozang Gyatso (1642-1682). Gyatso, die ook bekendstond als de 'Grote Vijfde', de eerste die centraal Tibet verenigde. Gebruikmakend van de strategische ligging van Marpori tussen de twee grote kloosters van Dreoung en Sera, vestigde hij Potala als het centrum van de opkomende regering van Tibet. Potrang Karpo (Het Witte Paleis) vormde de beginfase van de bouw en de administratieve zetel van de religieuze regering van Gyatso. Het Potrang Marpo (Rode Paleis) werd gebouwd bovenop het uitgestrekte witte bouwwerk en was pas voltooid in 1694, lang na de dood van Gyatso. Volgens de overlevering hielden de monniken, die vreesden dat met het overlijden van de dalai lama de bouw zou worden gestaakt, de dood van Gyatso tien jaar lang geheim. Naar verluidt verkleedde een van hen zich om de werklieden voor de gek te houden om het bouwproject te kunnen voortzetten.

Duellerende paleizen

Aan de voet van het Potala Paleis ligt een enorm plein met een aantal muren en poorten; trappen leiden omhoog de berg op. Omhoog kijkend naar de kolos is duidelijk de precieze grens te zien tussen het wit en het rood. De twee bouwwerken van verschillende kleur dienen elk een duidelijk doel. Het grotere Witte Paleis was traditioneel de woning van de dalai lama en zijn monniken. In de vroege 20e eeuw werd het paleis uitgebreid tot zijn huidige afmetingen; het biedt onderdak aan woonvertrekken, kantoren en een seminarie. Een geel binnenhof, de Deyangshar, scheidt het Witte Paleis van het Rode bouwwerk erboven.

Het Rode Paleis is alleen gewijd aan verering, religieuze studie en gebed. Het paleis vormt een ingewikkeld en fascinerend netwerk van heiligdommen, hallen en bibliotheken, telt meerdere verdiepingen en staat via een reeks kronkelige zuilengalerijen in verbinding met elkaar. Potala's heiligste en mooiste bezienswaardigheden bevinden zich in het Rode Paleis, waaronder de tomben van de vroegere dalai lama's. Hier ligt ook het meest vereerde heiligdom van het paleis, de Heiligenkapel aan de noordzijde van de Grote Westelijke Hal. De kapel bevat een met juwelen versierd standbeeld van Chenresig en ligt boven de Dharma Grot, een plek die in de 17e eeuw favoriet was bij Songtsen Gampo. Andere kapellen markeren de vier windstreken.

Verloren en herwonnen waardigheid

Hoewel het Potala Paleis aan de rand van de wereld lijkt te liggen, heeft het zijn portie aardse problemen gehad. De huidige dalai lama werd in 1959 gedwongen zijn voorouderlijk huis te ontvluchten tijdens de mislukte Tibetaanse opstand. Hoewel het paleis de verwoestingen van de Culturele Revolutie bespaard is gebleven, staat het nog onder Chinees gezag; de enkele monniken die er nog wonen, staan onder strenge supervisie. Het paleis is een zeer populaire toeristische attractie geworden en is nu voor iedereen toegankelijk. Gelukkig heeft het niet al te erg geleden onder verwoestingen, de tijd of de geschiedenis, maar die ene man die er had moeten wonen, is afwezig.

Het tweekleurige, prachtige Potala Paleis torent uit boven de Lhasa-vallei. Het hoog op de berg Marpori gelegen paleis heeft lange tijd als winteronderkomen gediend door de dalai lama (voorgaande bladzijde, boven). Het Rode Paleis wordt hoofdzakelijk gebruikt voor religieuze doeleinden en is rijk versierd met juwelen, goud, beeldhouwwerken en schilderingen (voorgaande bladzijde, onder). Doorgangen verbinden de vele verdiepingen van het paleis. Het enorme complex met meer dan duizend vertrekken is een indrukwekkende getuigenis van de boeddhistische macht in Tibet.

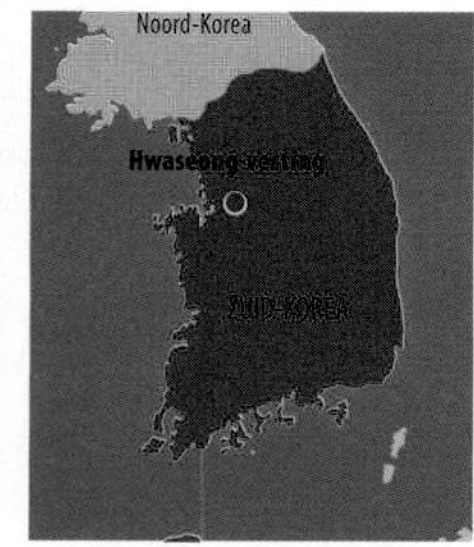

• **UNESCO Werelderfgoed**

Bereikbaarheid

Neem in Seoul de metrolijn 1 naar het Suwon-station. De wandeling naar de Paldalmun Poort duurt 20 minuten.

Beste seizoen

April tot mei en september tot november.

Tip

In het weekend worden traditionele muziek-, dans- en vechtsportvoorstellingen gegeven.

Magnifiek eerbetoon aan een vader

*De achttiende-eeuwse fortificaties van de **Hwaseong-vesting**.*

De enorme muren van de Hwaseong-vesting omheinen de gehele binnenstad van Suwon, een stad 30 kilometer ten zuiden van Seoul. De wal is 5,6 kilometer lang wat dit kasteel tot een van de indrukwekkendste van Korea maakt. Maar ten eerste is het een monument voor een tragedie. Koning Jeongjo, de tweeëntwintigste heerser van de Joseon-dynastie liet het fort bouwen ter herinnering aan zijn vader, kroonprins Sado. Sado werd het slachtoffer van een samenzwering aan het hof en werd op 27-jarige leeftijd door zijn eigen vader, koning Yeongjo, gedwongen om zelfmoord te plegen in de zomer van 1762. Toen de pogingen van Sado om zich van het leven te beroven mislukten, sloot Yeongjo zijn zoon op in een grote houten rijstkist. De kroonprins stierf na acht dagen de hongerdood. De toekomstige koning Jeongjo, toen nog een kind, smeekte om het leven van zijn vader, maar werd snel van de plaats van het misdrijf weggevoerd. Jeongjo was de volgende in lijn, maar kwam deze gruwelijke gebeurtenis nooit helemaal te boven.

Op de vlucht

Toen Jeongjo in 1776 de troon besteeg, verhuisde hij naar Suwon om de samenzweringen aan het hof te ontvluchten. Het nieuwe fort van Hwaseong, dat in dat jaar was voltooid, was bedoeld om het hof te beschermen tegen militaire aanvallen. Hwaseong betekent 'schitterend fort'. Het bouwwerk was ongelooflijk snel voltooid: in twee jaar. Moderne instrumenten, zoals hijskranen en katrollen, werden voor het eerst gebruikt in Korea. De meer traditionele gereedschappen bleven ook dienstdoen, zoals karren met houten wielen.

Moderne bouwtechnieken

Koning Jeongjo was een groot aanhanger van de school van Shirhak

die wetenschappelijk onderzoek stimuleerde. Het was een tijd van politieke en culturele renaissance. Een van de eminente wetenschappers van de school, Jeong Yakyong, publiceerde in 1793 een verhandeling over de 'strategische aspecten van fortificaties', net op tijd voor de bouw van Hwaseong, die het beste van zowel de Aziatische als de Europese ontwikkelingen in militaire architectuur verenigde. Een ander wetenschappelijk werk uit die tijd, de Hwaseong Songyok Uigwe, is een ongelooflijk gedetailleerd verslag van het ontwerp en de bouw van het bolwerk. Volgens dit rapport werkten er 662 steenmetselaars, 235 timmerlieden, 295 vergulders, 150 baksteenmetselaars, 83 metaalbewerkers, 46 schilders en 36 beeldhouwers op de bouwplek. Deze kennis bleek waardeloos na de Koreaanse oorlog, toen de aanzienlijke schade aan het fort moest worden hersteld.

Verkeersplein ontmoet poort

Begin uw rondgang bij een van de vier hoofdpoorten en volg de kronkelende stenen vestingmuur. De zuidelijkste poort, Paldalmum Poort, is in de Koreaanse oorlog verwoest door brand en herbouwd in 1975. Hij staat in het centrum van een gigantisch verkeersplein op de hoofdweg die het complex in tweeën snijdt. Het kan gevaarlijk zijn om te proberen de poort beter te bekijken, want er zijn hier geen zebrapaden. De poort is een houten bouwwerk van twee verdiepingen op een stenen basis met een boogpoort die wordt beschermd door een halvemaan ravelijn gebouwd van baksteen. Janganmum Poort, aan de andere kant van de hoofdweg naar Seoul, ziet er vergelijkbaar uit, terwijl de oostelijke en westelijke poorten kleiner zijn.

Het fort is uniek in Azië in zoverre dat het de natuurlijke topografie van het terrein volgt.

Geheime tunnels

Zorg ervoor dat u tijdens de rondgang de vier geheime poorten krijgt te zien, waarvan sommige naar ondergrondse tunnels leiden. Deze tunnels waren bedoeld voor de bevoorrading van het fort tijdens een belegering. Wanneer de soldaten uit de tunnels stormden, konden ze de vijand verrassen met een aanval. Bij de noordelijke sluisdeur (Puksumun) wordt het landschap idyllisch. De poort, die eerder op een zevenbogige brug lijkt, wordt gebruikt om de smalle rivier Suwoncheon, die door het complex loopt, te regelen. Niet ver hiervandaan bevindt zich de noordoostelijke hoektoren die uitkijkt op een lotusvijver waarin een klein eiland ligt. De meningen zijn verdeeld tussen degenen die de tuinen liever in een traditionele Koreaanse stijl langs de muur willen zien en degenen die blij zijn met het naast elkaar bestaan van oude fortificaties en nieuwe gebouwen.

Maak een wandeling op de muren van de Hwaseong-vesting die de binnenstad van Suwon, vlak bij Seoul, omgeeft. De wandeling duurt vier uur (rechtsboven). Enorme commandoposten en artilleriebastions zoals Seobuk Gongsimdon waren bedoeld om de Japanse en Mantsjoe-invasies af te slaan (linksboven).

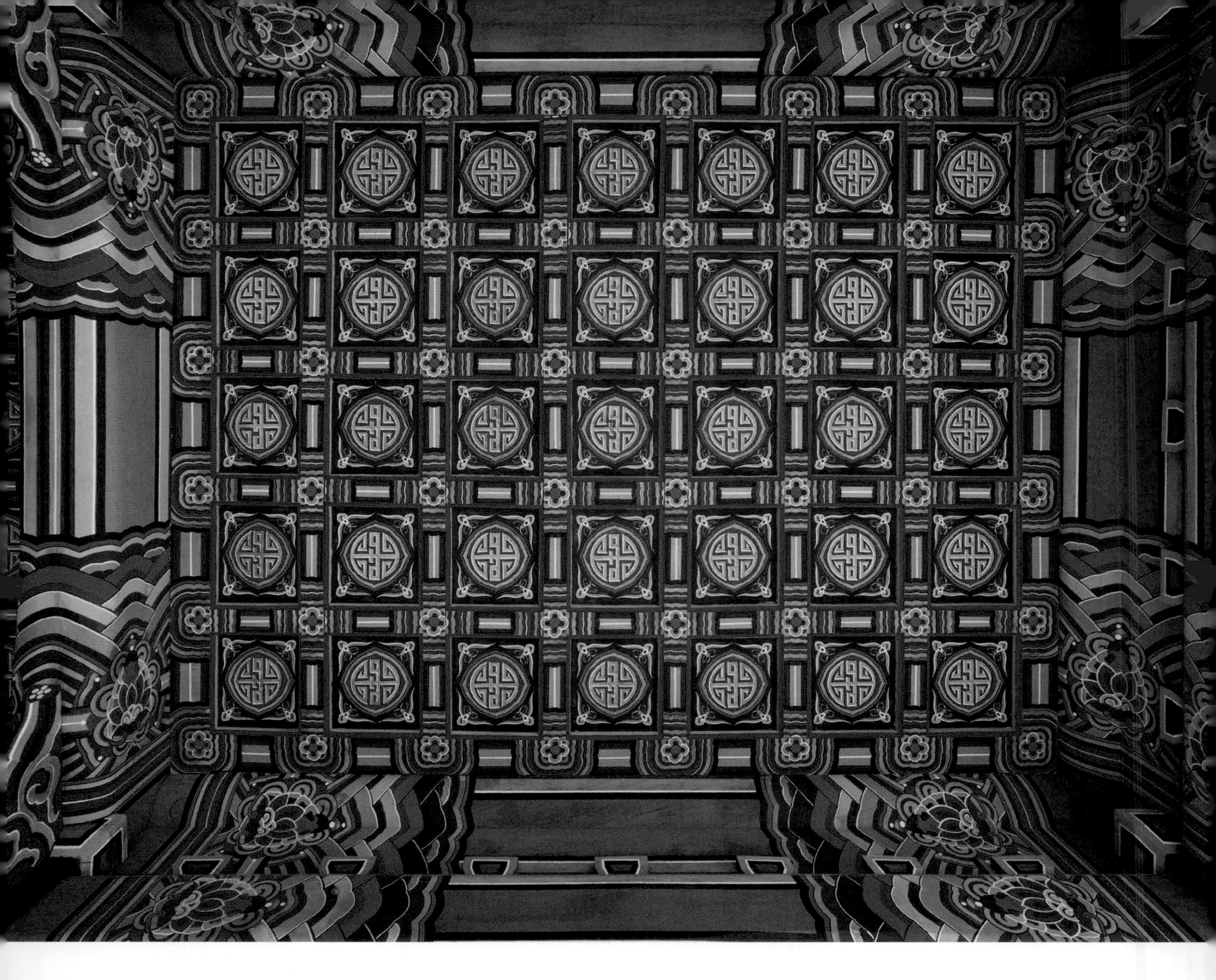

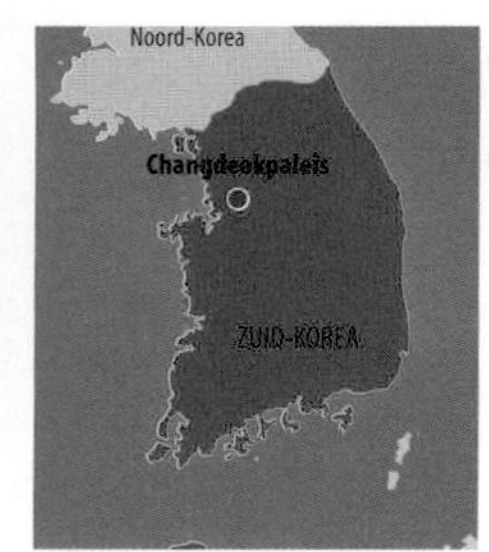

• **UNESCO Werelderfgoed**

Bereikbaarheid
Neem de metrolijn 3 naar het Anguk-station. Openingstijden: 9.00 tot 17.15 uur van april tot november, en 9.00 tot 15.45 uur van december tot maart.

Beste seizoen
April tot mei en september tot november.

Tip
Het Changdeokpaleis kan alleen met gids worden bezichtigd- behalve op donderdag, wanneer u op eigen gelegenheid het paleiscomplex kunt verkennen.

Gastronomie
Kimchi, een pittig groentegerecht, wordt bij elke Koreaanse maaltijd geserveerd. De baechu (kool) variëteit is het populairst.

Koninklijke residentie in Seoul

***Changdeokgung**, een favoriet paleis van de vorsten van de Joseon-dynastie.*

Als u moet kiezen tussen een van de 'Vijf Grote Paleizen' in Seoul, is een bezoek aan het Changdeokpaleis aan te bevelen. 'Hoewel Gyeonbokgung magnifiek is, is de ideale plek Chandeokgung,' zegt de vijftiende-eeuwse koning Sejong de Grote. En wie zou een koning willen tegenspreken die verantwoordelijk is voor de creatie van het Koreaanse alfabet dat bekendstaat als Hangul? In 1405 werd er een begin gemaakt met de bouw van het paleiscomplex onder de regering van Taejong, de derde koning van de Joseon-dynastie.

Een ideaal paleis

Bezoekers worden verzocht een rondleiding te maken op het paleisterrein die 90 minuten duurt. De rondleiding begint bij de Donghwamum, de poort aan de voorkant en het oudste oorspronkelijke bouwwerk dat ook bekendstaat als de Poort van de Machtige Transformatie. Bezoekers steken dan een smalle beek over. De brug werd gebouwd door koning Taejong in 1411. Stromend water is bijzonder belangrijk in het oude systeem van fengshui (pungsu in het Koreaans); het brengt voorspoed in ieder huis. Na het passeren van de Injeongmum Poort komt u uit op een binnenhof. Hier namen de koning en zijn gevolg plaats op de verhoogde wandelgangen, terwijl het gewone volk lager bleef. Recht vooruit is de twee verdiepingen tellende Troonhal (Injeongjeon). Hier kwam de koning samen met zijn functionarissen om de politiek te bespreken. De volgende halte op de rondleiding is de Administratieve Hal (Seonjeongjeon), waar de koning audiëntie hield. Voor een scherm waarop de maan, de zon en vijf bergen zijn afgebeeld, staat een eenvoudige, maar elegante troon. Het decoratieve plafond is een prachtig voorbeeld van de schitterende houtsnijkunst in het Joseontijdperk.

Privé-audiëntie

De aangrenzende Huijeondang, herbouwd na een brand in 1917, toont vroege invloeden van de westerse beschaving. Hier liggen de persoonlijke vertrekken van de koning, waaronder zijn slaapvertrek (Huijeondang). Daar vlakbij is het vertrek van de koningin (Daejojeon), compleet met een bord waarop staat 'Hal van de Grote Creatie', slaapkamer, koninklijke keuken en een ziekenafdeling. In tegenstelling tot alle andere gebouwen ontbreekt opmerkelijk genoeg de drakennok op het dak. Volgens de traditie werd gedacht dat het draaksymbool zou hebben ingegrepen bij de schepping van een nieuwe koning, die zelf een uitvloeisel was van de draak.

Geheime tuin

Uiteindelijk leidt de gids u naar de Geheime Tuin (Biwon), een klein bos van 32 hectare. Het diende als rustplaats voor de vorsten sinds

de tijd van koning Taejong. Sommige bomen in de tuin zijn meer dan 300 jaar oud. Een wandeling langs glooiende heuvels en lotusvijvers is een welkome verademing na de vervuilde lucht en herrie van Seoul.

De eenvoud van Confucius

De keizers van Korea waardeerden de schoonheid van het paleis en de Confuciaanse sfeer van eenvoud. Changdeokgung deed meer dan 300 jaar dienst als de hoofdresidentie van de vorsten, tot 1896 en vervolgens vanaf 1907 onder Sunjong. De laatste koning van Korea verloor zijn kroon in 1910 en overleed in 1926.

Een beschilderd plafond in Changdeokgung stelt lang leven voor (linksboven).
De gebouwen van het paleizencomplex dat behoort tot een van de 'Vijf Grote Paleizen' in Seoul, zijn versierd met ingewikkeld houtsnijwerk en gaan naadloos over in het omliggende landschap (rechtsboven).
De twee verdiepingen tellende Injeongjeon werd gebruikt voor staatszaken, koninklijke recepties en de kroning van de nieuwe koning.

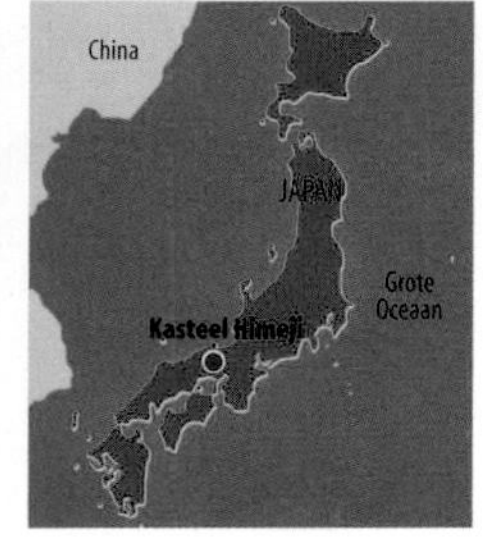

• **UNESCO Werelderfgoed**

Bereikbaarheid

Met de trein is het een uur rijden van Osaka naar Station Himeji, en 3 uur vanaf Tokio. Vanaf Station Himeji loopt u in 15 minuten naar het kasteel.

Beste seizoen

Het voorjaar, wanneer de duizend kersenbomen van het kasteel in bloei staan.

Tip

Breng ook een bezoek aan de nabijgelegen Kokoen Tuin. Deze ligt aan de voet van het kasteel. De tuin is kenmerkend voor de Edo-periode en is een prachtige plek om te ontspannen na een bezoek aan het kasteel.

Een wit visioen

Kasteel Himeji *is nagenoeg ongeschonden gebleven en biedt een kijkje in de middeleeuwen van Japan.*

Kersenbomen in bloei
zonder mensen…
kasteelberg.
- Kobayashi Issa, Japans dichter

De laatste jaren van de middeleeuwse periode in Japan werden gekenmerkt door een verzwakte centrale regering en een uiteenvallen van het land in met elkaar strijdende staten, twistende edelen en rivaliserende samuraiclans. Toen de vijand niet meer van buiten kwam, maar van binnenuit, kwam er een behoefte aan kastelen, omdat iedere heerser zich wilde kunnen verdedigen en zijn macht wilde uitoefenen over zijn eigen gebied. Tijdens de Sengoku-periode (1467-1573) werden in heel Japan talloze houten kastelen gebouwd, meestal op de plek van een bestaande vesting en meestal op een bergtop. Toen Japan in de late 16e eeuw werd verenigd, verrezen grotere kastelen, meestal in dalen of

boven op lage heuvels. Ze functioneerden als hoofdkwartier voor de militairen uit de regio en als administratieve kantoren.

Omdat de Japanse kastelen over het algemeen van hout waren, zijn er maar weinig overgebleven. De meeste zijn verwoest door brand, oorlog, afgebroken tijdens de Meiji-periode of gebombardeerd tijdens de Tweede Wereldoorlog. Het Kasteel Himeji is een uitzondering; het is het meest complete en onveranderde middeleeuwse kasteel in Japan. Het is onbetwistbaar een meesterwerk van militaire architectuur, maar ook een esthetisch wonder. Door velen wordt het beschouwd als het mooiste kasteel in Japan. Het is inderdaad een wonder dat het de beproevingen van de tijd heeft doorstaan. Daarnaast is het ook een typisch voorbeeld van een Japans kasteel met elementen die karakteristiek zijn voor alle kastelen uit die periode, maar ook voor alle Japanse kastelen.

De witte reiger

Kasteel Himeji ligt op de top van Himeyana Hill die uitkijkt over de stad Himeji, circa 50 kilometer ten westen van Kobe. Het is bekend om zijn wit gepleisterde muren en wordt ook aangeduid als de 'Witte Reiger', een toespeling op de witte

Een verdedigingsnetwerk

Het kasteel verrees op een strategisch belangrijke plaats; de ligging bovenop een heuvel bood zicht over de gehele vallei. Het bouwwerk werd ontworpen als versterking. Drie slotgrachten omgaven het kasteel en een 15 meter hoge stenen muur kwam uit de binnenste slotgracht en boog bovenaan naar buiten toe, waardoor het nagenoeg onmogelijk was om deze te beklimmen. Binnen de vestingmuur bevond zich het meest opvallende aspect van het kasteel: een labyrint van deuropeningen, doorgangen en doodlopende paden die bedoeld waren om indringers te verwarren die erin slaagden het complex binnen te komen.

Het kasteel Himeji werd gebouwd in de samenhangende stijl, waarbij een hoofdtoren door middel van diverse doorgangen verbonden was met andere torens. De hoofdtoren, of donjon, is 45,5 meter hoog en telt zeven verdiepingen, hoewel maar vijf verdiepingen zichtbaar zijn aan de buitenzijde, een tactiek die gebruikelijk was bij Japanse kastèlen en was bedoeld om aanvallers te verwarren. De donjon is omgeven door een aantal torentjes die werden gebruikt om de donjon te beschermen, maar ook als opslagplaats dienden. De Zouttoren bijvoorbeeld ligt achter de donjon en werd gebruikt voor het opslaan van zout en rijst, producten die van pas zouden komen bij een eventuele belegering. Drie bijtorens staan naast de hoofdtoren, de oostelijke en westelijke torens met vier verdiepingen (drie zichtbaar) en een noord-westelijke toen met vijf verdiepingen (vier zichtbaar). Het uitgestrekte complex telt in totaal drieëntachtig gebouwen. En evenals zijn Europese tegenhangers is Himeji royaal voorzien van kijk- en schietgaten om een mogelijke aanval te kunnen afslaan.

Uiteindelijk is het kasteel nooit betrokken geweest bij een veldslag, wat de goede staat waarin het nu verkeert verklaart. Tijdens de Meiji-periode (1868-1912) werden veel Japanse kastelen vernietigd om de breuk met het feodale verleden te symboliseren. Gelukkig is Himeji dat lot dankzij enkele militaire bevelhebbers bespaard gebleven. Tijdens de Tweede Wereldoorlog werden veel van de gebouwen buiten het kasteel verwoest, maar binnen het fort bleven ze goed behouden. In 1993 werd het kasteel opgenomen op de lijst van werelderfgoed van UNESCO, als een van de eerste Japanse bouwwerken. In april 2010 werd er een begin gemaakt met een uitgebreide renovatie die waarschijnlijk tot 2014 zal duren.

Het Kasteel Himeji heeft een rol gespeeld in een aantal speelfilms, waaronder de James Bondfilm You Only Live Twice, The Last Samurai met Tom Cruise en Kagemusha en Ran, beide geregisseerd door Kurosawa. Het kasteel wordt door velen gezien als het mooiste in Japan en heeft vanwege zijn witte muren de bijnaam 'Witte Reiger' (voorgaande bladzijde, boven). De oorspronkelijke steen die door een arme lokale vrouw werd geofferd aan Toyotomi Hideyoshi is tot op heden te zien in het kasteel (voorgaande bladzijde, onder). De kosmetische toren van Himeji roept associaties op met de legendarische prinses Zen, de dochter van de shogun Tokugawa Hidetada, die na haar huwelijk met Honda Tadatoki in het kasteel verbleef.

muren die aan weerszijden uit de donjon komen en lijken op een vogel in vlucht.

In 1581 begon Toyotomi Hideyoshi met de bouw van het kasteel. Het was een van de vele kastelen die Hideyoshi bouwde tijdens zijn omvangrijke bouwoperatie van kastelen en van restauratie, een ambitieus programma dat een symbool was voor zijn indrukwekkende militaire en politieke macht. Deze periode in de Japanse geschiedenis wordt dan ook de Momoyama-periode (1573-1603) genoemd, als verwijzing naar het eigen kasteel van Hideyoshi in Kyoto.

In 1601 werd het kasteel de residentie van Ikeda Terumasa, de schoonzoon van Tokugawa Ieyasu, de stichter en eerste shogun van het Tokugawa shogunaat (1603-1868). Er bestaat nog maar een klein gedeelte van het oorspronkelijke bouwwerk van Hideyoshi; het merendeel van de gebouwen stamt van de bouwprojecten van Terasama in het eerste decennium van de 17e eeuw. In de loop der eeuwen ondernamen de vorsten die Himeji als residentie hadden diverse bouwprojecten; de familiewapens van deze vorsten zijn te zien in het kasteel.

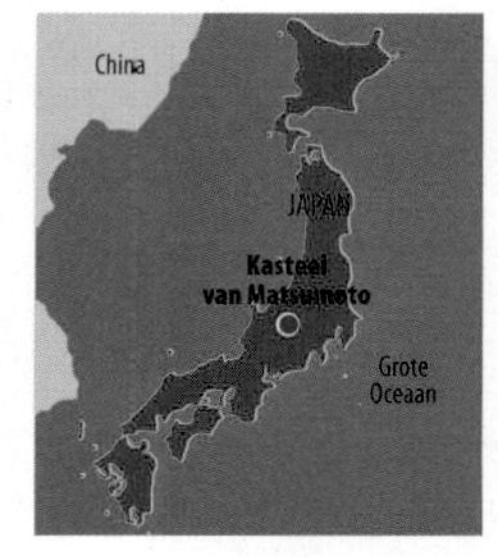

Bolwerk van de samoerai

*Het **Kasteel van Matsumoto** is gebouwd met een haast perfecte verdedigingsprecisie, maar was getuige van een lange periode van vrede.*

BEREIKBAARHEID

Er rijden elk uur treinen van het Shinjuku Station in Tokio naar het station van Matsumoto. Van het station is het 15 minuten lopen naar het kasteel.

BESTE SEIZOEN

Het najaar, wanneer de bomen prachtige herfstkleuren hebben. In het kasteel wordt elke zomer een Taiko drumfestival gehouden.

TIP

Matsumoto is een paradijs voor buitenmensen. De stad dient als toegangspoort tot de Japanse Alpen, en het hele gebied is bekend om zijn ontspannende hete bronnen.

WEETJES

Matsumoto is een van de vier kastelen die worden beschouwd als nationaal erfgoed in Japan. De andere zijn Himeji, Hikone en Inuyama.

De samoerai bouwden het oorspronkelijke fort op de plaats waar het kasteel nu staat. De vesting, die van oorsprong Fukashi werd genoemd, verrees tijdens de Sengokuperiode, of oorlogvoerende staten (1467-1573). In 1582 kreeg het fort de naam Matsumoto en vanaf 1592 kreeg het zijn huidige vorm. De prioriteit van het nieuwe kasteel was verdediging, en praktisch alle elementen van de bouw werden ontworpen met het oog op bescherming. De reconstructie duurde tot 1614, maar in 1603 kwam er een einde aan de burgeroorlogen en werd de Edo-periode (1603-1868) ingeluid. Er volgde een ongekend lange periode van vrede. Het kasteel van Matsumoto was dus geheel toegerust om zichzelf te verdedigen tegen een gewelddadige aanval, en was zelfs bestand tegen de nieuwe vuurwapens, maar zou nooit het toneel van een strijd worden, want de Edo-periode had zo'n kasteel achterhaald gemaakt. Omdat het kasteel gespaard bleef, beschikt Matsumoto nu over de oudste donjon in Japan.

Slim ontwerp

In 1590 wees Toyotomi Hideyoshi, de man die erin slaagde Japan te verenigen, Matsumoto toe aan de familie Ishikawa, een voorname Japanse clan. De familie begon onmiddellijk met de bouw van een ultramoderne fortificatie. Aan ieder verdedigingsdetail werd aandacht geschonken tijdens de bouw, tot aan de kleur van de verf toe. De buitenmuren van de donjon werden zwart geverfd, zodat ze er dreigender uitzagen. Matsumoto dankt zijn bijnaam Karsu-jo, 'Kraaienkasteel', aan zijn intimiderende verschijning en kleur.

Het kasteel ligt op vlak terrein in het hart van de stad Matsumoto. Het kasteel wordt omgeven door drie diepe slotgrachten die drie kasteelcirkels omringen. In de buitenste cirkel bevonden zich de woningen van de meeste samurai die in het kasteel verbleven, terwijl de tweede cirkel plaats biedt aan de paleizen Ni-nomaru en Kosanji, enkele opslagruimten en een wapenkamer. In de binnenste cirkel ligt de donjon en vier daarmee verbonden gebouwen.

De donjon is 29 meter hoog en blijkt zes verdiepingen te hebben, maar er zijn er maar vijf zichtbaar aan de buitenzijde. Binnen lopen de steile trappen niet in elkaar over en zijn willekeurig geplaatst om mogelijke indringers op het verkeerde been te zetten. De muren van de donjon zijn vrij dik en bedekt met vele lagen pleisterwerk om kanonvuur te weerstaan, terwijl strategisch geplaatste gaten als schietgaten dienden.

De maankamer

Elke verdieping van de donjon had een specifieke, strategische functie. De tweede verdieping is bijvoorbeeld verdeeld in acht kamers en was de plek waar de samoerai zich zouden terugtrekken in noodgevallen. Tegenwoordig bevindt zich een wapenmuseum op deze verdieping, waar een interessante verzameling in Japan gemaakt wapentuig van 1543 tot de late 19e eeuw.

In de jaren 1630 creëerde Matsudaira Naomasa, de heer van Matsumoto, die gewend was geraakt aan de lange periode van vrede, een van de meest intrigerende onderdelen van het kasteel met een puur ontspannend doel: de Maan Observatie Kamer. De kamer heeft ramen naar de vier windrichtingen en heeft ook een mooi vermiljoen balkon.

Gered door weldoeners

Het kasteel bleef twee eeuwen ongeschonden. In 1868, tijdens de Meiji-Restauratie, was het kasteel evenals veel andere kastelen voorbestemd om te worden gesloopt, waarna het domein zou worden geveild. Gelukkig zamelden enkele inwoners van Matsumoto geld in en kochten ze het kasteel zelf. Het onderhoud van het bouwwerk bleek echter heel erg duur te zijn en het raakte toch enigszins in verval; dat werd vooral duidelijk toen de donjon naar een kant begon te hellen. Opnieuw schoot een inwoner van de stad te hulp. In 1903 voerde een plaatselijke leraar van een middelbare school een succesvolle campagne ten behoeve van een restauratie die duurde tot 1913. Tijdens de Tweede Wereldoorlog werd het kasteel gespaard, en in 1952 werd het tot nationaal erfgoed verklaard.

De donjon van het Kasteel van Matsumoto is het oudste in Japan en dateert van de late 16e eeuw. Het kasteel is ook een van de twaalf overgebleven oorspronkelijke kastelen in Japan (volgende bladzijde). Een mooie vermiljoenkleurige brug leidt de bezoekers naar het complex van het kasteel.

FOTOVERANTWOORDING

Adams Peter/Gettyimages: 144 onder, **AFP/Gettyimages**: 46, 114 onder, 164 onder, 194, 195 boven, 200, 201, 203 onder, **Ali Khan Zahid**: 176, 177, **Allen Steve/Gettyimages**: 181 boven, **Amantini Stefano/CORBIS**: 130, **Atlantide Phototravel/ CORBIS**: 84, **Azubei Diego/ CORBIS**: 195 onder, **Bachmann Nestor/ CORBIS**: 90 boven, **Baldi Alberto**: 174,175, **Bartruff Dave/ CORBIS**: 93 onder, 107 onder, **Beebe Morton/ CORBIS**: 82 boven, 87 onder, 109 onder, **Beer Neil/ CORBIS**: 17, 33 boven, **Benedetti Alessandra/ CORBIS**: 126, **Benn Nathan/ CORBIS**: 106, **Bettman/ CORBIS**: 73, **Blair Jonthan/ CORBIS**: 66, **Body Philippe/Gettyimages**: 113 onder, **Boisvieux Christophe/ CORBIS**: 44 boven, 166, 167, **Brega Massimo**: 40, 41, 13 boven, 134, 135, **Bridgeman Art Library/Gettyimages**: 186 onder, **Brovelli Paolo**: 172, 173, **Buerman Luc/ CORBIS**: 146, **Burragato Maurizio**: 7, 192 boven, 192 linksonder, **Busselle Michael/ CORBIS**: 143, **Carrasco Demetrio/CORBIS**: 150 onder, **Cattai Massimo**: 6, 204 onder, 205 onder, **Chicurel Arnaud/Gettyimages**: 119 boven, **Cioll Elio/CORBIS**: 131, **Copson Alan/JAI/CORBIS:** 19 boven, 108 boven, **CORBIS**: 185 boven, 182, 190, 191, 204 boven, **Cornish Joe/Gettyimages**: 119 boven, **Cozzi Guido/CORBIS**: 144 boven, **Dagli Orti Alfredo/CORBIS**: 108 onder, 128 boven, 129, **DEA/Christina Sappà/Gettyimages**: 68 onder, 71, 118 onder, **DEA/Colnago U/Gettyimages**: 139 onder, **DEA/Cozzolino E./Gettyimages**: 139 onder, **De Agostini/Gettyimages**: 70 boven, 132, 162, 163, **Debru J./Gettyimages**: 124 boven, **Destination/CORBIS**: 8, **Deville Marc/CORBIS**: 119 onder, **Digital Vision/Gettyimages**: 193 boven, **Egenbright Ric/CORBIS**: 155 onder, **Fallavollita Franx**: 129 onder, **Falzone Michele/CORBIS**: 157 boven, **Free Agents Limited/CORBIS**: 36 boven, **Frei Franz Marc/CORBIS**: 44 onder, 110, 79 onder, **Fuste Raga Jose/CORBIS**: 74 boven, 118 boven, 121 boven, 154, **Galante Michele** 180, **Gardel Bertrand/Hemis/CORBIS**: 113 boven, **Gerig Hoower/CORBIS**: 151 onder, **Gettyimages**: 68 boven, 83 onder, 100, 102 boven, 133 onder, 137 onder, 137 boven, 142, 147 onder, 158 onder, 196 onder, 197 onder, **Giraud Philippe/Goodlook/CORBIS**: 64, **Goebel/CORBIS**: 56, **Gutman Peter/CORBIS**: 59, **Hackenberg Rainer/CORBIS**: 99 onder, **Hall Amanda/CORBIS**: 151 boven, **Haraldsson Gudmundur**: 48, 49, **Hardin Robert/Gettyimages**: 183, **Harding Robert/Robert Harding World Imagery/CORBIS:** 83 boven, **Harris Mark/Gettyimages**: 53, **Hawkes Jason/CORBIS:** 23 onder, **Heath Dallas en John/CORBIS**: 43 onder, 45 onder, 145, **Hellier Gavin/Gettyimages:** 54 boven, 86, 111, 116 boven, 207, **Hemmins Mark/Gettyimages**: 60 onder, **Hofman Paul/Gettyimages**: 16, **Holmes Robert/CORBIS**: 116 onder, 117 onder, **Holt Andrew/Gettyimages**: 20 boven, **Horner Heremy/CORBIS**: 199 onder, **Houser Dave G./CORBIS**: 169 boven, **Huges David/Gettyimages**: 26 boven, **Hulton Archive/Gettyimages**: 26 onder, 74 onder, 75 onder, 80, 81, 92, **Jackeson Chris/Gettyimages**: 20 onder, 21 onder, **Kaeler Wolfgang/CORBIS**: 122 boven, **Keenpress/CORBIS**: 30 boven, **Klune Richard/CORBIS**: 25 onder, **Krecichwost Wilfried/Gettyimages**: 61, **Lenars Charles/CORBIS**: 120 onder, **Libera Pawel/CORBIS**: 18 onder, 19 onder, **List Richard/CORBIS**: 58, **Listri Massimo/CORBIS**: 30 onder, 31 onder, 36 onder, 82 onder, 96 onder, 155 boven, **LO Mak/CORBIS**: 202, 203 boven, **Lowell Graig/CORBIS**: 198 onder, **Macduff Everton/CORBIS**: 37, **McPerson Colin/CORBIS**: 13 boven, **Money Gail/CORBIS**: 57 onder, **Nebesky Richard/Gettyimages:** 85, **Nicholson Michael/CORBIS**: 72, **Ossinger Horst/CORBIS**: 98 boven, **Page Martin/Gettyimages**:27, **Pearson Dough/JAI/CORBIS**: 95, 185 linksonder, **Perrin Pierre/CORBIS**: 112, **Photo by Fabfoto/Gettyimages**: 104, **PhotosIndia/Gettyimages**: 181 onder, **PictureNet/CORBIS:** 91 onder, **Poole David/CORBIS**: 205, **Purcell Carl en Ann/CORBIS**: 33 onder, **Radius Images/Gettyimages**: 60 boven, **Rainford Ray/Gettyimages**: 11, **Raymer Steve/CORBIS**: 33 onder, **Rastelli Vittoriano/Gettyimages**: 14 onder, 15 onder, 62, 63, **Redondo Carmen/CORBIS**: 77 boven, **Ricard Matthieu/Gettyimages**: 198 boven, **Rigault Sebastien**: 140, 141, 160, 186 boven, 187 onder, 188 onder, 189 boven, 192 middenonder, 193 onder, **Rieger Bertrand/CORBIS**: 118 midden, **Robbins David Samuel/CORBIS:** 161, **Rooney Ellen/CORBIS**: 66, **Roys Rachel/CORBIS**: 61 onder, **Sander Ursula/Gettyimages: 94, Sanger David/Gettyimages**: 15 boven, **Sappa Christous/CORBIS**: 97 onder, 78, **Settnik Bernd/CORBIS**: 90 onder, **Simoni Marco/CORBIS**: 159 onder, **Skok Janze/CORBIS**: 185 rechtsonder, **Skyscan/CORBIS**: 24, 28, **Sprit/CORBIS**: 156 boven, **Stadler Hube**: 9, **Stribley Dallas/Gettyimages**: 125, **Sutherland David/Gettyimages:** 88. 89. **Taner LIFE PICTURE/Gettyimages**: 158 boven, 164 boven, 165 onder, **Tomii Yoshio/CORBIS**: 149 boven, **Vannini Sandro/CORBIS**: 54 onder, 98 onder, 121 onder, 127, 152, **Venturi Francesco/CORBIS**: 153 onder, **Vdovin Ivan/JAI/CORBIS**: 51, **Vikander Brian A./CORBIS**: 179, **Vilder Steven/CORBIS**: 25 boven, **Ward Patrick/CORBIS**: 13 onder, **Weihrauch/dpa/CORBIS**: 47, **Werner Florian/Gettyimages**: 103, **Westmorland Stuart/CORBIS**: 52, 55 onder, **Woodworth John/Robert Harding WI/CORBIS**: 188 boven, **Woolfit Adam/CORBIS:** 22, 102 onder, **Woolfit Adam/Robert Harding WI/CORBIS**: 29, **Yamashita Michael S./CORBIS**: 67 onder, **Yeowell Gary/Gettyimages**: 10, **Yu Chu Di/CORBIS**: 196 boven, **Zielske/Gettyimages**: 97 boven.